D1242427

DISP☦RITION™

DU MÊME AUTEUR

Du sang sur l'autel, Série noire, Gallimard, 1985.

Haute Couture et Basses Besognes, Série noire, Gallimard, 1989.

Qu'est-ce que tu imagines?, Série noire, Gallimard, 1989.

Les Rues de Dieu, Série noire, Gallimard, 1992.

Les Instruments de la nuit, l'Archipel, 1999.

Les Ombres de la nuit, l'Archipel, 2002.

Interrogatoire, l'Archipel, 2003.

THOMAS H. COOK

DISP RITION™

traduit de l'américain par
Thierry Beauchamp et Romain Rabier

l'Archipel

À Nick Taylor et à Barbara Nevins Taylor.

Ce livre, adapté de la série créée par
Leslie Bohem,
a été publié sous le titre
Taken
par Dell Publishing, 2002.

Si vous souhaitez recevoir notre catalogue
et être tenu au courant de nos publications,
envoyez vos nom et adresse, en citant ce
livre, aux Éditions de l'Archipel,
34, rue des Bourdonnais, 75001 Paris.
Et, pour le Canada, à
Édipresse Inc., 945, avenue Beaumont,
Montréal, Québec, H3N 1W3.

ISBN 2-84187-535-0

I

PAR-DELÀ LE CIEL

1

Le ciel allemand, 1945

Le ciel était d'un bleu immaculé. Le capitaine Russell Keys tapotait en rythme le manche à balai de son B-17, plein à craquer de bombes et de munitions. De chaque côté, il observait l'escadron de forteresses volantes s'aligner en formation. Son avion se distinguait des autres par un diable rouge peint sur le nez de l'appareil.

— Navigateur, s'informa Russell, où en est-on?

— Nous avons repris nos deux minutes de retard, mon capitaine.

— Beau travail!

Russell adressa un regard complice à son copilote, le lieutenant Lou Johnson.

— Bienvenue en Allemagne, Johnson.

Le lieutenant effleura la photo de Rita Hayworth scotchée sur son tableau de bord.

— Tu entends ça, chérie? dit-il avec un large sourire, nous sommes en Allemagne.

Russell jeta un coup d'œil sur l'altimètre avant d'opérer une descente.

— Nous y voilà, s'exclama-t-il en voyant se profiler une gigantesque usine à l'horizon. Pilote à bombardier. L'avion est à vous.

Les trappes de la soute à bombes s'ouvrirent et le bombardier entama le compte à rebours.

— Cinq, quatre, trois, deux, un...

L'appareil reprenait de l'altitude à mesure que la soute vomissait les bombes. Les explosions laissaient une traîne de feu sur son passage. Johnson poussa un cri de joie qui laissa Russell de marbre. Il était trop absorbé par le chaos qui venait de secouer la terre. Il se contenta de répondre :

— Mission accomplie. Rentrons à la maison.

Il tira le manche de l'avion. Là-haut, tout n'était que tranquillité et sérénité. En fermant les yeux, on pouvait presque s'imaginer que l'agitation des hommes, leurs rivalités et leurs guerres prendraient fin un jour.

— Des lumières.

Russell reconnut la voix de son artilleur chef.

— Qu'y a-t-il, Toland ? demanda-t-il.

— Des lumières, mon capitaine, des lumières bleues.

Russell jeta un regard interrogateur à Johnson.

— Elles suivent l'avion, continua Toland. Elles viennent juste d'apparaître.

Russell vit le visage de Johnson se durcir.

— Navigateur, dit-il, voyez-vous des lumières ?

— Non, capitaine !

Johnson laissa échapper un bref soupir.

— Attendez ! intervint soudainement le navigateur. Maintenant, je les vois. Trois. Quatre. Droit devant nous. Presque à portée de tir. Elles...

Russell sentit comme un instinct se réveiller en lui.

— Allons voir ça de plus près.

Il inclina légèrement l'appareil jusqu'à ce que les lumières apparaissent dans son champ de vision : des globes bleus, d'à peu près deux mètres de diamètre, flottant dans le ciel. Ils semblaient à la fois solides et gazeux, lourds mais plus légers que l'air.

Ces contradictions physiques ne correspondaient à rien de ce que Russell avait étudié ou lu dans ses magazines scientifiques.

Johnson écarquilla les yeux, émerveillé.

— Bon Dieu, qu'est-ce que ça peut être ?

— Aucune idée, balbutia Russell, mais c'est magnifique.

Les membres d'équipage étaient bouche bée, incapables de détacher leur regard des lumières en suspension dans l'atmosphère. Une lueur surnaturelle avait envahi le cockpit. La crainte du danger avait disparu de l'esprit de Russell, laissant place à un sentiment de sérénité.

La voix de l'opérateur radio rompit brutalement le silence.

— Avions ennemis à douze heures. Un sacré paquet, capitaine.

Russell se ressaisit aussitôt.

— Roger. Artilleurs, préparez-vous à les arroser. Des rafales courtes, les gars.

Il inspecta les instruments de contrôle et respira profondément, pour ne pas céder à la panique.

Il jeta un bref coup d'œil aux lumières qui s'éloignaient, comme effarouchées par le tumulte des hommes, le vacarme des machines et la monstrueuse absurdité de la guerre.

Une rafale de mitrailleuse balaya le flanc de l'appareil. Les tirs de batterie antiaérienne emplissaient le ciel de nuages incandescents. Russell n'avait plus qu'une idée en tête : sortir de là vivant.

Une explosion ébranla l'avion, soudainement envahi par le feu et la fumée.

— Nous avons été touchés de plein fouet ! hurla l'artilleur chef.

Alors que l'appareil piquait du nez, Russell comprit que son heure avait sonné. L'instant que lui et son équipage avaient tant de fois redouté était finalement arrivé. Ils allaient tous mourir. Dans un élan désespéré, il tenta de redresser l'appareil qui tremblait dans sa chute vertigineuse. Les avions allemands tournaient autour comme des oiseaux de proie affamés.

Soudain, une rafale fit voler le pare-brise du cockpit en éclats et laboura l'abdomen de Russell.

— Mon Dieu, Russ ! cria Johnson.

Russell sentait son corps se vider de son sang.

— Copilote, prenez les commandes, balbutia-t-il.

Johnson agrippa le manche à balai.

— Tiens bon, Russ !

Russell s'enfonça dans son siège, le regard perdu dans l'étendue de ciel encadrée par la vitre brisée du cockpit. Les lumières bleues venaient de réapparaître à l'horizon. Immobiles, calmes, apaisantes.

Elles sont si belles, se dit-il en lui-même.

Il savait que la bataille faisait toujours rage, que les avions dansaient un ballet funeste autour de lui, que des hommes hurlaient de peur parce qu'ils avaient perdu le contrôle de leur appareil. Mais tout cela lui semblait lointain. Il avait quitté ce monde de violence pour entrer dans celui où l'accueillaient les lumières bleues.

— Nous devons sauter, maintenant, cria Johnson.

Russell entendit mais ne répondit pas. Il n'était plus à bord de l'avion. Il ne descendait plus en piqué. Il n'y avait plus de feu, ni de fumée. Plus de peur. Il n'y avait plus que les lumières bleues, dont l'éclat s'intensifiait à mesure qu'elles s'approchaient les unes des autres, tout en s'avançant vers l'avion. Elles ne formaient maintenant qu'une seule et même lumière éclatante.

— Magnifique, murmura Russell.

La lumière avait recouvert la totalité du ciel. Elle enveloppait l'avion et avait pris possession de Russell.

Il sourit.

— Crois-moi, Johnson, nous ne mourrons pas.

La lumière était maintenant si intense que Russell ne voyait plus rien d'autre, ne sentait plus rien d'autre. Le temps s'était arrêté. Plus aucun mouvement nulle part. Il se sentit envahi d'une douce chaleur. Puis l'éclat s'estompa, lentement, et Russell entendit le murmure du vent dans les blés. Il ouvrit les yeux et réalisa qu'il gisait au milieu d'un champ dont les tiges étaient aplaties autour de lui. Quatre soldats américains, cramponnés à leurs fusils, avançaient d'un pas hésitant dans sa direction. Il leva la tête. Les membres de son équipe se relevaient péniblement, en ouvrant des yeux hagards sur leur nudité. Russell découvrit, stupéfait, que lui aussi était nu. Et que la chair tendre de son abdomen était indemne.

Bement, Illinois, 25 juin 1945

Rien n'a vraiment changé, songea Russell, alors que le taxi louvoyait dans les rues de sa ville natale. Les magasins étaient restés les mêmes. Les gens aussi. Les enfants jouaient sur les trottoirs, les personnes âgées se promenaient dans le parc, le facteur effectuait sa tournée… Cependant, il n'arrivait pas à se débarrasser du sentiment qu'il n'était plus tout à fait chez lui à Bement. Il se sentait comme un étranger parmi les personnes avec qui il avait toujours vécu.

Le chauffeur le sortit brusquement de sa rêverie.

— Les Bulldogs sont derniers du championnat, dit-il en riant. Il y a des choses qui ne changent pas.

Et d'autres qui changent, songea Russell, bien qu'il ne parvînt pas à définir quoi. Une chose était certaine : Bement avait cessé d'être son seul horizon. À l'époque, jamais il n'aurait imaginé pouvoir quitter cette ville. Aujourd'hui, il ne pouvait concevoir d'y vivre à nouveau.

Le taxi s'immobilisa à la sortie d'un virage. Russell glissa la main dans sa poche pour en sortir son portefeuille.

— Non, cette course est offerte par la maison, dit le chauffeur en souriant. Nous sommes tous fiers de vous.

Le taxi s'éloigna et Russell contempla la maison où il avait grandi. C'était une demeure toute simple, aux poutres apparentes, ornée d'un vaste porche et entourée d'un gazon soigneusement entretenu. Une Ford A de 1931 était garée dans l'allée. Russell remarqua qu'elle avait été lustrée à l'occasion de son retour.

Il s'en approcha et en caressa les chromes, comme si elle était faite de chair. Soudain, un chien se précipita vers lui en agitant la queue. Russell s'accroupit pour le caresser.

— Salut, Champ !

Il releva la tête et vit sa mère, dont les cheveux gris réfléchissaient la lumière du soleil. Les soucis l'avaient prématurément vieillie.

— Maman, dit-il en se jetant dans ses bras.

— Russell, balbutia-t-elle, incapable de se convaincre elle-même de la réalité de ce qu'elle voyait : son fils était revenu à Bement sain et sauf.

Il leva les yeux vers le porche où se profilait la silhouette de son père, moins imposante que dans son souvenir.

— Je vois que tu es revenu en un seul morceau, dit M. Keys.

Russell se raidit légèrement, comme un enfant que l'on rappelle à l'ordre.

— Oui, mon commandant.

Ils se dévisagèrent pendant un bref instant. Russell vit dans les yeux de son père qu'il se faisait violence pour ne pas se laisser aller à ce qu'il appelait « des niaiseries de bonnes femmes ».

— Alors, comment tu la trouves ? dit son père en tendant le menton vers la voiture.

— Elle est splendide.

— J'ai dû la cacher à la fourrière pour qu'ils n'en fassent pas des avions, ajouta M. Keys. Ce n'est peut-être pas très patriotique, mais nous avons suffisamment contribué à l'effort de guerre pour nous permettre ça.

Leur « effort de guerre », c'était lui. À cet instant, Russell réalisa l'épreuve que la guerre avait constitué pour ses parents hantés, des nuits durant, par l'incertitude du retour de leur fils.

— Ton père a passé les quatre derniers jours à faire briller cette épave.

Russell aurait voulu prendre son père dans ses bras, le serrer très fort et éclater en sanglots comme un petit garçon. Déverser toute la peur qui s'était accumulée durant les années de guerre. Mais il se contenta de balbutier :

— Merci, papa.

— Nous avons fait comme tu nous as demandé, Russ, lui dit sa mère, nous n'avons rien dit à Kate.

Kate.

Russell s'imaginait Kate telle que le jour de son départ. Heureuse et d'une rayonnante beauté.

— Où est-elle ? demanda-t-il.

— À la banque, lui répondit sa mère.

Comme elle avait deviné l'impatience dans son regard, elle lui poussa l'épaule et ajouta :

— Allez, file ! Elle a hâte de te revoir.

Quand il arriva, Kate lui tournait le dos. Elle était derrière le comptoir, en grande conversation au téléphone.

— Mademoiselle… commença Russell en déguisant sa voix.

Sans se retourner, elle lui fit signe qu'elle était occupée.

— Mademoiselle, insista-t-il, j'aimerais demander un de ces prêts pour vétérans.

Elle se figea. Russell comprit qu'elle l'avait reconnu. Elle fit volte-face et se jeta dans ses bras.

— Oh, Russell !

Ses yeux étaient embués de larmes et sa voix brisée par l'émotion. Elle le serrait si fort qu'il en avait le souffle coupé.

Le soir, alors qu'ils étaient assis sur les marches du perron, il lui offrit la bague qu'il avait achetée sur les Champs-Élysées.

— Elle est magnifique, murmura-t-elle. C'est la plus belle chose que j'aie jamais vue.

Il savait qu'elle disait la vérité. Le soir venu, il voyait encore l'éclat de son regard, alors qu'il déballait ses affaires et s'apprêtait à se mettre au lit. Il contempla sa chambre, essayant de se réhabituer au décor de son enfance : les modèles réduits de voitures de collection, les fanions des Bulldogs, toutes ces choses qui constituaient l'essentiel de son univers avant qu'il ne parte à la guerre et qui, aujourd'hui, et ceci malgré ses efforts pour se les réapproprier, n'étaient plus que les vestiges d'un monde disparu.

Une demi-heure plus tard, il se retournait toujours dans son lit, incapable de s'endormir. La guerre le poursuivait jusque dans cette maison, pourtant si riche en souvenirs heureux. Le vrombissement des avions et l'explosion des bombes retentissaient dans son esprit. Des images de soldats agonisants et de paysages dévastés défilaient dans sa tête. Dès qu'il fermait les yeux, de nouvelles visions de cauchemar apparaissaient. Désespérant de trouver le sommeil, il enfila des vêtements et sortit de la maison. La nuit froide n'était d'aucun effet sur sa fièvre. Il se sentait comme un vieil avion destiné à la casse.

Les chromes de la Ford A réfléchissaient la pâle lueur de la lune. Elle lui rappela les jours heureux, avant son enrôlement, et ses victoires sur les terrains de base-ball. Tous ces plaisirs lui semblaient si dérisoires aujourd'hui... Il se sentait étrangement incomplet, comme un homme dont la mission n'est pas encore accomplie, un homme dans l'attente d'être sommé, commandé... enlevé.

Il s'avança vers la voiture et s'installa au volant. Il enclencha le levier de vitesse et appuya sur l'accélérateur. C'était sa voiture et il n'en avait même pas la clé. Il leva les yeux au ciel. Il se sentait étouffé par la voûte étoilée.

Alors, il ne put réprimer un cri.

2

509ᵉ escadron, Base aérienne de Roswell, Nouveau-Mexique, 1ᵉʳ juillet 1947

Le capitaine Owen Crawford se tenait dans l'ombre écrasante d'un B-29. Autour de lui se pressaient des jeunes recrues, l'oreille dressée. Il savait d'expérience qu'ils allaient boire ses paroles. Deux recrues avaient attiré son attention : Howard Bowen et Marty Erikson. Ils semblaient envoûtés et couraient au-devant des ordres. Owen était aux anges. Ces deux-là seraient faciles à modeler et il en ferait ses créatures.

— Nous n'avons pas gagné la guerre grâce à notre supériorité numérique, commença-t-il, mais grâce à notre stratégie.

Il s'interrompit un instant, conscient que les recrues étaient suspendues à ses lèvres.

— Cette guerre a été gagnée grâce au secret !

Il releva légèrement son menton.

— Quand l'*Enola Gay* a largué sa charge sur Hiroshima, seuls cent sept hommes dans le monde connaissaient la nature de l'explosif.

L'assemblée d'officiers l'écoutait, silencieuse et attentive. Owen savourait l'effet que produisaient l'intonation de sa voix et ses gestes théâtraux sur son auditoire. Depuis toujours, il avait ce don de subjuguer ses interlocuteurs, ce qui lui permettait de se parer d'une autorité qui dépassait son rang.

— C'est le secret qui décide de l'issue d'une guerre.

Il posa son regard sur les deux officiers des services secrets qu'il avait remarqués un peu plus tôt.

— De la réussite de votre travail dépend le cours de l'Histoire.

L'effet escompté avait fait mouche : les deux hommes étaient littéralement conquis.

Owen esquissa un sourire satisfait, avant d'ajouter :

— Et maintenant, messieurs, je dois vous quitter. Rompez.

Une heure plus tard, il était assis à la table du colonel Thomas Campbell et de sa fille, Anne, âgée de dix-neuf ans. C'était une jeune fille timide, qui avait grandi dans la crainte de son père. À peine Owen avait-il posé les yeux sur elle qu'il s'en était aperçu, tout comme du trouble qui avait empourpré son visage quand elle avait croisé son regard.

Owen avait depuis longtemps renoncé à l'amour. Une femme malléable et prête à servir ses ambitions, voilà ce dont il avait surtout besoin. Il voulait laisser son empreinte dans l'Histoire et seuls l'intéressaient ceux qui l'aideraient à atteindre ses fins. Il n'était pas homme à se laisser séduire par des yeux de biche ou des formes aguichantes. Pour Owen, chaque personne était un moyen, et Anne lui offrait celui de pénétrer la carapace du colonel Thomas Campbell.

Celui-ci interrompit brusquement sa rêverie.

— Capitaine Owen, que pensez-vous des nouvelles recrues ?

— Ils ont l'air d'en vouloir, mais je crains que ces deux années de guerre n'aient émoussé leur ardeur.

— À vous de l'affûter, mon cher, ironisa le colonel.

Un sourire pincé apparut sur le visage d'Owen. Le colonel était un homme dur qui ne se laissait impressionner ni par la flatterie, ni par le patriotisme, ni même par l'intelligence. Il était aussi inébranlable qu'un fossile.

— Plusieurs personnes ont encore déclaré avoir vu des ovnis, aujourd'hui, annonça le colonel. La plupart dans le nord-est du Pacifique, et trois dans la région des Grands Lacs, si mes souvenirs sont bons.

— Les gens disent qu'ils viennent d'une autre planète, intervint Anne.

— Nous sommes habitués à ce type de phénomène à Los Alamos, dit Owen.

— J'ai oublié que vous étiez originaire de Los Alamos, commenta le colonel d'une voix étrangement distante.

Il changea brusquement de sujet.

— Nous avons une nouvelle jument depuis jeudi. Cela vous dirait-il de faire un tour à cheval avec moi ?

— J'en serais très honoré, répondit Owen.

À l'adresse d'Anne, il ajouta :

— Nous ferez-vous le plaisir de vous joindre à nous ?

— Eh bien… balbutia-t-elle.

— Elle ne monte pas à cheval, trancha le colonel Campbell. Elle est trop délicate.

Les yeux d'Owen s'étaient immobilisés sur le visage d'Anne. Derrière sa timidité, sa beauté effacée ne demandait qu'à se révéler au grand jour. Owen devinait qu'elle échappait progressivement à la coupe de son père. *Ce qui est dans l'ordre des choses*, pensa-t-il, puisque les jours du vieil officier étaient comptés.

En sortant de l'étable, Owen laissa le colonel s'éloigner pour échanger quelques mots en privé avec Anne.

— Votre père n'a pas un caractère facile, fit-il remarquer.

— Ne le prenez pas pour vous. C'est juste sa nature.

— S'il vous interdit de monter à cheval, je doute qu'il vous autorise à aller au cinéma.

Anne regarda son père avec appréhension.

— Donnons-nous rendez-vous en ville.

Owen se jeta sur l'occasion qui s'offrait à lui.

— Disons demain soir, 8 heures ?

Anne sourit et fit un signe de tête en direction de l'étable. Owen se saisit des rênes et enfourcha son cheval. Il adressa un clin d'œil à la jeune femme avant d'éperonner sa monture et galoper à la rencontre du colonel. En s'éloignant, il devinait le regard d'Anne posé sur sa nuque et ses larges épaules.

La promenade fut brève, le colonel Campbell se montrant, comme à son habitude, fort peu bavard. Owen ne se faisait pas d'illusions. Il savait que le colonel ne le tenait pas dans son cœur.

Anne, c'était une autre histoire. Certes, c'était un beau brin de fille, mais il ne savait pas exactement ce qu'il pensait d'elle, ni même comment l'utiliser à son avantage, si ce n'était pour jouer un mauvais tour au vieil homme. Demain soir, il serait fixé. Il sourit en s'imaginant assis à côté d'elle au fond d'une salle obscure.

Elle se tenait debout sous les néons qui annonçaient l'affiche du soir en lettres lumineuses : *Boomerang !* avec Dana Andrews et Jane Wyatt. Soudain, elle aperçut Owen qui sortait de sa voiture au coin de la rue.

— Eh là, soldat, s'exclama une femme alors qu'Anne garait sa voiture. Ça vous dit de vous amuser un peu ?

Elle s'appelait Sue. La nuit passée, Owen avait folâtré avec elle à l'arrière de sa jeep dans le désert. Ils avaient eu du bon temps, mais Owen n'était pas d'humeur à donner suite à leur escapade. Du moins, pas ce soir, avec Anne dans les parages.

— Pas maintenant, dit-il, je suis en service.

— C'est sûr que tu as l'air d'avoir besoin d'un peu d'action.

— J'ai un rendez-vous important avec mon colonel.

— Je vois, soupira-t-elle en dévisageant Anne.

Owen esquissa un sourire que son regard agacé contredisait.

— Je t'appellerai.

Le visage de Sue se ferma.

— Je ne serai pas là, rétorqua-t-elle sèchement.

Owen baissait les yeux quand sa conquête de la veille démarra sa voiture en trombe.

Que perdait-il, après tout ? Pas grand-chose. Une partie de jambes en l'air ? Des filles comme elle, les alentours des bases militaires en grouillaient. Il claqua des mains, comme pour se débarrasser d'une poussière invisible. Puis il fit demi-tour et s'avança vers Anne qui, à sa grande joie, l'accueillit avec un sourire ému.

Sue fulminait au volant de sa voiture. Owen l'avait rendue folle de rage. Il l'avait traitée comme une fille de rien que l'on jette après usage. Elle donna un violent coup d'accélérateur, avant de tourner le bouton de l'autoradio. Louis Jordan chantait « There Ain't Nobody Here But Us Chickens ». *Une chanson idiote*, pensa Sue, *idéale pour une fille idiote qui se trouve embarquée dans une histoire idiote avec un idiot.*

Soudain, la radio se tut.

— C'est décidément mon jour, soupira Sue. Pas même un air idiot pour me redonner le sourire.

Elle éteignit puis ralluma la radio qui demeurait désespérément silencieuse.

— Bon, continua-t-elle, rentre chez toi. Bois un verre. Demain, tu auras tout oublié.

Elle passa la vitesse supérieure, mais la voiture refusa d'accélérer. Le moteur s'arrêta et elle vint s'échouer sur le bas-côté de la route déserte.

Sue prit une longue respiration pour évacuer la tension nerveuse qui s'était accumulée depuis sa conversation avec Owen. Elle baissa la tête et ferma les yeux, épuisée. Quand elle les rouvrit, elle vit des lumières bleues s'agiter dans le ciel en mouvements désordonnés, puis se rassembler en formation.

Elle sortit de sa voiture pour admirer le ballet incandescent qui prenait une forme circulaire à mesure qu'il descendait en piqué par-delà une colline couverte de pins. À la distance où elle se trouvait, Sue n'entendit que faiblement l'explosion qui suivit. Pendant un bref instant, la colline apparut en ombre chinoise auréolée d'un halo bleu. Puis la voûte du ciel nocturne retomba sur le désert, mouchetée par la constellation des étoiles.

Ranch de Foster, Nouveau-Mexique, 5 juillet 1947

Owen écoutait avec attention les deux religieuses, sans se faire d'illusions sur la réaction que les dinosaures en uniforme allaient réserver à leur témoignage.

— Nous pensons que ce que nous avons vu était une danse d'anges, déclara la première nonne.

— Ou alors un avion radar de la base de White Sands dont on aurait perdu le contrôle.

Owen se saisit d'un stylo qu'il fit rouler nerveusement entre ses doigts.

— Vous nous avez dit tout à l'heure avoir vu l'objet s'écraser.

— Aussi clairement que nous vous voyons, répondit la seconde nonne. S'il s'agit d'anges, ils se trouvent maintenant à deux kilomètres au nord de Pine Lodge.

Intrigué, Owen allait pousser plus loin son interrogatoire, quand Howard poussa la porte de son bureau.

— Excusez-moi de vous déranger, capitaine. Il y a là un propriétaire de ranch avec quelque chose qui, je pense, vous intéressera.

Owen acquiesça, avant de se retourner vers les religieuses.

— Nous enverrons nos agents enquêter sur le site, mes sœurs.

Il se leva et les accompagna jusqu'à la porte. C'est alors qu'il vit Sue assise dans le couloir, les doigts crispés sur un sac en papier.

— J'ai besoin de te parler, lança-t-elle en se redressant brusquement.

Elle semblait tendue. Owen n'avait ni l'envie, ni le loisir de faire une scène sur son lieu de travail. Il lui fallait trouver un moyen rapide de désamorcer la situation.

Un sourire apparut sur son visage.

— Moi aussi, j'ai besoin de te parler, renchérit-il sur un ton pétri de sous-entendus. Je t'appellerai plus tard.

Il se retourna et suivit Howard dans le couloir sans lui laisser le temps de répondre ou de protester.

Sur la route du ranch, Howard l'informa de la situation. Le propriétaire, qui répondait au nom de Mac Brazel, avait trouvé des objets bizarres éparpillés dans un coin accidenté de ses terres.

— On dirait des sortes de débris, comme des morceaux de papier d'aluminium.

Arrivé sur le site, Owen ramassa un morceau. À première vue, cela ressemblait, en effet, à de l'aluminium, mais, à y regarder de plus près, cela ne s'apparentait à aucune matière dont il eût le souvenir. Il avait beau la tordre ou la plier, elle reprenait invariablement sa forme initiale. L'endroit était également parsemé de fragments d'une sorte de balsa noir, assez doux au toucher. Au moins, une chose s'avérait certaine : ce qui s'était écrasé n'avait rien d'un ange déchu.

Owen en était là dans ses réflexions lorsque les pneus d'une jeep crissèrent derrière lui. Le colonel Campbell bondit du véhicule et se précipita vers lui, ignorant le salut que Marty et Howard venaient de lui adresser.

— Je veux que ce champ soit nettoyé et que chaque débris soit rapporté à la base, ordonna-t-il. Tous vos hommes y seront consignés pour rendre compte de leur mission.

Il se tourna vers Marty et Howard.

— Ceci est aussi valable pour vous.

L'attitude du colonel avait intrigué Owen. Son arrivée soudaine, le ton brusque de ses ordres... L'incident qui s'était produit dans le champ dépassait de loin ses prévisions. Campbell était visiblement irrité par quelque chose, et vu que ce vieux croûton ne se laissait pas facilement impressionner, ce « quelque chose » devait être d'une énorme importance. Il posa les yeux sur le sol parsemé de débris, avant de les lever au ciel.

Toute sa vie, il avait entendu des histoires de soucoupes volantes, mais jamais, jusqu'à ce jour, l'idée ne l'avait effleuré qu'elles pussent être autre chose qu'un ramassis de foutaises.

Le colonel avait reporté sa mauvaise humeur vers Mac Brazel.

— Nous apprécierions grandement que vous ne mentionniez ceci à personne. C'est une question de sécurité publique.

— Ça vient de l'espace, n'est-ce pas? demanda Brazel.

L'espace.

Le mot résonnait dans l'esprit d'Owen. Et si c'était vrai? Et si ces débris provenaient réellement d'un vaisseau venu de l'espace? Cela constituerait la plus grave menace qui ait jamais pesé sur la planète. Le spectre d'une invasion extraterrestre changerait radicalement la perception que l'homme a de l'univers. S'ils étaient à notre porte, alors l'humanité devait se préparer à se défendre. Celui qui ferait la preuve de leur existence, de leur proximité, de leurs noirs desseins, deviendrait le sauveur de l'humanité.

Owen rêvassait encore à une destinée héroïque, alors qu'il écoutait d'une oreille distraite un major de l'US Air Force énoncer ses conclusions sur les causes de l'accident, dans le bureau du colonel Campbell.

— Ces débris, continua le colonel, correspondent à ceux d'un ballon espion.

Il montra du doigt un morceau semblable à du papier d'aluminium posé sur son bureau.

— Les réflecteurs des radars des ballons sont fabriqués dans cette matière.

Il se saisit d'un échantillon et le tordit avant de le reposer. Le morceau reprit aussitôt sa forme de départ.

— Étonnant, n'est-ce pas ?

Il se tourna vers Owen.

— Le but de ces détecteurs est de nous apprendre si les Russes sont parvenus à mettre au point la bombe. Ils nous renseignent sur leurs tests nucléaires. Aucun tir d'entraînement ne peut échapper à leur attention.

Il poussa un rire forcé.

— Qu'ils éternuent et nous le saurons sur-le-champ.

Il esquissa un sourire que contredisait son regard sombre.

— Le nom donné à ce détecteur est *Mogol* et il est classé A-1.

Owen acquiesça. A-1 signifiait le plus haut degré de confidentialité. L'état-major venait de le mettre dans le secret des dieux.

Le seul problème était que le matériel trouvé dans le ranch ne ressemblait en rien à ce qui existait dans ce bas monde, Mogol ou pas Mogol.

Owen ne cessait de retourner dans sa tête les perspectives qu'ouvrait la visite de ces créatures venues d'une autre planète. L'idée lui était intolérable d'être tenu à l'écart d'un événement d'une telle importance. Il devait savoir si l'état-major avait l'intention de révéler leur présence et, surtout, s'ils comptaient associer son nom à cette découverte.

— Nous allons devoir donner quelque chose en pâture aux médias, avança Owen pour tâter le terrain.

— Quelqu'un s'en est déjà chargé, répondit le major.

Il tourna le bouton de la radio. Mac Brazel vociférait au micro d'une station locale, annonçant au monde entier la visite d'extraterrestres, visite qui avait mal tourné, puisque leur vaisseau s'était écrasé.

— Les gens raffolent de ce genre de fadaises, commenta le major avec mépris. Et c'est très bien. Aussi longtemps qu'ils scruteront le ciel à la recherche de soucoupes volantes, ils ne verront pas le Mogol.

— Mais il y a un revers à la médaille, intervint Owen. Ils pourraient s'imaginer que nous ne contrôlons pas l'espace aérien.

Le major développa son raisonnement comme s'il n'avait pas entendu.

— Donc nous leur servirons des soucoupes volantes.

Owen sentit son corps se raidir. On l'ignorait et il n'aimait pas cela. Mais il n'avait pas d'autre choix que de jouer le rôle du petit soldat obéissant.

Vingt-quatre heures plus tard, le titre s'étalait en lettres capitales à la une du journal local :

« L'ARMÉE CAPTURE UNE SOUCOUPE VOLANTE DANS UN RANCH DE ROSWELL. »

Owen plia le journal. Un sourire machiavélique se dessina sur son visage.

— C'est vrai, capitaine ? demanda Marty. Ce bidule est tombé d'un vaisseau spatial ?

— Puis-je vous faire confiance ? demanda Owen.

— Oui, capitaine, s'exclama Marty.

— Absolument, capitaine, reprit Howard.

— Bon, voilà ! Nous avions un ballon espion classé top secret. Il est entré en collision avec un objet non identifié avant de retomber sur Terre.

Un frisson lui parcourut l'échine à l'idée qu'il venait, peut-être, de trouver sa mission.

Car un mystère restait à élucider : qu'avait heurté le ballon, et pourquoi cet ovni s'était-il écrasé ?

3

Bement, Illinois, 6 juillet 1947

La journée était chaude et ensoleillée. Russell Keys s'avança vers le barbecue et retourna les hamburgers qui y grésillaient. Il sentit un filet de sueur couler le long de sa tempe. Ses amis et voisins devisaient par petits groupes dans le jardin. Kate passait de l'un à l'autre, un verre à la main, tandis que Jesse, leur fils, jouait dans l'herbe. Des fêtes, Russell en avait organisé des dizaines. Pourtant, celle-ci le mettait mal à l'aise. Quelque chose n'allait pas. Ce qui, auparavant, ne manquait jamais de le mettre en joie, ne lui apportait plus qu'un sentiment de désolation. Il se sentait ombrageux, rejeté, comme s'il était en deuil d'un proche qu'il ne pouvait identifier. Ces derniers temps, il s'était tourné vers l'alcool pour atténuer cette douleur sourde. La boisson lui avait coûté deux jobs successifs, aspirant sa vie entière dans une spirale infernale. Tout cela, il en avait conscience, mais il ne se sentait pas la force de lutter.

— C'est un chouette garçon que vous avez là, déclara Bill Walker en s'approchant du barbecue.

— C'est sa mère qu'il faut féliciter, répondit Russell en posant quelques pains ronds sur le gril, avant d'enchaîner : Kate m'a dit que vous étiez de la police.

— Oh, ce n'est pas très excitant. Il n'y a pas grand-chose à faire dans une ville aussi tranquille que Bement.

— Vous devriez trouver une femme et fonder une famille.

Bill jeta un bref regard en direction de Kate.

— Vous avez déjà pris la plus belle fille de la ville.

Russell tourna la tête vers les enfants qui jouaient à chat et se bagarraient joyeusement.

Pourquoi, alors que l'ambiance était à la bonne humeur et aux rires, se sentait-il oppressé par un sentiment de terreur ineffable ? Ce n'étaient plus les enfants qu'il regardait, mais les adultes qu'ils allaient devenir, promis à un avenir sombre et à une fin terrible.

— Non seulement la plus belle fille de la ville, continua Bill, mais un gosse adorable.

Russell n'avait pas quitté les enfants des yeux.

— Oui, j'ai tout ce dont un homme peut rêver, dit-il d'un ton évasif.

Au contraire, il pensait qu'il n'avait rien ou, plutôt, que ce qu'il avait ne lui appartenait pas réellement. Tout cela faisait partie d'un monde vague dont il n'était qu'un figurant, l'essentiel de lui-même étant... ailleurs.

— Vous devez vous considérer comme l'homme le plus heureux du monde, ajouta Bill.

Il n'en était rien. Son malaise ne faisait qu'empirer, alors qu'il observait les enfants se jeter sur l'un d'entre eux et le maintenir au sol pour le chatouiller. C'est comme s'il avait senti leurs petites mains essayer de le contraindre. Il ferma les yeux et lutta contre son envie de crier.

Bill lui lança un regard perçant.

— Ça va ?

— Oui.

L'enfant gesticulait pour se libérer de ses camarades. À cet instant, la lassitude de Russell se transforma en désespoir, comme s'il était ce gosse prisonnier, incapable de bouger, luttant pour retrouver sa liberté.

— Arrêtez ! hurla-t-il subitement. Laissez-le partir !

Il se jeta sur le groupe d'enfants et les arracha de la mêlée avec une extrême violence. Une fois qu'il eut fini, il réalisa que tous le fixaient, tremblant de peur, et que leurs parents le dévisageaient d'un air interloqué.

Base aérienne de Roswell, 7 juillet 1947

Sue attendait patiemment à l'extérieur du bureau d'Owen, les doigts crispés sur le sac en papier qu'elle avait voulu lui montrer un peu plus tôt.

Quand elle l'aperçut dans le couloir, elle se leva, les traits tendus. Owen ne se sentait pas d'humeur à écouter ses réprimandes. Il eut un sourire de soulagement au moment où un homme vint lui barrer le passage.

— C'est à vous qu'on doit s'adresser à propos des soucoupes volantes ? demanda l'homme. Parce que mes garçons et moi, on a des informations.

Des informations sur des soucoupes volantes. Owen était prêt à tout entendre, même les histoires les plus abracadabrantes, parce qu'elles lui offraient une échappatoire à Sue et que, parmi les témoignages qu'il entendait, un – un seul – allait un jour être avéré et annoncer l'aube d'une ère nouvelle.

Quelques minutes plus tard, il marchait sur une crête dans le sillon d'Edward Watkins et de ses fils.

Au sommet de la crête se creusait une gorge recouverte de sapins, pour certains déracinés et gisant sur le sol comme des soldats tombés au champ d'honneur. Au centre, Owen apercevait un énorme disque gris et lisse, aussi grand qu'un B-29 sans les ailes. Un vaisseau, semblait-il, mais d'un type qui lui était inconnu. Peut-être s'agissait-il d'une supercherie élaborée par la famille Watkins pour se payer une tranche de rigolade aux frais des militaires ? Mais Owen voulait s'en rendre compte par lui-même.

La descente dans la gorge était périlleuse. Après avoir manqué de se rompre le cou à plusieurs occasions, Owen se tenait enfin au pied du disque. Les sapins qu'il avait d'abord pris pour de jeunes pousses se trouvaient être des arbres massifs que le vaisseau avait renversés, comme s'ils étaient de simples quilles de bowling. S'il s'agissait d'une supercherie, elle avait dû nécessiter des mois de préparation. L'examen de la soucoupe le confortait dans l'idée qu'il se trouvait face à un véritable ovni. L'appareil était bien plus imposant qu'il ne se l'était imaginé du haut de la falaise. Son nez était enfoncé profondément dans la terre, cependant que l'arrière penchait en biais.

Owen avança avec précaution sous la partie émergée. Alors qu'il inspectait la base luisante de l'appareil, il sentit l'air se rafraîchir étrangement et son corps se compresser, comme si des milliers de poids minuscules comprimaient sa peau. Au-dessus de sa tête, le train d'atterrissage était orné d'inscriptions indéchiffrables.

Owen hésita un instant avant de toucher du bout des doigts la surface, sous l'œil hagard de Watkins et de ses fils.

Un déclic métallique le fit sursauter. Il tourna brusquement la tête vers un panneau qui venait de se détacher de la carlingue. Une main à quatre doigts prolongée par un bras long et gracile venait de surgir de l'intérieur de l'appareil. Le fermier et ses fils reculèrent devant cette vision d'effroi.

Owen contourna le bras ballant et s'approcha avec précaution de l'ouverture. À l'intérieur régnait l'obscurité la plus complète. Prenant son courage à deux mains, il agrippa les parois et se hissa à bord

31

du vaisseau, sous le regard médusé des Watkins qui observaient la scène à bonne distance.

Quand il réapparut devant eux quelques minutes plus tard, ils lurent dans ses yeux toute l'horreur mêlée d'émerveillement de ce qu'il avait vu à l'intérieur.

Bement, Illinois, 7 juillet 1947

Russell jeta un œil au réveil posé sur la table de nuit. Il était 3 h 42. Les fenêtres étaient ouvertes et le vent soulevait les rideaux par intermittence. Malgré tous ses efforts pour se raisonner, Russell y voyait une présence malveillante qui lui faisait signe de ses longs bras voilés. Il détourna le regard de la fenêtre et posa les yeux sur Kate. Une profonde tendresse s'empara de lui. Bill avait raison. Il était vraiment l'homme le plus heureux du monde. Il avait une femme adorable et un fils parfait.

Il caressa tendrement les cheveux de sa femme, avant de basculer la tête vers la fenêtre.

Ils étaient là, debout au pied du lit.

Cinq soldats allemands.

Il entendit son propre cri déchirer le silence, puis la voix réconfortante de Kate.

— Russell, dit-elle, c'était juste un rêve.

Mais ce n'était pas un rêve. C'était trop réel pour être le fruit de son inconscient. Il se recroquevilla dans les bras de Kate et éclata en sanglots. Elle le serra tendrement, maternellement, jusqu'à ce qu'il se dégage de son étreinte. Il avait repris ses esprits, mais fouillait toujours la chambre du regard à la recherche des soldats.

— Tout va bien, mon amour, je suis là.

Il se détendit et prit une longue inspiration, essayant de chasser de son esprit le moindre soupçon que ces soldats pussent être réels. Il inspecta à nouveau la pièce. Rien n'avait changé. La brise d'été faisait mollement danser les rideaux. Il regarda Kate. Elle était la même, toujours aussi belle. Il jeta un coup d'œil à la pendule. 5 h 30. Il sentit un frisson lui remonter le long du dos. Deux heures avaient disparu. Qu'avait-il fait pendant ces deux heures ? Il baissa les yeux sur son corps étendu, le long de son torse, de ses jambes, de ses bras. Ce qu'il vit le figea de terreur. Des petites piqûres étaient dessinées sur son avant-bras, aussi réelles que Kate ou le souffle du vent dans les rideaux, là où – il en était certain – quelqu'un avait planté une aiguille.

Pine Lodge, Nouveau-Mexique, 9 juillet 1947

Le colonel leva brusquement la tête au moment où Owen fit irruption dans son bureau.

— Il y a quelque chose que vous devriez voir sur-le-champ, s'exclama Owen.

Le colonel le dévisagea d'un air irrité.

— J'espère que vous avez une bonne raison pour entrer sans frapper. Assez bonne pour que je ne vous dégrade pas au rang de sergent.

Un sourire léger se dessina sur le visage d'Owen.

— Votre ballon espion est-il une raison suffisante ?

— Mogol ? Expliquez-vous !

— Vous voulez voir avec quoi il est entré en collision ?

Arrivé sur les lieux de l'accident, le colonel ouvrit de grands yeux incrédules.

— Cela pourrait-il être russe ?

Owen, qui venait de rentrer à l'intérieur du vaisseau, en ressortit avec un cadavre dans les bras.

— Russe ? fit-il en écho.

Le regard d'Owen se posa sur la silhouette extra-terrestre avant de fixer le colonel.

— Je ne crois pas.

En l'espace de quelques minutes, une armée de soldats et d'ingénieurs avait envahi les lieux. Un énorme camion surmonté d'une poutre métallique et d'une poulie se tenait en position à côté du vaisseau. Quatre corps étaient étendus sur des brancards au pied de l'ambulance.

Owen et le colonel se tenaient à l'écart des troupes.

— Allez-vous en informer les médias? demanda Owen.

Le colonel secoua la tête.

— Personne ne doit être mis au courant. C'était une chose quand il s'agissait d'un mensonge. C'en est une autre maintenant que la réalité dépasse la fiction.

Il marqua un temps d'arrêt, avant de continuer.

— Qui les a découverts?

— Un père et ses fils au cours d'une randonnée.

— Vous allez faire le ménage?

Owen fit un signe de la tête en direction de Watkins et de ses garçons, maintenus sous bonne garde par un escadron de soldats.

— J'ai déjà commencé.

— Je vous sais gré de m'avoir prévenu sur-le-champ, dit le colonel. Je saurai m'en souvenir le temps venu.

Il se tut pendant un moment, évaluant les options qui s'offraient à lui.

— Je dois me rendre à une conférence de presse. Nous leur expliquerons que les débris proviennent d'une sonde météorologique. Il y en a des centaines, rien que dans la région.

Il esquissa un sourire.

— Un ballon fabriqué à Cleveland, et non pas dans une galaxie lointaine.

Owen posa les yeux sur les corps extraterrestres allongés devant lui.

— À l'intérieur du vaisseau, j'ai vu cinq sièges.

Il s'interrompit, considéra un instant l'agitation qui régnait autour de lui, avant de continuer.

— Mais il n'y a que quatre corps, mon colonel.

Celui-ci hocha la tête.

— Je mettrai mes meilleurs hommes sur l'affaire.

Owen marqua une pause avant de demander d'une voix hésitante :

— Puis-je savoir, colonel, ce que vous comptez faire ?

— À quel propos ?

— En ce qui concerne le vaisseau et les corps, je pourrais…

— Quel vaisseau ? interrogea Campbell d'un ton glacial.

— Colonel ?

Campbell fixait son subordonné d'un air accusateur.

— Quels corps ?

— Mais, je…

— Capitaine, tenez-vous à l'écart de cette… affaire.

— Oui, mon colonel.

Campbell fit un geste en direction du vaisseau.

— Un ballon-sonde météorologique s'est écrasé. C'est tout ce que les gens doivent savoir.

Owen acquiesça avec résignation.

— Oui, mon colonel.

— Vous y compris !

— Entendu, mon colonel, dit-il froidement.

Bement, Illinois, 10 juillet 1947

Russell disposa la planche en travers de la porte et la cloua sous les yeux inquiets de sa femme.

35

— Et comment allons-nous sortir ? demanda-t-elle prudemment.

— Cela n'a pas d'importance, tant qu'ils ne peuvent pas entrer.

Il donna un dernier coup de marteau et recula pour vérifier la solidité de son installation. C'était son rôle de protéger Kate et Jesse. Ils étaient venus pour lui prendre quelque chose et ils reviendraient, tant qu'ils n'auraient pas obtenu ce qu'ils voulaient. Il sentait leur présence autour de lui, leur souffle dans la brise nocturne, il entendait leurs murmures dans le bruissement des feuilles.

— Russell, regarde-moi, implora sa femme.

Il l'ignora. Il se dirigea vers la commode, en sortit un revolver et le chargea.

— Russell, non ! cria Kate.

Elle tendit la main vers l'arme dont les cartouches se déversèrent sur le sol. Était-ce Kate ? Ou lui avaient-ils donné une tape sur la main ? Russell se laissa tomber sur les genoux et ramassa frénétiquement les balles éparpillées.

Kate le regardait, les yeux écarquillés et la bouche tremblante.

— Russell, que t'arrive-t-il ?

Il leva la tête. Il comprit aussitôt ce qu'elle pensait : qu'il était fou. Mais ce n'était pas vrai. Ils l'avaient enlevé. Ils avaient percé sa peau. Ils allaient recommencer. Mais comment convaincre Kate qu'il n'affabulait pas ? Elle ne les avait pas vus. Personne ne les avait vus. Il se sentait aussi seul que s'il dérivait dans l'espace, à des millions de kilomètres de toute terre habitée.

Le souvenir des lueurs bleues lui revint alors à l'esprit, ainsi que celui des hommes qui l'accompagnaient ce jour-là.

— Mon équipage, murmura-t-il.

— Pardon ? demanda Kate.

— Mes hommes ! Je dois savoir ce qui est arrivé à mes hommes.

Il s'assit à son bureau et se saisit d'un vieux dossier renfermant la liste de l'équipage.

— Qu'est-ce que tu fais ? demanda Kate.

— Je dois savoir.

— Russell, je t'en prie…

Il leva les yeux. Il la devinait à travers les brumes de la fatigue.

— Je suis un fardeau pour toi, Kate. Je ne vaux rien, ni en tant que mari, ni en tant que père.

Son regard se posa à nouveau sur la liste de l'équipage.

— Je dois savoir ce qui s'est réellement passé.

Il n'était pas certain que Kate ait quitté la pièce, qu'elle se soit effacée pour laisser le champ libre à ses divagations. Peut-être était-elle encore là quand il composa le premier numéro et apprit qu'un de ses équipiers était mort. Il appela le second numéro et obtint la même réponse : mort. Le troisième… mort.

Au bout de quelques minutes, il redressa la tête. Elle était encore là.

— Ils sont tous morts, à l'exception de Johnson, mon copilote. Il est à Fort Bliss.

Il peinait à croire ses propres paroles.

— Il est le seul à être encore en vie.

Base aérienne de Wright-Patterson, laboratoire de Power Plant, 14 juillet 1947

Alors que le colonel Campbell remontait le couloir suivi d'un cortège de scientifiques, il se rappela la réaction d'Owen quand il lui avait annoncé qu'il était tenu à l'écart du projet. Campbell savait qu'il avait pris la bonne décision. Cette mission nécessitait des hommes de confiance et Owen n'était pas de ceux-là. Certes, il avait l'œil vif – il avait remarqué les cinq sièges dans le vaisseau – mais il n'était pas fiable.

Une fois que tous furent installés dans la salle de réunion, le docteur Goldin commença son rapport.

— La technologie de ce vaisseau dépasse de loin nos compétences. En ce qui concerne les corps, nous avons disséqué celui qui était démembré. Son métabolisme ne correspond en rien à celui du corps humain.

— Et les trois autres ? s'enquit le colonel.

— Nous avons pratiqué la même opération sur le second, qui était en meilleur état.

Il s'interrompit un instant, avant d'ajouter :

— C'est vraiment dommage.

— Quoi donc ? demanda le colonel.

— D'avoir à interroger les morts, plutôt que les vivants.

À peine avait-il achevé sa phrase qu'il se dirigea vers la salle de dissection. Il ouvrit la porte. L'extra-terrestre assis sur la table métallique tourna lentement la tête vers eux.

4

Lubbock, Texas, 11 juillet 1947

Sally Clarke jeta un bref coup d'œil à l'homme assis à l'autre bout du comptoir, avant de se replonger dans sa lecture des *Célèbres Histoires fantastiques*. L'histoire qu'elle lisait était intitulée : « Nous ne sommes pas seuls. » Il y était question d'extraterrestres.

Pas passionnante, constata Sally en levant à nouveau le nez par-dessus son magazine. L'homme n'avait pas bougé. Il était assis là depuis longtemps. Elle avait déjà rempli sa tasse de café à deux reprises. Ils n'avaient échangé que quelques mots. Mais elle avait senti en lui une mélancolie, similaire à la sienne, la même tristesse qui la faisait se lever la nuit et observer les étoiles à la recherche d'une réponse à un mal-être inexplicable.

Mais bon, il n'était pas le seul de son espèce. Ils étaient des milliers comme lui à errer sans but, hantés par une douleur si profondément enfouie en eux que même un miracle n'aurait pu les en délivrer. Elle allait se replonger dans sa lecture quand l'homme leva la tête et croisa son regard.

— Excusez-moi de vous déranger. Pourriez-vous me resservir du café ?

— Vous ne me dérangez pas, dit Sally en lui adressant son plus beau sourire de serveuse. C'est mon boulot.

— C'est une bonne histoire ? demanda-t-il alors qu'elle remplissait sa tasse.

— Elle fait passer le temps. Tout juste.

— Je ne lis pas beaucoup, dit-il.

Il but une gorgée et sembla soudainement pressé.

— Combien je vous dois ?

— Trente-cinq cents.

L'homme déposa une pièce de cinquante cents sur le comptoir, lui dit « au revoir » et se dirigea vers la porte.

Étrange bonhomme, pensa Sally. Le genre de type dont il vaut mieux se tenir à l'écart si l'on veut éviter les ennuis. Mais séduisant, d'un autre côté. Quelqu'un qu'on aurait envie de protéger.

Quand elle abaissa le rideau de fer du restaurant, quelques heures plus tard, l'inconnu occupait toujours ses pensées. Elle y songeait encore quand elle rentra chez elle.

Ses deux enfants, Tom et Becky, jouaient dans le salon. Elle s'assit quelques instants avec eux pour regarder Tom accomplir le tour de magie qu'il avait appris au cours de l'après-midi.

Son mari, Fred, faisait ses valises à l'étage.

— Chérie, tu as vu le chausse-pied ? demanda-t-il alors qu'elle entrait dans la chambre.

Sally ouvrit la commode, fouilla à travers les chaussettes de son mari et sortit le chausse-pied.

— Tu dois partir ce soir ? demanda-t-elle en le lui tendant.

Fred acquiesça d'un air renfrogné.

— Les enfants ont dîné ?

Fred lui lança un regard étonné.

— C'est toi la serveuse. Fais-leur à manger.

Il se retourna et ferma sa valise.

— Je serai de retour dans trois semaines, lâcha-t-il en sortant de la chambre.

Un sentiment de profonde solitude s'abattit sur Sally. À ce moment-là, l'image de l'homme du restaurant remonta à sa mémoire. Elle entendit Fred dire un bref au revoir à ses enfants avant d'entendre la porte claquer.

— Je suis seule, soupira-t-elle, comme lui.

509ᵉ escadron de bombardiers, Roswell, Nouveau-Mexique, 12 juillet 1947

L'ombre d'Owen pointait comme un poignard en direction du hangar. Il venait de prendre une grande décision. Dorénavant, il ne laisserait personne se dresser sur son chemin. Ni ces crétins de scientifiques, ni le colonel Campbell, ni Dieu lui-même.

La porte du hangar s'ouvrit pour laisser apparaître un officier en uniforme de pilote.

— Bishop, n'est-ce pas ? Vous avez décollé de Fort Worth en compagnie du colonel Campbell, l'autre soir ?

— C'est exact.

— Pour quelle destination ?

Le pilote le dévisagea d'un air soupçonneux.

— C'est confidentiel.

Owen brandit sa carte.

— Services secrets. Je dois savoir.

Le pilote jeta un bref coup d'œil à la carte.

— Capitaine Crawford. Le colonel m'a prévenu de votre visite.

Il secoua la tête.

— Désolé, dit-il en s'éloignant.

Owen serra la mâchoire. Le colonel avait anticipé son premier mouvement. *Mais ce n'était que le premier*, songea-t-il en préparant déjà le second.

Quand, peu après, Anne lui ouvrit la porte, son visage rosit sensiblement. Owen accueillit ce trouble comme un signe de bon augure, pensant que l'on arrive plus facilement à ses fins quand on surprend son adversaire la garde baissée.

— Cela vous dirait-il de faire un tour ?

Elle sourit, ravie.

— Où êtes-vous garé ?

— J'ai dit un tour. Pas forcément un tour en voiture.

Quelques minutes plus tard, ils chevauchaient, côte à côte, le long des pentes rocheuses.

— Vous êtes bien meilleure cavalière que ne le prétend votre père, fit remarquer Owen.

— Pourrait-on aller plus vite ?

Il lui prit la main pour lui montrer jusqu'où relâcher les rênes. Son cheval se mit au trot. Owen sentit la timidité de la jeune femme s'envoler.

— Comment vous sentez-vous ? lui demanda-t-il après un instant de silence.

— À merveille.

Il donna une tape sur la croupe de sa monture qui se mit au galop. Le vent caressait les cheveux d'Anne. Son sourire avait l'éclat de celui d'une enfant. Une enfant entièrement sous la coupe de son père. Éduquée depuis son plus jeune âge à obéir.

Owen s'arrêta au bord d'un précipice où il attendit Anne.

— Je craignais que vous refusiez de m'accompagner, dit-il.

— Pourquoi ?

— Votre père. Il ne semble pas beaucoup apprécier que nous nous fréquentions.

— Je ne suis pas mon père, lâcha-t-elle avec détermination.

— Vous m'en voyez ravi.

Il savait que le moment était venu. Il se pencha sur le côté et l'embrassa.

— Vous êtes mon soleil et ma lune, Anne.

Le corps de la jeune femme s'abandonna contre le sien. Il ferma les yeux et savoura sa victoire.

Base aérienne de Wright-Patterson, laboratoire de Power Plant, 14 juillet 1947

Le colonel Campbell étudiait minutieusement l'échantillon de tissu cellulaire, entouré par un cercle de scientifiques et d'officiers militaires. Un débat houleux les opposait : cette matière était-elle de provenance animale ou s'agissait-il d'une sorte de champignon ? Certains prétendaient avec vigueur qu'elle était les deux à la fois et qu'elle avait le pouvoir de muer.

Soudain, la porte du laboratoire s'ouvrit pour laisser apparaître le docteur Helms.

— Je crois que vous devriez voir quelque chose, déclara-t-il sur un ton empressé.

L'instant d'après, le colonel Campbell et son équipe le suivaient dans le couloir qui menait à la salle d'observation. D'un côté d'une grande baie vitrée se tenait le docteur Goldin. De l'autre, l'extraterrestre, immobile et silencieux. Le docteur se balançait en avant en récitant des incantations.

— Qu'est-ce qu'il baragouine ? C'est de l'allemand ? demanda le colonel Campbell.

— Goldin ne parlerait jamais allemand, intervint Helms. C'est de l'hébreu, des passages de la Torah, plus précisément.

Le colonel Campbell se tourna vers l'extraterrestre. Pendant un bref instant, il lui sembla se perdre dans l'insondable profondeur de son regard. Le docteur Goldin attira son attention. Un mince filet de sang coulait du nez du scientifique.

— Mon Dieu, murmura le colonel, alors que le filet se transformait en torrent et que Goldin s'affaissait lentement sur le sol.

— Sortez-le de là !

Des gardes se ruèrent dans la pièce et évacuèrent le docteur.

— Combien de temps est-il resté là-dedans ? s'inquiéta le colonel.

— Dix minutes, répondit Helms, peut-être moins.

Le docteur Goldin releva péniblement la tête de la table où il était allongé.

— J'y étais, balbutia-t-il.

Le colonel se pencha sur lui en tendant l'oreille.

— Où ça ?

— À ma bar-mitsvah, à Dresde. Si j'étais resté un peu plus longtemps, j'aurais pu parler à mon père.

Il empoigna le colonel par les revers de sa veste.

— Mon père! cria-t-il. J'aurais pu parler à mon père!

Il dirigea son regard vers la cabine où l'extraterrestre fixait le vide.

— Je veux voir mon père, implora Goldin.

Le colonel leva les yeux vers la créature. Leurs regards se croisèrent. Puis l'extraterrestre se tourna face au mur. Des ondulations remontaient le long de son dos.

Base aérienne de Roswell, 15 juillet 1947

Owen devinait qu'un événement grave venait de se produire. Toute la matinée, des scientifiques et des militaires s'étaient succédé dans le bureau du colonel. Seul le docteur Helms n'en était pas ressorti. Il était probable que ce dernier devait être dans la confidence des raisons de ce branle-bas de combat. Demeurait la question de savoir comment le faire parler. Owen considéra plusieurs plans, choisit le plus direct et le mit à exécution.

Quelques heures plus tard, alors que la voiture du docteur Helms s'approchait de la barrière de sécurité, un policier, obéissant scrupuleusement aux ordres que lui avait donnés Owen, fit retentir la sirène d'alarme. Helms freina brutalement. Owen se dirigea vers son véhicule en brandissant sa carte.

— Capitaine Crawford. Services secrets. Simple contrôle de routine…

— Routine? protesta le docteur Helms. Pourquoi ne pas…

— Il y a eu une fuite, docteur, interrompit Owen d'une voix autoritaire. Nous ne vous accusons pas d'en être l'auteur, mais…

Helms semblait nerveux.

— Cela a-t-il un lien avec ce qui est arrivé hier au docteur Goldin ?

— En partie, répondit Owen, sans la moindre idée de ce à quoi le docteur faisait allusion.

— Je ne vois pas le rapport entre la mort du docteur Goldin et une quelconque fuite...

— Et si vous me racontiez votre version des faits ?

— Il y a eu un incident. Le docteur Goldin a eu une « rencontre » avec celui qui est vivant. Il est rentré dans une sorte de transe au cours de laquelle il parlait hébreu et pensait avoir à nouveau treize ans. Il s'imaginait à la synagogue en compagnie de son père, mort il y a des dizaines d'années. Cette première rencontre lui a presque été fatale.

— Une première rencontre ?

— Hier soir, il est revenu dans la chambre. Je devine qu'il voulait revoir son père. Alors, il est revenu dans la chambre. Celle du... visiteur.

— Et l'expérience l'a tué, compléta Owen en prenant soin de ne pas donner à sa phrase le ton d'une question.

— Elle les a tués tous les deux.

Owen sentit un frisson d'excitation lui parcourir l'échine.

— Vous nous avez été d'une aide précieuse, dit-il avec un large sourire. Docteur, je suis sûr que vous comprendrez que notre petite conversation doit rester strictement confidentielle.

Lubbock, Texas, 16 juillet 1947

Sally Clarke était assise dans le salon, absorbée par la lecture du journal, cependant que Tom et Becky dormaient à l'étage. Selon les gros titres, un routier avait été tué sur l'autoroute. *Pauvre homme*, pensa-t-elle en découvrant les détails du fait divers. Il avait ramassé un auto-stoppeur qui l'avait froidement assassiné. Victime de sa générosité.

Sally ne voulut pas songer plus longtemps à la face noire de l'homme. Elle posa le quotidien et s'empara du magazine dont elle avait entamé la lecture au restaurant. Il ne lui restait plus qu'une histoire fantastique à lire.

L'histoire était terriblement angoissante, ce qui n'était pas pour déplaire à Sally. Elle aimait le frisson de l'étrange. La vie était si prévisible, après tout. Vous vous réveillez le matin et votre univers est en tous points semblable à ce qu'il était au moment de vous coucher. Vous allez au travail, exécutez les mêmes gestes machinaux, répétez les mêmes conversations avec les mêmes personnes... Tout le contraire de ce monde fantastique, où l'impossible guette au coin de la rue.

Un bruit sourd la fit sursauter. Elle songea aussitôt à la porte de la remise. Depuis que le verrou était cassé, le vent la faisait claquer, parfois pendant des heures. Ne voulant pas que le vacarme réveille ses enfants, Sally alla chercher une lampe torche dans la cuisine et sortit de chez elle.

Le faisceau de sa lampe balayait l'herbe humide de rosée. Sally leva la lampe vers la porte dont les claquements réguliers faisaient trembler les cloisons de tôle ondulée. Soudain, Sally fut traversée par un frisson. Et si les lois de la physique n'agissaient plus, chassées par la force obscure et mystérieuse qui animait le monde de ses lectures?

Elle serra les dents, essayant de se ressaisir. Quelle idiote elle était de prêter l'oreille aux fantômes de son esprit! Comment pouvait-elle imaginer qu'il puisse y avoir une créature tapie derrière cette porte?

Elle avança d'un pas résolu, réconfortée par l'idée que les lois qui régissent le monde sont inaltérables. Un léger bruissement attira son attention. Il ne s'agissait pas du souffle du vent dans les branches. Le son provenait de la remise. Une souris, peut-être. Elle dirigea sa torche vers le sol. Le faisceau rencontra une forme allongée contre le mur. Sally fut soulagée de constater qu'il ne s'agissait pas d'une créature bizarre venue de l'espace. C'était un homme. Il lui semblait qu'il était blessé, malgré son sourire triste et sa façon de planter ses yeux dans les siens, comme s'il cherchait à toucher son âme.

— Vous êtes blessé ?

L'homme hocha lentement la tête.

— Je vais vous conduire chez le docteur.

— Ça ira. J'ai juste besoin d'un peu de repos.

— Comment vous appelez-vous ?

— John.

Elle sentait son regard sur sa peau, comme un voile de soie.

— J'ai besoin de repos.

Sally savait qu'il avait besoin de bien plus qu'un peu de sommeil. Il lui fallait du confort, de la sécurité, de la tendresse... Elle sentit subitement l'envie de lui offrir toutes ces choses.

Elle se pencha pour qu'il puisse glisser son bras autour de son cou et se releva doucement. Il s'appuya sur elle jusqu'à l'intérieur de la maison où elle le fit s'asseoir sur le canapé. Puis elle se rua dans la chambre de Tom qu'elle réveilla.

— Qui c'est ? demanda-t-il en descendant dans le séjour.

— Je t'expliquerai demain, répondit-elle d'un ton vif. Va chercher des oreillers et une couverture sur mon lit. Cette nuit, tu dormiras sur le canapé.

Tom s'exécuta de mauvaise grâce, tandis que Sally accompagnait l'inconnu jusqu'à la chambre de Tom.

— Ça va aller, la rassura-t-il. J'ai juste besoin d'un peu de temps pour rassembler mes pensées.

Ces paroles la troublèrent. Il ne semblait pas désorienté, et encore moins en état de choc.

— Avez-vous besoin d'aide... pour vos vêtements?

— Non, c'est gentil. Ça va aller, répéta-t-il. C'est vraiment gentil de m'avoir accueilli.

Sally éteignit la lumière, ferma la porte derrière elle et s'engouffra dans les escaliers. Tom étendait ses draps sur le canapé, sous le regard songeur de Becky.

— Qui c'est, ce bonhomme? demanda-t-il.

Sally peinait à trouver une réponse satisfaisante. Qui était-il? Elle l'ignorait. Elle savait seulement qu'elle se sentait liée à lui. Sans qu'elle puisse s'expliquer pourquoi.

— Vous deux devriez déjà être au lit, se contenta-t-elle de répondre.

— Qui c'est, cet homme? insista Tom.

— C'est un étranger et il est blessé.

— Combien de temps va-t-il rester dans ma chambre?

— Je ne sais pas, mon trésor. Jusqu'à ce qu'il aille mieux.

Le regard de Sally se tourna vers Becky, dont les traits étaient tirés par l'inquiétude.

— Maman, il t'a fait du mal?

— Pardon? répondit Sally avec un sourire.

— Ton nez, continua Becky.

— Quoi, mon nez?

— Il saigne.

Base aérienne de Roswell, 17 juillet 1947

Owen leva les yeux des documents étalés devant lui, au moment où Howard et Marty entrèrent dans son bureau.

— Du nouveau sur le cinquième... occupant du vaisseau ? demanda-t-il.

— Rien pour l'instant, répondit Howard.

— Il semble qu'il ne soit pas le seul à avoir survécu au crash, déclara Owen avec emphase.

Howard et Marty échangèrent un regard médusé.

— Il a vécu suffisamment longtemps pour faire preuve de certains... dons, continua Owen d'un air sombre.

— Quelle sorte de dons ? s'enquit Howard.

Owen esquissa un sourire. Le feu qu'il venait d'allumer commençait à prendre.

— Le colonel Campbell est un petit homme mesquin. Il a confisqué les corps et ordonné une opération de camouflage à grande échelle.

Il jeta un bref coup d'œil à ses hommes. Dans leurs regards se mêlaient la stupéfaction et la fierté d'être mis dans le secret.

— Il a voulu se débarrasser de moi avec le même dédain qu'il a manifesté à votre égard. Mais il ne s'en sortira pas à si bon compte.

Owen prit un ton menaçant.

— Je vais faire en sorte que le projet lui soit retiré. Et je serai impitoyable avec quiconque se dressera sur mon chemin.

Ils étaient prêts à le suivre n'importe où, de tout leur cœur. L'éclair de la conspiration brillait dans leurs yeux.

— Cela signifie que si vous trouvez une piste conduisant au visiteur disparu, je vous saurais gré de m'en informer sans en référer à ce cher colonel.

— Oui, capitaine, s'exclama Howard.

— Cinq sur cinq, renchérit Marty.

— Très bien, soupira Owen. Gardez à l'esprit les dons que je viens de mentionner, mais ne cantonnez pas vos recherches à de petits hommes gris. Soyez à l'affût de quelque chose... de quelqu'un... un petit peu plus humain.

Lubbock, Texas, 17 juillet 1947

Sally entra dans la chambre en prenant grand soin de ne pas réveiller John, qui dormait à poings fermés. Mais à l'instant où elle posa délicatement le pied sur la moquette, il tressaillit, comme s'il avait senti sa présence. Comme s'il l'avait vue sans ouvrir les yeux.

— Comment vous sentez-vous ? demanda-t-elle.

— Bien mieux, répondit-il en se tournant vers elle.

Elle lui tendit le plateau qu'elle avait préparé.

— Votre petit déjeuner.

Il posa à peine les yeux sur le repas.

— Un peu plus tard, peut-être.

— Je vous ai sorti une serviette. Une chemise et un pantalon. Ils appartiennent à mon mari.

Elle lui sourit.

— Enfin, appartenaient, devrais-je dire, car, depuis, il a grossi.

— C'est très aimable.

Il étudia son visage pendant un moment.

— Votre mari ne semble pas apprécier votre gentillesse à sa juste valeur. Il ne voit pas non plus la tristesse qu'il y a en vous. Mais vous avez appris à ne plus vous en soucier. Vous avez sûrement raison. Il y a des choses que l'on ne devrait pas partager avec des personnes indifférentes.

Sally se sentit soudain mise à nu, comme s'il venait d'abattre toutes ses défenses, en quelques mots, et qu'il touchait ce qu'il y avait de plus sensible en elle.

— Que vous est-il arrivé ? enchaîna-t-elle pour masquer son trouble.

— Un accident.

— Quelle sorte d'accident ?

— Un accident à la ferme.

— Vous avez une ferme près d'ici ?

Une soudaine douleur au front la fit tressaillir.

— Qu'y a-t-il ? s'alarma John.

— Ce n'est rien. Juste une migraine.

Il la regardait comme on ne l'avait jamais regardée. C'était comme s'il effleurait chaque centimètre carré de sa peau, chaque atome de son corps, son âme.

— Vous me parliez de votre accident.

Pourquoi lui avait-elle posé cette question ? Elle savait pertinemment qu'il ne souhaitait pas s'en ouvrir.

— Je suis désolé. J'espère que cela ne vous dérange pas si je me repose encore un peu.

— Pas du tout. Je vous laisse le plateau, au cas où vous auriez faim en vous levant.

Elle allait partir quand une force mystérieuse la retint sur le pas de la porte.

— Vous avez raison. Il ne sait pas apprécier…

Elle s'interrompit, stupéfaite d'avoir prononcé ces mots.

— Je veux dire…

Elle rit nerveusement.

— Ça ne fait rien. Reposez-vous.

Elle dévala les escaliers. La douleur dans sa tête avait atteint la limite du supportable. Elle s'adossa un instant contre le mur, le temps de rassembler ses forces. Enfin, elle se dirigea vers la salle de bains.

Le petit placard était ouvert, bien qu'il lui semblât l'avoir fermé. Le tube d'aspirine semblait l'attendre, bien en évidence au milieu de l'étagère. Elle versa deux comprimés qu'elle avala d'une traite. C'est à ce moment-là qu'elle vit le filet de sang couler de ses narines.

Fort Bliss, El Paso, Texas, 17 juillet 1947

Russell traversa le dortoir en direction du seul lit occupé. L'homme qui y était allongé ne bougeait pas.

— Je t'ai apporté quelque chose, dit Russell.

Johnson tourna lentement la tête vers lui.

Russell sortit de sa poche la photographie de Rita Hayworth qu'il posa contre la carafe d'eau sur la table de nuit.

— Ils t'ont dit ce qui cloche avec toi?

— Personne ne sait, répondit Johnson d'une voix hésitante. Ils disent que c'est dans ma tête. Un truc psychologique. Une séquelle de la guerre.

— Tous les autres sont morts, lâcha Russell sans plus de précaution.

— À part toi, dit Johnson.

Il sourit faiblement.

— Et moi… pour l'instant.

— Tu te souviens de ce qui s'est passé? demanda Russell.

Le visage de Johnson prit une expression de terreur. Russell se pencha sur le lit.

— Il faut que je sache. À l'exception de visions dans des rêves – ou plutôt des cauchemars – je ne me souviens plus de rien.

Johnson marqua un temps d'hésitation. Il inspectait la pièce du regard, comme s'il y cherchait une issue.

— Quoi qu'ils nous aient fait, c'est loin d'être fini…

— Qu'ont-ils fait ?

Le visage de Johnson était agité d'un léger tremblement.

— Je ne sais pas. Mais une chose est sûre : ils te l'ont fait à toi aussi.

— Comment le sais-tu ?

— Parce que nos couchettes étaient côte à côte.

Russell s'y trouva transporté. Il se tordait de douleur, allongé sur un lit d'hôpital de campagne. Des soldats allemands conversaient sous la tente, comme si de rien n'était. Russell roula sur le côté pour se laisser tomber du lit. Dans sa chute, il renversa un réservoir à oxygène. Il continua à rouler jusqu'à ce qu'il heurte la mitrailleuse de son B-17. Il pressa la détente. La rafale assourdissante déchiqueta tous ceux qui se trouvaient là : les docteurs, les infirmières, et les Allemands en uniforme tombèrent les uns après les autres, criblés de balles. Une fumée bleue et âcre rendait l'air irrespirable. Soudain, la machine se tut. Russell ne savait plus qui il était, ni où il était. Il n'avait plus qu'une seule certitude : ils étaient tous morts. Il tenta de se relever. La tente avait disparu. Il était maintenant avec ses hommes au milieu d'un champ. En France.

— Toi et moi savons pertinemment que ce ne sont pas des Allemands que nous avons tués ce jour-là. Qui étaient-ils, capitaine ? Que nous ont-ils fait ?

Il implorait Russell du regard. Soudain, il poussa un long soupir. Il cligna nerveusement des yeux, avant d'être secoué d'un violent soubresaut.

— Johnson ! cria Russell. Johnson !

Il était mort.

5

Lubbock, Texas, 17 juillet 1947

Sally ouvrit la porte arrière de la voiture, se saisit des lourds sacs de provisions posés sur la banquette et se dirigea vers sa maison.

— Tom ! appela-t-elle. Becky !

Ils n'étaient pas venus, comme à leur habitude, se ruer sur les courses. Elle regarda dans la salle à manger. Vide. Enfin, elle entendit des éclats de rire en provenance de la chambre de Tom.

Elle l'ouvrit. Elle manqua s'évanouir quand elle vit Becky flotter à un mètre du sol. Debout à ses côtés, Tom passait le bras autour d'elle pour vérifier qu'elle n'était reliée à aucun fil invisible.

— Comment te sens-tu ? demanda Tom.

— Comme si je flottais, répondit Becky.

— Ça te fait mal à la tête ?

— Non.

— Très bien !

Quand il aperçut le regard que lui lançait sa mère, il fit se poser sa sœur d'un geste auguste.

— C'était génial ! s'exclama Becky.

Tom haussa les épaules.

— La lévitation, c'est facile.

Becky avait l'air en colère.

— Je ne t'ai jamais vu faire ça.

Pendant tout le dîner, Sally ne put chasser de son esprit la vision de Becky flottant dans les airs. Cela ne ressemblait pas à un tour de magie, mais plutôt… à une sorte de pouvoir. Elle dévisagea l'étranger assis en face d'elle. Il avait à peine touché à son assiette.

— Vous n'avez pas faim ? demanda-t-elle.

— Non, en fait, le petit déjeuner m'a rassasié, répondit John.

— Ce n'est pas vrai ! Vous n'en avez pas mangé un morceau, lança Tom sur un ton accusateur. J'ai vu votre assiette.

John ne quittait pas Sally des yeux.

— Et votre migraine ?

— Envolée.

John esquissa un sourire. Il semblait curieusement soulagé.

— Très bien.

Pendant les quelques minutes qui suivirent, Sally s'aventura à poser quelques questions. Elle apprit ainsi qu'il venait de Des Moines, où il avait vécu de petits boulots. Chacune des réponses de John était précédée d'un court silence, comme s'il les extrayait d'un carnet invisible et les vérifiait avant de les donner. Ce processus était accompli en un rien de temps. Pourtant, il s'agissait bien d'un processus.

Durant cet échange, Tom n'avait cessé de dévisager John d'un air soupçonneux.

— Ils cherchent quelqu'un, intervint-il.

John tourna brusquement la tête vers l'enfant.

— Des gens de l'armée sont venus à l'école, aujourd'hui, continua Tom. Ils disent qu'ils recherchent un déserteur qui a tué un routier il y a quelques jours.

John plongea son regard dans celui de Tom pendant un moment avant de le diriger vers la fenêtre.

— C'est très beau par ici, dit-il à Sally. Cela vous dirait-il de faire une promenade ?

Elle acquiesça. Le ton plein de douceur avec lequel il venait de prononcer ces mots avait chassé toutes ses craintes.

— Oui, une promenade nous fera le plus grand bien.

Ils se levèrent de table. Tom n'avait pas quitté John des yeux, le mettant au défi de révéler son vrai visage.

Ils escaladèrent une petite colline. Une brise fraîche jouait dans les cheveux de Sally. Elle se sentait étrangement légère. Il lui semblait que ses pieds touchaient à peine le sol.

— Vous êtes une femme hors du commun, fit remarquer John. Vous devez me croire.

Il s'arrêta et la dévisagea longuement.

— J'ai commis des actes que je regrette.

Sally sentit le trouble qui l'agitait et son envie désespérée de trouver la paix. Son malaise augmentait son désir de s'offrir à lui.

— Suivez-moi, dit-elle en le prenant par la main.

Dans la remise, elle lui fit l'amour comme jamais elle ne l'avait fait. Elle s'abandonnait autant qu'elle le possédait, prenait autant qu'elle donnait. Et ce fut alors la plus éclatante des révélations.

Tom se tenait à la fenêtre de sa chambre, le regard rivé sur la remise. Sa sœur, assise sur le lit, l'observait en silence.

— Si on allait fouiller dans ses affaires? suggéra Tom, l'œil sombre.

— Mais s'il est dangereux? dit Becky d'un air craintif.

Tom fit mine de ne pas avoir entendu. Il se mit sur le ventre et regarda sous le lit.

Rien.

— Jette un coup d'œil à ça, s'exclama Becky.

— Quoi? demanda Tom en se levant.

Becky lui tendit un magazine.

— Il est bizarre, ce magazine.

Il était intitulé *Les Célèbres Énigmes fantastiques*. Tom en tourna les pages. La première histoire avait pour titre « Le Visiteur », et elle était ornée d'une illustration montrant un bel homme fort enlaçant une jeune femme.

— C'est lui, dit Tom.

— C'est qui?

Tom se retourna brusquement vers la porte où venait d'apparaître l'homme.

— C'est qui? répéta John.

Un sentiment de terreur s'empara de Tom qui se rua vers la porte pour en forcer le passage. John l'agrippa par le collet et le souleva à hauteur de son visage.

— Écoute-moi bien! dit John. Tu crois savoir quelque chose, mais tu ne sais rien!

Tom se débattait violemment.

— Lâchez-moi, hurla-t-il. Lâchez-moi!

Becky frappa de toutes ses forces la mâchoire de John, qui resta impassible.

— Ma mission est presque terminée, dit-il, le regard toujours fixé sur Tom, dont le nez commença à saigner. Je suis désolé, balbutia-t-il en déposant lentement Tom sur le sol. Je ne voulais pas te faire de mal...

Tom s'essuya le nez et regarda, horrifié, le sang qui dégoulinait de ses doigts.

— Tom, je...

Tom bondit hors de la chambre et dévala les escaliers, suivi par sa sœur. À ce moment-là, Sally entra dans la maison.

— Que leur arrive-t-il? demanda-t-elle sur un ton léger.

John haussa les épaules.

Son visage changea subtilement d'expression. Sally sentit qu'une pensée funeste venait de lui traverser l'esprit.

— Tyler, le patron de mon restaurant, m'a dit que l'armée est sur les traces d'un déserteur de la base de New Mexico.

John ne releva pas et ramassa le magazine que Tom avait laissé tomber à ses pieds.

— Je sais que l'endroit d'où tu viens est bien plus éloigné, continua Sally. Ils vont bientôt venir te chercher, n'est-ce pas?

John acquiesça en silence.

Sally décrocha sa boucle d'oreille en forme d'étoile.

— Elles appartenaient à ma grand-mère. Prends-en une avec toi.

Elle s'avança vers lui et lui prit la main.

Elle avait changé. Elle avait maintenant quatre doigts terminés par une phalange supplémentaire. Sally ne ressentit aucune terreur. Elle éprouvait plutôt de la reconnaissance. Il lui faisait suffisamment confiance pour lui confier ce secret qui les unissait à jamais. En faisant ce geste, il l'invitait dans son monde où elle savait, au fond de son cœur, qu'elle laisserait toujours un peu d'elle-même.

— Il vaut mieux que je parte. Je crains que, si je reste, vous ne souffriez.

Elle l'accompagna jusqu'au perron et le regarda s'éloigner dans la nuit.

Il ne se retourna pas. Elle agita la main sans dire au revoir et rentra dans la maison. À cet instant, elle sut qu'il était parti. Elle courut jusqu'au porche, leva les yeux et vit deux grands globes bleus fendre les cieux. Elle s'assit dans un fauteuil et contempla le ciel, longuement, jusqu'au retour de Tom et Becky. Elle devina, à l'expression de leurs visages, qu'eux aussi avaient vu les lumières dans le ciel nocturne.

Plus tard, alors qu'ils s'apprêtaient à dîner, elle entendit quelqu'un frapper à la porte.

— Je m'appelle Owen Crawford, déclara le visiteur tardif, des Services secrets de l'armée.

Sally hocha la tête.

— Il est parti, n'est-ce pas ? demanda le soldat.

— Oui.

Elle savait que son interlocuteur connaissait l'identité de l'étranger, qu'il ne s'agissait pas d'un déserteur, mais de quelque chose de très différent. Quelque chose qui dépassait l'entendement et qui l'avait aimée avec une tendresse inconnue sur Terre.

— Chez lui ?

— Oui, chez lui.

Le soldat acquiesça.

— J'arrive trop tard, alors.

Sur ces mots, il souleva son chapeau et prit congé.

Elle le regarda regagner sa voiture, avant de mettre Tom et Becky au lit. Elle savait que ses enfants devaient la prendre pour une folle.

Mais elle savait des choses qu'ils ignoraient. Elle avait vu ses mains à quatre doigts, elle avait vu ses pouvoirs. Elle le sentait encore dans son ventre. Il avait laissé quelque chose en elle, quelque chose d'infime, de presque imperceptible, mais qu'elle sentait grandir.

El Paso, Texas, 18 juillet 1947

Russell se retournait dans son lit. Johnson hurlait. Il venait de tomber du lit. Il se roula à terre, se saisit d'un fusil et actionna la gâchette. Il envoya de longues rafales à l'aveugle. Quand le barillet fut vide, il le remplaça par un autre, puis un autre... Une lumière bleutée le débusqua. Le faisceau était pointé sur lui par les Allemands. Mais ce n'était plus des Allemands. Ils s'étaient transformés en des créatures dont la tête allongée avait la forme d'une poire. Leurs yeux gigantesques étaient taillés en amande et leurs doigts pendaient de leurs mains comme des pattes d'araignée.

Russell se réveilla en sursaut, les yeux exorbités, le front ruisselant de sueur.

— Non, ce n'était pas des Allemands, soupira-t-il. Pas des Allemands...

Base aérienne de Roswell, 18 juillet 1947

Owen s'arrêta brusquement au milieu du couloir. Elle était là, à nouveau. Sue. Il fit brusquement volte-face et se trouva nez à nez avec Howard.

— Je croyais vous avoir demandé de me débarrasser de cette femme, dit-il avec hargne.

— Elle s'est montrée très insistante, balbutia Howard.

Il jeta un coup d'œil par-dessus l'épaule d'Owen.

— Trop tard.

Owen se retourna et adressa son plus beau sourire à Sue.

— Sue, je suis si content de vous voir. Caporal Bowen, je vous présente Sue...

Il s'interrompit, visiblement confus.

— Vous ne connaissez même pas mon nom de famille. N'ayez crainte, Owen, je ne suis pas venue vous voir pour parler de... nous. Mais plutôt de ceci.

Elle lui tendit un petit sac en papier.

Il l'ouvrit et jeta un coup d'œil à l'intérieur. Son visage prit soudain un air grave.

— Où l'avez-vous trouvé? demanda-t-il.

— Du côté de Pine Lodge.

Owen referma le sac.

— Suivez-moi dans mon bureau.

Une fois qu'il eut refermé la porte et prié la jeune femme de s'asseoir, il s'empara de la pièce de métal enfermée dans le sac. Sa surface était recouverte d'inscriptions étranges, de courbes et de formes géométriques.

— Le soir où vous m'avez plaquée, je suis partie faire un tour en voiture. Là, j'ai vu une forme tomber du ciel, puis s'écraser. Je me suis approchée de la zone d'impact et j'ai trouvé ceci.

— Et vous me l'avez apporté, conclut Owen sur un ton mielleux.

Il lui saisit tendrement le bras.

— Vous ne m'avez jamais laissé m'expliquer à propos de cette nuit. Je devais voir le colonel Campbell de toute urgence. Sa fille venait de m'apprendre qu'il était malade.

— J'en suis certaine.

— Vous avez mal interprété la situation.

— J'en suis certaine, dit-elle dans un sourire.

Il la sentait céder à son charme.

— Vous êtes mon soleil et ma lune, Sue.

Ce soir-là, il suivit Sue dans sa caravane. Toutes ses pensées étaient tournées vers l'objet qu'elle avait découvert, sur son prix inestimable, sur la nécessité que lui seul fût dans le secret. Maintenant, il possédait quelque chose que le colonel n'avait jamais vu, que personne n'avait jamais vu… à part Sue.

Il en était là dans ses réflexions quand il se pencha sur son visage endormi. *Pauvre enfant*, pensa-t-il. Le sort avait voulu qu'elle possédât l'objet le plus précieux de l'histoire de l'humanité, si précieux qu'il devait être tenu à l'écart de tous. Il lui caressa la joue en prenant soin de ne pas la réveiller.

Dehors, les ténèbres étaient presque complètes. Il trouva néanmoins une arme à sa convenance. Un objet contondant et lourd. Elle dormait profondément quand il le brandit au-dessus de sa tête. Quand il l'abattit sur elle, elle ne se réveilla pas.

Roswell, Nouveau-Mexique, 16 septembre 1947

Owen contemplait Anne dans sa belle robe blanche quand Howard se leva pour porter un toast.

— Anne, ce n'est pas seulement Owen que tu épouses, mais aussi Marty et moi.

Owen éclata de rire avant d'apercevoir le colonel Campbell qui s'était réfugié au bar. *Le moment est venu*, pensa-t-il, *d'affronter la bête.*

Il se fraya un chemin parmi les invités pour le rejoindre.

— Que diriez-vous d'une petite conversation dans votre bureau ? demanda-t-il.

Le colonel Campbell haussa les épaules avant de soupirer :

— O.K.

Owen fut frappé par le luxueux bureau de son supérieur ainsi que par la bibliothèque qui en recouvrait presque entièrement les murs.

— Si je n'étais pas certain que cela brise le cœur de ma fille, je vous tuerais sur-le-champ, dit Campbell en guise d'introduction.

Un sourire goguenard se dessina sur le visage d'Owen.

— Mais elle n'y survivrait pas, confirma-t-il en relevant le menton avec arrogance. Vous savez quel cadeau de mariage me ferait plaisir ? J'aimerais être promu major.

Le colonel Campbell ne put contenir un éclat de rire.

— Oui, major, répéta Owen d'un ton ferme. Et, en plus de cela, vous pourriez me confier la direction de votre petit projet à Wright-Patterson.

Aucune émotion ne filtrait sur le visage du colonel.

— Ce projet m'appartient. Jamais vous ne verrez ce qui se passe à l'intérieur du laboratoire.

— Si j'étais vous, je n'en serais pas si sûr, continua Owen d'un air hautain.

Il se saisit du petit objet en métal que Sue lui avait remis.

— Il s'agit d'un alliage inconnu sur cette planète. Les inscriptions qui le recouvrent ne sont pas non plus répertoriées. Il a été découvert à Pine Lodge.

Il rangea l'objet dans sa poche.

— Alors, soit vous m'accordez ce que je vous demande, soit je frappe à la porte des médias. Et là, ce seront des soucoupes volantes qui vous tomberont sur la tête.

Le colonel Campbell se racla la gorge avant de déclarer :

— Félicitations ! Vous êtes promu.

Owen hocha la tête, se dirigea vers la porte et, alors qu'il allait l'ouvrir, se retourna.

— Et ne vous faites plus de soucis pour Anne. Elle est mon soleil et ma lune.

II

JACOB ET JESSE

1

Bement, Illinois, 6 novembre 1956

Kate Keys continua l'histoire d'Artémis, un énorme écureuil qui vivait dans un gigantesque chêne au milieu de la forêt. Jesse écoutait attentivement. Son visage était presque immobile à l'exception de ses deux grands yeux expressifs. Il avait déjà sept ans, mais, dans son lit, il avait l'air d'un petit enfant innocent qui semblait sortir tout droit d'un conte.

Elle termina son histoire, ferma le livre et embrassa Jesse pour lui souhaiter bonne nuit. Puis elle se leva et se dirigea vers la porte.

— Maman…

— Endors-toi, Jesse.

Il paraissait perturbé, et Kate savait quel était le problème. Sa question ne la surprit pas.

— Maman, tu crois que papa pense toujours à nous?

Russell avait disparu il y a cinq ans, et Kate n'avait aucune idée de l'endroit où il se trouvait. Mais elle sentait qu'elle le connaissait encore, qu'elle connaissait son bon cœur et l'amour qu'il portait à son fils. Où qu'il soit et quoi qu'il puisse être en train de faire, elle était certaine qu'il pensait tout le temps à Jesse, qu'il rêvait de le revoir un jour et que, depuis les profondeurs de la folie qui le tourmentait et avait fini par le faire fuir, il tendait encore la main vers lui… et vers elle.

— Bien sûr qu'il pense à nous, chéri, dit-elle.

Elle aurait aimé trouver d'autres mots de consolation, quelque chose qui aurait permis à son fils de comprendre Russell. Mais comment expliquer le regard torturé qu'elle avait vu dans ses yeux quand il cherchait désespérément les membres de son équipage, et puis ce sentiment d'avoir une mission à accomplir qui l'avait envahi, sa détermination à retrouver Johnson. Il était parti à la recherche de son copilote, elle ne le savait que trop. Elle savait également qu'il l'avait rencontré, et que l'homme était mort dans ses bras. Elle l'avait appris en essayant de remonter sa piste. Elle ne pouvait qu'imaginer sa douleur en cet instant, la peur primitive, stupéfiante qui s'était emparée de lui, son impuissance et son désespoir. Sa disparition ne l'avait pas étonnée, pas plus que sa volonté de se tenir à l'écart de sa famille, malgré tout l'amour qu'il lui vouait. Elle avait saisi ce qu'il ressentait au plus profond de lui-même, sa conviction d'avoir quelque chose de mauvais en lui, quelque chose de terrible qui mettait en danger la vie de ceux qu'il aimait. L'unique choix qui lui restait, aussi amer et douloureux fût-il, était de fuir, comme un animal mourant. Elle voulait expliquer tout cela à Jesse, mais elle ne parvenait pas à trouver les mots. Il n'avait que sept ans, après tout.

— Endors-toi, maintenant, Jesse, lui dit-elle d'une voix douce en fermant la porte.

Bill, assis à la table de la cuisine, feuilletait le journal du soir quand elle entra dans la pièce.

— Jesse est endormi ? demanda Bill.

Kate marcha vers la fenêtre et jeta un coup d'œil dehors.

— Il a encore posé des questions sur son père.

Bill posa son journal.

— Et toi, il te manque encore?

Kate se dirigea vers Bill et s'agenouilla à côté de lui, son visage tout près du sien.

— Il nous a fuis, Bill. Et il n'est jamais revenu.

Elle toucha son visage.

— Mais tu étais là, toi, et tu n'es parti nulle part.

Elle se pencha et l'embrassa tendrement.

— Tu crois que je ne le sais pas?

Il hocha silencieusement la tête, en signe d'approbation, quand elle lui assura qu'elle ne le quitterait jamais, mais elle lut dans ses yeux son appréhension, sa crainte que Russell ne réapparaisse un jour et ne les lui reprenne, elle et Jesse. Elle savait que cela n'arriverait pas, mais elle savait aussi qu'au plus profond de la nuit, lorsque la maison craquait et que le vent faisait trembler les vitres, Jesse rêvait probablement d'un tel retour, rêvait de dormir au creux des bras chauds et protecteurs de son père, rêvait de reformer le cercle brisé sans lequel sa vie n'était plus ce qu'elle avait été. Et, en dépit d'elle-même, en dépit du merveilleux mari et du père que Bill était devenu, il lui arrivait aussi d'en rêver.

Jesse entendit d'abord le grattement, léger mais insistant, comme des doigts sur le carreau d'une fenêtre. Il remua sous ses couvertures, essaya de faire taire le bruit dans sa tête, puis se retourna et ouvrit les yeux.

Et il était là.

Artémis, l'écureuil.

Jesse se redressa dans son lit et regarda la frimousse grise et velue. L'écureuil ne bougeait pas, mais il se sentait attiré par lui, comme s'il lui demandait de le suivre. Il se glissa hors de son lit, se dirigea vers la fenêtre et l'ouvrit.

Artémis quitta le rebord de la fenêtre et demeura suspendu en l'air, souriant gentiment, en lui faisant signe d'une étrange façon, comme s'il lui disait : « Viens avec moi. »

Jesse prit appui sur le rebord de la fenêtre et se hissa sur la corniche du second étage. Son pyjama de cow-boy flottait dans la brise froide d'automne. Au bord du toit, il se tenait tout raide, les bras collés contre son corps, petit cylindre de chair bien au-dessus de la pelouse verte où Artémis était à présent redescendu, grosse poupée grise au milieu de l'herbe balayée par le vent.

Pendant un moment, ses yeux se fermèrent. Puis Artémis battit doucement des paupières, et Jesse entendit son ordre silencieux : *Saute*.

Il sauta et Artémis fit un bond en avant, s'éleva dans les airs et le rattrapa dans sa chute, et tous deux se mirent à tournoyer dans la chaude obscurité de l'été. Jesse sentit les bras velus et protecteurs qui le tenaient. Puis il se retrouva sur le sol, entouré d'une vaste pelouse verte. Artémis le guidait à travers des kilomètres et des kilomètres de verdure, le temps se répandait dans toutes les directions, comme une rivière inondant ses berges, et le monde était un tapis roulant sous ses pieds nus, qui l'entraînaient toujours plus loin au cœur d'une forêt dense.

Un chêne géant se dressait à l'écart des autres arbres, et Jesse sut aussitôt que c'était la maison d'Artémis. Une bouche sombre bâillait au centre de l'arbre, la porte qui ouvrait sur le monde d'Artémis.

— Je peux ? demanda Jesse.

Il sentit les bras doux et velus d'Artémis le soulever jusqu'à l'entrée, puis le déposer à l'intérieur. Il attendit que l'écureuil le rejoigne d'un bond. Et la porte se referma derrière eux.

Au début, l'obscurité régnait. Mais elle se dissipa peu à peu jusqu'à ce que tout rayonne d'une lumière qui semblait venir de partout, comme si chaque chose diffusait sa propre lueur.

Il sentit l'arbre s'élever, d'abord lentement, comme une fusée qui lutte contre la gravité terrestre, puis de plus en plus vite, à travers le ciel nocturne. Par la suite, tout ce dont il eut conscience, c'était de se trouver sur la route bleue, avec deux rayons de lumière qui s'approchaient au-dessus de lui, comme les yeux luisants d'un animal affamé. Puis les freins gémirent bruyamment, les pneus crissèrent et le camion s'arrêta. Un petit garçon, seul, se tenait là, dans la lumière aveuglante des phares. Artémis se cachait quelque part derrière les étoiles, et Jesse ne se souvenait plus que d'une chaleur qu'il avait déjà connue.

Las Vegas, Nevada, 14 décembre 1958

Owen Crawford, grimpé sur une échelle, accrochait les décorations de Noël à l'extérieur de sa maison, pendant qu'Anne et ses deux fils, Éric et Sam, se poursuivaient dans la cour en se tirant dessus avec des pistolets à rayon laser.

— Eh! Attention! s'écria Owen quand Sam percuta Anne et la projeta contre l'échelle.

— Désolée, dit Anne d'un air contrit.

— Regarde un peu où tu vas, lâcha Owen d'un ton sévère.

Il se remit au travail, bien qu'il n'y prît aucun plaisir. Après tout, qu'est-ce que représentait Noël, sinon des vacances forcées, triviales et sans raison d'être, appréciées seulement des gens qui n'ont rien de mieux à faire que de suspendre ces ridicules guirlandes électriques.

Depuis le sommet de l'échelle, il vit le véhicule de l'armée descendre la rue bordée d'arbres et se garer sur le trottoir. *Dieu merci*, songea Owen, *je peux me sortir d'ici.*

— Je dois y aller, dit-il brusquement en se précipitant vers la voiture, laissant Anne seule avec les enfants qui se couraient après sur la pelouse fraîchement tondue.

Ils atteignirent Groom Lake quelques minutes plus tard. Tandis que la voiture avançait doucement sur le tarmac, Owen jeta un coup d'œil à la dernière innovation militaire : un bombardier noir avec des ailes en flèche, indétectable par les radars.

Dans la salle de réunion, il se plaça à l'extrémité d'une longue table de conférence où plusieurs scientifiques et des membres du personnel militaire étaient assis, mâchant leur crayon et tapotant sur leur rapport en attendant qu'il prenne la parole. Le docteur Kreutz, installé au fond de la salle, attachait et détachait négligemment une lanière en Velcro, une de ces « innovations » qui avaient été découvertes dans le petit vaisseau, le seul élément d'information dont ils avaient pu tirer profit après des années de recherche.

— Nous avons mis la main sur ce vaisseau il y a plus de dix ans, dit Owen. Depuis plus de dix ans ! Et nous n'avons toujours pas la moindre idée de son fonctionnement. Aucun indice sur la source d'énergie utilisée. Rien du côté de l'aérodynamique.

Il hocha la tête en direction du docteur Kreutz.

— Voici le docteur Kreutz. Il a accepté de se joindre à notre programme pour un temps indéfini.

Il jeta un regard impitoyable sur l'assemblée.

— Dès à présent, vous êtes tous réaffectés à d'autres missions... en Islande.

Il avait souri froidement en disant ces mots. Choqués, les hommes autour de la table échangèrent des regards incrédules.

Ennuyeux et sans imagination, pensait Owen avec dédain. Des vraies limaces, des hommes dépourvus de la passion de la recherche, qui ne faisaient jamais plus que ce qu'on leur demandait de faire. Pas un d'entre eux ne méritait d'explication supplémentaire.

Et il ne leur en donna pas. Il se contenta de se lever et d'accompagner le docteur hors de la pièce.

— Il y a quelque chose que vous devez savoir, docteur, dit Owen tandis que les deux hommes se dirigeaient vers un lointain hangar. Je suis en relation directe avec le président Eisenhower, et ce n'est pas un homme patient. Je lui ai laissé croire que quelques-unes de vos découvertes technologiques étaient issues de nos recherches. J'espère que vous ne le démentirez pas quand vous le rencontrerez.

Le docteur Kreutz laissa échapper un petit rire.

— Et risquer une réaffectation en Islande une semaine avant Noël ? Certainement pas.

Ils s'arrêtèrent aux portes du hangar.

— Faites-moi voir votre coucou, dit le docteur Kreutz.

Owen ouvrit grand les portes et le petit astronef, qu'il avait extrait du désert des années plus tôt, apparut dans la demi-clarté.

— L'intérieur n'était pas endommagé, raconta Owen au docteur Kreutz. Il est exactement dans l'état où nous l'avons trouvé.

Ils avaient atteint un petit marchepied qui menait à la porte ouverte du vaisseau. Kreutz monta les marches, suivi par Owen.

Pendant un instant, le docteur se déplaça à l'intérieur du vaisseau. Il remarqua le design lisse, les fauteuils avec leurs commandes digitales : tout était parfaitement poli et brillait comme un miroir.

— Aucune de ces blouses blanches n'a été fichue d'en tirer quoi que ce soit, dit Owen avec un petit sourire méprisant. Ça fait des années qu'ils s'agitent dans ce hangar, mais ils n'ont jamais rien trouvé.

Il se mit à rire.

— Malgré tous leurs diplômes, ils n'ont pas réussi à comprendre comment le maudit engin était propulsé.

Kreutz haussa les épaules.

— Il est facile de deviner ce qui a arrêté vos chercheurs, dit-il. Pas de tableau de bord. Pas de système de transmission.

— Vous noterez qu'il y a une sorte de champ d'énergie, dit Owen. Dans environ six minutes, vous commencerez à souffrir de migraine. Vingt minutes plus tard, vous aurez une hémorragie cérébrale.

Kreutz hocha la tête comme s'il n'était pas surpris par ce qu'il entendait. Puis il appuya sa main contre la paroi intérieure.

— Impossible de faire décoller un tel appareil sans un moteur.

— Mais il n'y a pas de moteur.

Le docteur Kreutz sourit en adressant un signe de tête en direction des cinq fauteuils vides.

— En fait, il y en avait cinq, dit-il.

— L'équipage ? demanda Owen, incrédule. L'équipage fournissait...

— ... l'énergie, oui, dit le docteur Kreutz. L'énergie de l'esprit. C'est la source d'énergie que vous recherchez.

— Nous en avions un de vivant, dit Owen. Il avait des pouvoirs...

Il lui raconta l'histoire de la vision du docteur Goldin, puis sa mort et celle du visiteur, comment le sang de l'alien et celui de l'humain s'étaient mis à tournoyer ensemble sur le sol du laboratoire...

Kreutz regarda Owen droit dans les yeux.

— Nous devons trouver un autre individu doté du même pouvoir mental.

Lubbock, Texas, 19 décembre 1958

Jacob Clarke collait à son oreille un panier-repas « ranger solitaire », comme s'il entendait des sons à l'intérieur. Un groupe de cinq lycéens de seconde l'observaient silencieusement.

— Des Oreos et un sandwich à la gelée et au beurre de cacahuète, dit tranquillement Jacob.

Travis sourit d'un air moqueur.

— Faux, dit-il. Ma mère m'a promis un sandwich à la viande et une part de tarte.

Jacob ouvrit le panier-repas, et tout y était exactement comme il l'avait prédit, bien enveloppé et disposé côte à côte : un paquet d'Oreos et un sandwich à la gelée et au beurre de cacahuète.

Les yeux de Travis s'agrandirent sous le coup de la surprise et de la colère.

— Comment fais-tu ça ?

Jacob lança un regard perçant à Travis.

— Tes parents se sont disputés hier soir parce que ton père était ivre. Elle a utilisé le steak pour son œil, et, de plus, elle ne se sentait pas d'humeur à préparer quelque chose d'original ce matin.

Les traits de Travis se figèrent.

— T'es mort, le cinglé, gronda-t-il.

Un peu plus tard dans l'après-midi, Travis et une poignée de ses amis firent faire un dérapage à leurs

75

vélos pour bloquer le passage de Jacob qui rentrait chez lui.

— Dis-moi où tu te cachais, l'anormal, demanda Travis d'un ton menaçant. Dans les buissons près de ma maison ?

Jacob le regardait en silence tandis que les amis de Travis l'entouraient.

— Tu vas mourir, dit Travis.

Jacob recula, trébucha sur le trottoir et, un instant plus tard, Travis était sur lui, son genou en appui contre le torse de Jacob.

— Travis, dit calmement Jacob, regarde-moi.

Travis fixa Jacob dans les yeux et son masque dur et menaçant tomba brusquement sous le coup d'une terrible frayeur. Jacob savait que Travis était en train de voir sa propre jambe exploser sur une colline près de Da Nang. Il se mit à crier si fort que ses amis reculèrent de terreur.

Jacob se releva, jeta un coup d'œil impassible sur Travis qui tremblait devant lui, pâle et saisi d'effroi. Il savait qu'il pouvait faire encore plus de mal à ce garçon, mais, à chaque fois qu'il se servait du pouvoir, il perdait une certaine quantité de sa force, comme une lumière s'affaiblissant doucement à chaque utilisation. Jacob se retourna alors, reprit le chemin – dégagé à présent – de sa maison, où il savait qu'il trouverait sa mère affairée à ses occupations habituelles, la cuisine, le ménage… Elle ne différait des autres mères que par son étrange manière de regarder le ciel, la nuit, scrutant les étoiles avec un curieux empressement, comme quelqu'un qui cherche un visage dans la foule.

Dépôt ferroviaire de Burnham, Denver, Colorado, 19 décembre 1958

Russell Keys était pelotonné à l'intérieur du wagon avec quatre autres vagabonds, écoutant d'une oreille distraite l'un d'entre eux déclarer que le rock était mort dès l'instant où Elvis était entré à l'armée. Le regard creusé, d'une maigreur cadavérique, Russell n'était plus que l'ombre de l'homme qu'il avait été. La vie sur la route n'était pas tendre, mais il lui sembla que les dix années passées l'avaient davantage abîmé que les autres hommes dans le train. C'était ce qu'il savait qui l'avait flétri, un savoir que personne d'autre ne pouvait comprendre et qui le maintenait dans une terrible solitude. C'est cela qui avait fait de lui l'épouvantail silencieux qu'il était devenu.

— Le capitaine, il est pas doué pour la conversation, dit un des vagabonds.

Russell serra un peu plus fort dans ses bras son vieux sac de l'armée. Le vagabond éclata d'un rire moqueur.

— À voir comment tu le tiens, tu t'imagines peut-être qu'il est rempli d'or !

Russell ne répondit rien, mais continua à se cramponner au sac.

— Laisse-le tranquille, Dave, dit un autre vagabond.

Dave haussa les épaules.

— J'essaie juste de lancer une petite conversation amicale.

Ses lèvres craquelées dessinèrent une moue dédaigneuse.

— Ce gars-là croit sans doute qu'il est le seul à avoir un passé.

Ce n'était pas vrai, Russell n'en croyait rien, bien qu'il ne prononçât pas un mot. C'était seulement que son passé, tout autant que son présent, ne ressemblait pas à celui des autres hommes.

Dave regarda son sac.

— Bon alors, qu'est-ce que t'as là-dedans ?

Il se pencha en avant et tendit le bras.

— Laisse-moi voir...

— N'y touche pas ! l'avertit Russell.

Dave lança un regard furieux à Russell, ses yeux rougis par la colère.

— Donne-moi ce sac, capitaine !

Il sortit un bout de tuyau de sa poche et, avant que Russell ait pu esquisser un geste, il l'abattit violemment sur le côté de sa tête. Russell s'effondra sur le sol, le sang dégoulinant de son crâne. Dave s'empara alors du sac et fouilla à l'intérieur.

— Rien qu'un tas de médailles, dit-il en riant.

Il regarda Russell et ajouta :

— T'étais un genre de héros, à l'époque, hein, capitaine ?

Il leva de nouveau son tuyau.

— Eh ben, t'en as plus vraiment l'air, maintenant !

Soudain, le faisceau d'une vive lumière figea Dave sur place.

— Les vigiles, dit-il. Fichons le camp d'ici.

Il se précipita vers la porte et l'ouvrit. Il s'apprêtait à sauter mais s'arrêta brusquement. Ce qu'ils virent, lui et les autres vagabonds attroupés derrière lui, les stupéfia et leur coupa le souffle : la terre était cent mètres plus bas et le wagon de chemin de fer continuait à s'élever dans la nuit.

Les vagabonds échangèrent des regards éberlués puis reculèrent de la porte ouverte, alors que la lumière irradiait de plus en plus.

Depuis sa position sur le sol, Russell vit deux créatures sortir de ce rayonnement aveuglant. Elles entraient à l'intérieur du wagon, et il savait qu'elles venaient le chercher. Il entendit son propre cri déchirer l'air, mais cela ne les empêcha pas d'approcher. Elles le saisirent par la main et l'obligèrent à les suivre. Il sentait leurs doigts vigoureux, les jointures supplémentaires, la terrible force qu'il y avait en eux et contre laquelle il ne pouvait pas résister. Alors il suivit les créatures dans cette lumière effrayante et là, pendant un instant imperceptible, il vit un adolescent pendu les pieds en l'air au-dessus d'une table, comme un agneau à l'abattoir, le regard rempli de terreur. Ses yeux lui étaient incontestablement familiers. Ils semblaient reconnaître Russell et comprendre que c'était un être humain, seul et désarmé, qui ne pouvait compter ni sur l'aide, ni sur la compréhension de son prochain.

Amarillo, Texas, convention des ufologues, 19 décembre 1958

L'intervenant s'appelait Quarrington, et, depuis son siège, dans la grande salle de conférence, Sally l'écoutait attentivement raconter qu'il avait pénétré dans une soucoupe volante, et que les créatures extraterrestres ne nous voulaient pas de mal.

Sally savait qu'il disait la vérité. L'homme qu'elle avait trouvé dans l'abri du jardin avait eu la possibilité de les agresser, elle et ses enfants, mais il n'avait manifesté rien d'autre qu'une immense tendresse qu'elle n'était pas près d'oublier.

— Je les ai rencontrés aussi, dit-elle à Quarrington quelques minutes plus tard, alors qu'il signait son livre *Ma vie dans les soucoupes volantes*. Pensez-vous qu'ils reviendront? poursuivit-elle, pleine d'attente. Je veux dire, plus tard, dans l'avenir...

Quarrington lui tendit le livre avec un haussement d'épaules dédaigneux.

— Notre temps et le leur ne sont pas les mêmes.

Sally s'éloigna. Elle avait bien conscience que Quarrington ne l'avait pas prise au sérieux. D'ailleurs, pourquoi aurait-il dû ? Elle n'était qu'une serveuse d'une petite ville poussiéreuse du Texas. Il pensait probablement qu'elle était une autre de ces ménagères solitaires qui inventaient des histoires de soucoupe volante pour attirer l'attention. Sally savait que ce genre de femme se trouvait dans l'assistance. Mais elle savait aussi qu'elle n'était pas comme ça. Elle se rappela l'étranger, John, ressentit la douceur de ses caresses. *Non*, se dit-elle, *je ne suis pas du tout comme ces autres femmes.* John avait rendu cela certain. Elle savait qu'il avait été réel, et c'est ce qui lui rendait la vie si difficile. Un homme d'un autre monde était venu à elle, l'avait touchée, l'avait aimée… et lui avait fait un enfant. L'impossible et le fantastique s'étaient unis pour lui faire vivre une expérience qui l'avait marquée au fer rouge. Mais c'était une expérience dont elle ne pouvait s'entretenir qu'avec les gens comme Quarrington, tous ces gens qu'une expérience d'une nature extraordinaire rapprochait et séparait à la fois.

En se dirigeant vers la sortie, elle regarda la file des gens qui serraient le livre de Quarrington contre leur cœur comme un enfant miraculeusement retrouvé. Il y avait de la fatigue dans leurs yeux, un terrible isolement aussi. Certains d'entre eux étaient probablement fous, pensa-t-elle, mais lesquels ? Cela ne comptait pas vraiment. Tous avaient à subir le même rejet, le même mépris, les mêmes moqueries. Elle aussi, et elle savait que Jacob était condamné à le supporter aussi.

Il attendait sans bouger dans le camion quand Sally revint dans le parking.

— Tu as l'air fatigué, dit-elle. Tu n'auras qu'à dormir pendant le trajet.

Il lui adressa un regard las, dans lequel on lisait le poids d'années plus nombreuses qu'il n'en avait réellement vécu. Lui aussi avait à supporter le fardeau d'un terrible secret qu'il ne pouvait pas décrire, ni même comprendre. Elle se rappela la nuit où il fut conçu, eut de nouveau l'impression de se trouver dans les bras extraterrestres de John, et réalisa soudain que son fils était touché par la même présence. Mais elle vivait de ce souvenir inoubliable et de l'espoir jamais éteint de voir revenir John. Son fils était à la recherche de quelque chose d'autre. Elle se remémora une scène d'*Alice au pays des merveilles* dans laquelle une serrure courait partout à la recherche de ce qu'elle appelait « sa clé à elle ».

Pendant un moment, elle continua à regarder son fils. Ce qu'elle désirait à présent, c'était trouver sa « clé » à lui, pour qu'elle puisse la lui donner et, par ce don, le protéger. Mais elle savait que seul John avait ce pouvoir, et que tout ce qu'elle pouvait faire, c'était d'essayer de le retrouver, de lui parler, de le supplier de revenir une fois encore, d'être, même brièvement et dans cette lumière aveuglante, un père pour son fils.

Russell ouvrit les yeux et grimaça sous l'effet de la violente lumière blanche qui tombait de biais sur lui. Il sentit le plancher du wagon sous son dos, renifla les hot-dogs qu'un vagabond nommé Hank était en train de préparer au-dessus d'un brasero, qu'il avait allumé quelques mètres plus loin.

— Petit déjeuner. Avec les compliments de Dave l'Irlandais et des autres, déclara Hank avec un sourire.

Russell fit un effort pour se lever et se dirigea en titubant vers le feu. Il souffrait toujours du coup que Dave l'Irlandais lui avait porté à la tête.

Hank fouilla dans sa poche et en sortit un morceau d'étoffe auquel étaient suspendues des médailles.

— Dave voulait que tu les récupères. Il m'a dit de te dire qu'il était désolé. Et si jamais il te revoit – ce qu'il ne souhaite pas –, il te demande de lui pardonner.

Russell prit les médailles, puis jeta un coup d'œil autour de lui à la recherche de son sac militaire.

— J'avais une carte, dit-il.

— Dans le sac, lui répondit Hank.

Russell vida prestement le sac, trouva la carte et la déplia dans la lumière.

— On dirait que cette vieille carte t'importe plus que tes médailles, dit Hank.

Il jeta un regard furtif sur la carte que Russell tenait fermement.

— Qu'est-ce que c'est ? Un trésor secret ?

Russell secoua la tête.

— C'est juste une carte topographique.

— Qu'est-ce qui la rend si spéciale ?

Russell ne savait pas comment répondre. Il savait que s'il disait à Hank ce qui rendait la carte spéciale, il serait aussitôt catalogué comme un de ces vagabonds qui ont perdu l'esprit. Et pourtant quelque chose s'éveilla en lui, malgré la crainte d'être une fois de plus pris pour un fou. Un besoin de raconter, ou peut-être seulement le besoin de communiquer à au moins un autre être humain la nature désespérée de sa recherche.

— J'étais un pilote pendant la guerre, commença-t-il lentement, comme un homme brisé qui essaie de s'expliquer, de retracer la trajectoire obscure et descendante de sa vie, de révéler l'origine de ses haillons. Vingt-trois missions, toutes avec le même équipage.

Hank hocha la tête en direction des médailles.

— Je me doute que tu les as pas gagnées par hasard...

— Neuf hommes, ajouta Russell. Tous morts.

Il regarda les médailles.

— Quelque chose comme ce qui est arrivé la nuit dernière. Nous avons été enlevés.

Il leva les yeux vers le ciel et enchaîna :

— Quoi qu'ils nous aient fait, ça a tué mes hommes. Je le sais. Ce que je ne sais pas... ce que je ne comprends pas... c'est pourquoi je suis vivant.

Hank réfléchit à ce qu'il venait de dire, le prit sérieusement et le retourna dans son esprit.

— C'est peut-être parce que tu n'es pas mort qu'ils n'arrêtent pas... de t'enlever. Peut-être qu'ils veulent savoir ce qui te rend spécial.

Spécial, songea Russell, et il eut l'impression qu'une vague pièce d'un puzzle encore plus vague se mettait doucement en place. *En quel sens suis-je spécial ?* se demanda-t-il. Il considéra ce qu'avait été sa vie, mais n'y trouva rien de particulièrement spécial. Il avait grandi comme n'importe quel autre gamin né dans une petite ville américaine. Puis il était parti à la guerre et avait survécu. Le mot frappa son esprit. De tout son équipage, lui seul avait survécu. Si c'est là ce qui le rendait spécial, alors cela avait un lien avec sa constitution naturelle, raisonnat-il, peut-être une simple question de force physique, ou une forme inattendue d'immunité, des caractéristiques qu'il aurait héritées de ses parents et qu'il aurait pu transmettre à...

Un frisson glacé le parcourut.

À Jesse.

Bement, Illinois, 24 décembre 1958

Russell vit les chanteurs de Noël à travers le voile de la neige. L'étrangeté de la scène – lui caché derrière le grand chêne du jardin de Kate, la veille de Noël, pendant que les chanteurs déambulaient dans la rue glaciale – lui rappela une fois de plus le terrible voyage de sa vie, la solitude qui le cernait à présent, le marginalisait, faisait de lui une créature de l'ombre.

Il attendit que les chanteurs s'en aillent, puis se dirigea vers la porte de devant, frappa doucement et patienta un moment.

Le garçon qui ouvrit avait autour de treize ans, et c'est lui-même qu'il reconnut dans ses grands yeux, dans l'angle de ses mâchoires et dans la largeur de ses épaules.

— Jesse, dit-il.

Soudain Bill apparut à la porte.

— Salut, Russell, dit-il d'une voix neutre.

Il posa ses mains sur les épaules de Jesse et le renvoya à l'intérieur de la maison.

— Ta mère a besoin de toi dans le salon, fiston.

Jesse obéit instantanément, et les deux hommes se retrouvèrent seuls, face à face.

— Tu n'es pas le bienvenu ici, Russell, lui dit Bill.

— J'ai quelque chose à dire à Jesse, répondit Russell, d'un ton précipité.

— Tu as perdu ce droit depuis longtemps, dit Bill.

Il regarda les vêtements usés de Russell, son visage décharné et barbu, et il comprit aussitôt le type d'existence incertaine qu'il avait menée, clochard parmi les clochards, sans domicile et éventuellement dans le caniveau.

— Tu peux rester à la gare, lui dit-il. Je les appellerai…

— Jesse est en danger, l'interrompit Russell. Il faut que je lui parle.

Bill fit un pas à l'intérieur de la maison et reprit son sang-froid comme s'il s'attendait à ce que Russell l'agresse.

— Il n'en est pas question, dit-il, et il referma brutalement la porte.

Pendant un instant, Russell demeura immobile face à la porte close, incapable de partir et sachant pourtant que c'est ce qu'il devait faire. Il avait essayé d'agir ouvertement et honnêtement pour sauver son fils. À présent, cette route était barrée. Jesse était toujours en danger, et lui seul connaissait la nature réelle de ce danger. Ceux qui l'avaient enlevé étaient aussi venus prendre son fils. Il devait être protégé, caché, emmené quelque part où il ne pourrait pas être... enlevé.

Russell s'éloigna de la porte et reprit son chemin à travers la neige qui tombait doucement. Son esprit était désormais occupé à la recherche d'un plan.

2

Tucker, Illinois, 25 décembre 1958

Russell scruta son fils du regard, et il se souvint de ce qu'il avait vu dans ses yeux quand ils s'étaient retrouvés, quelques heures plus tôt. Jesse s'était rendu dans les bois près de la maison. Il rassemblait des branchages pour faire un bonhomme de neige. Russell l'épiait. Il savait que c'était sa seule chance de le sauver. Le plus curieux était que Jesse avait semblé comprendre la raison de sa venue, et il était aussitôt venu avec lui, sans poser de questions.

À présent, le père et le fils étaient de nouveau réunis. Tous deux en fuite et simples vagabonds. Ils avaient trouvé refuge dans un wagon.

— Qu'est-ce que tu regardes ? demanda Jesse.

— Tu ressembles à ta mère.

— Tout le monde dit que c'est à toi que je ressemble le plus.

Russell fouilla dans sa poche et sortit ses médailles.

— Je veux que tu les gardes.

Jesse les prit dans sa main et les regarda d'un air émerveillé.

— Tes décorations de guerre !

Russell lui indiqua l'étoile d'argent.

— J'ai reçu celle-là après ma dernière mission.

— Celle où vous avez été descendus et capturés, et où tu as sauvé tout ton équipage ?

— Oui, répondit doucement Russell.

Il voyait bien que le ton de sa voix, sa tristesse infinie, ne laissaient pas son fils indifférent.

— Maman dit que c'est à cause de la guerre que tu es parti, dit Jesse.

— Mais tu sais bien que ce n'est pas ça, n'est-ce pas ?

Jesse hocha la tête très lentement. Il semblait réfléchir à toutes les choses que Russell lui avait racontées ces dernières heures. Ses yeux exploraient l'intérieur du wagon de train.

— C'est ça que tu as fait pendant tout ce temps ? C'est ici que tu vis ?

— Je vis où je peux, répondit Russell. Ce qui m'était arrivé... je ne voulais pas le rapporter à la maison... à toi et à ta mère.

Jesse sembla de nouveau plongé au plus profond de lui-même.

— Qui sont-ils ? finit-il par demander.

— Je ne sais pas, fiston.

— Tu crois que tu peux les empêcher de revenir me chercher ?

— Je ne sais pas non plus, répondit Russell en prenant son fils dans ses bras. Mais je vais tout faire pour y arriver.

Lubbock, Texas, 25 décembre 1958

Jacob, après avoir ouvert les rideaux, regardait par la fenêtre lorsqu'un modèle récent de Buick se gara dans l'allée. Tom conduisait et Becky était assise à côté de lui.

Il attendit qu'ils entrent, le regard fixe. Ses yeux étaient comme deux petites pierres tout au fond d'un lac abyssal.

— Eh, petit frère ! dit joyeusement Tom en franchissant le seuil de la porte.

Jacob hocha la tête en silence.

Becky se pencha vers lui et l'embrassa.

— Où est maman ? demanda-t-elle.

— Elle est dans l'abri du jardin, répondit Jacob.

— Qu'est-ce qu'elle y fait ? demanda Tom.

— Elle prépare quelque chose.

— Le jour de Noël ? s'étonna Becky.

Elle jeta un coup d'œil à Tom, puis tous deux sortirent de la maison et se dirigèrent vers l'abri.

Sally en refermait à peine la porte quand elle les vit traverser la pelouse.

— Vous arrivez bien tôt. Je pensais que vous ne seriez pas ici avant ce soir, dit-elle, comme ils se précipitaient vers elle pour l'embrasser.

— Maman, il est presque 5 heures, dit Tom.

Sally haussa les épaules.

— Comment est-ce possible ?

Tom la regarda d'un air suspicieux.

— Qu'est-ce que tu fabriquais dans cette cabane ? demanda-t-il.

— Oh, rien, répondit-elle d'un air dégagé. Venez, rentrons à la maison.

À l'intérieur, Tom et Jacob se rendirent dans le salon tandis que Sally et Becky allaient préparer le dîner dans la cuisine.

— Tu sais, avec tout l'argent que Tom a gagné, dit Becky, nous pourrions mettre Jacob dans une école où il...

— Jacob est bien ici, avec moi, l'interrompit Sally.

Mais Becky continua sans se laisser décourager.

— Il y en a une dans le Montana. Pour les enfants qui sont... différents.

— Jacob est bien ici, répéta Sally.

Becky la regarda bien en face.

— Quand Jacob a-t-il souri pour la dernière fois, maman ? Ou ri ? Ou pleuré ?

— Ce n'est pas son genre, c'est tout.

— Mais, maman...

Sally se raidit et planta ses yeux dans ceux de sa fille.

— Il n'y a pas de problème avec Jacob, il est bien ici, avec moi, dit-elle d'un ton sans appel.

Puis elle se retourna pour sortir du four les plateaux-repas à la dinde. La discussion était close.

Centre de recherche de Groom Lake, 25 décembre 1958

— Le voici, dit le docteur Kreutz.

Owen regardait le bus traverser le tarmac. Il savait qui se trouvait à l'intérieur. Mavis et Gladys Erenberg, deux sœurs jumelles. Il leur avait fait passer une multitude de tests qui, à chaque fois, s'étaient révélés concluants : elles possédaient bien des « pouvoirs ». Le temps était maintenant venu de les expérimenter.

Le bus se gara et Marty sortit le premier. Il se retourna et tendit d'abord sa main à Mavis, puis à Gladys Erenberg.

Owen les trouvait bien ordinaires, deux femmes entre deux âges vêtues de robes bon marché. Et pourtant, elles étaient capables de lire dans leurs pensées respectives. Quand l'une regardait quelque chose, l'autre était capable de dessiner ce que sa sœur avait sous les yeux, malgré les épais murs en béton qui les séparaient.

À présent, les sœurs se dirigeaient vers le véritable but de l'enquête d'Owen. Il se doutait que le premier aperçu qu'elles auraient de l'astronef pourrait les effrayer, et il remarqua que Mavis hésitait légèrement quand elle s'en approcha. Mais Marty monta prestement le premier, l'assura que tout allait bien, qu'il n'y avait aucun danger, qu'il s'agissait d'un autre test.

Les sœurs disparurent à l'intérieur du vaisseau spatial. Owen jeta un coup d'œil à sa montre. D'ici quelques secondes, elles seraient attachées aux fauteuils que seuls des extraterrestres avaient occupés auparavant. Il attendit un instant et regarda de nouveau sa montre, tandis que Marty prenait position à côté de lui.

7 h 30. Dans quelques minutes, il ferait enfin une découverte.

L'attente reprit. Des gouttes de sueur perlaient sur son front. Le docteur Kreutz se tenait près de lui, les yeux fixés sur l'astronef.

Vingt minutes s'écoulèrent, et Marty, l'air inquiet, se tourna vers le docteur Kreutz.

— Encore cinq minutes, lui dit le docteur.

Marty lança un regard désespéré à Owen.

— Mais ça va les tuer.

La voix d'Owen était aussi dure que l'homme qu'il était devenu.

— Elles étaient déjà mortes au moment précis où elles ont mis les pieds dans cette base.

8 heures, et toujours rien. Aucun signe d'une quelconque capacité des sœurs Erenberg à mettre

en marche l'engin spatial. Il demeurait comme à son habitude, silencieux et immobile, comme s'il attendait un code qu'Owen ne parvenait pas à trouver, ou un ordre secret qu'il ne pouvait pas donner.

Owen regarda le docteur Kreutz, et comme s'ils obéissaient à un commandement silencieux, le docteur monta à ses côtés dans l'appareil. La porte s'ouvrit à leur approche et ils entrèrent. Rien de ce qu'ils virent ne les surprit.

Les sœurs Erenberg étaient toujours assises dans les fauteuils extraterrestres, le visage tourné vers le plafond. Leurs yeux étaient fermés et leurs corps ne bougeaient pas. On aurait pu croire qu'elles dormaient paisiblement, si le sang n'avait pas coulé de leur nez et de leur bouche et ne s'était répandu sur les robes-manteaux grises qu'elles avaient choisies pour l'occasion.

— Faites nettoyer cette saleté et remettez l'astronef à sa place, ordonna Owen.

Il se retourna et vit Howard se précipiter vers lui, un téléphone de campagne entre les mains.

— C'est la Maison-Blanche, dit Howard.

Owen prit le téléphone, et esquissa le sourire lumineux qui lui avait été si utile par le passé, mais qui avait désormais quelque chose d'un rictus diabolique.

— Colonel Crawford à l'appareil, dit-il. Joyeux Noël, monsieur le Président.

Las Vegas, Nevada, 25 décembre 1958

La maison était sombre quand Owen rentra chez lui. Il sentit les odeurs du repas de Noël qu'il avait manqué. Dans le salon, les dernières braises d'une bûche de Noël luisaient faiblement dans la cheminée. Les papiers cadeau déchirés par Éric et Sam parsemaient la pièce. Il les fit crépiter en marchant dessus.

— Nous avons attendu longtemps, Owen.

Anne se tenait dans l'encadrement de la porte, vêtue de sa robe de nuit. Mais il était clair qu'elle ne s'était pas encore couchée.

— Je suis désolé, lui dit Owen. J'ai été retenu.

Anne prit une profonde inspiration.

— Tu leur as offert à tous les deux un chemin de fer électrique. Tu as offert à Sam le jeu *Space control* et le panier-repas *Leave it to Beaver*. Éric a reçu le jeu *Leave it to Beaver* et le panier-repas *Space Control*.

— Et qu'est-ce que je t'ai offert ? dit Owen avec un sourire glacial.

— Bien plus que ce que j'aurais parié, répondit sèchement Anne.

Puis elle fit volte-face et quitta la pièce.

Owen se rendit dans son bureau et observa la nuit. Une neige légère tombait, mais sa beauté n'arrangeait en rien son humeur. Les sœurs Erenberg étaient mortes pour rien, mais là n'était pas le plus ennuyeux. Le vrai problème, c'est que leur pouvoir – malgré tout ce qu'elles avaient démontré – n'était rien en comparaison de celui qui les avait détruites en quelques minutes, quand elles étaient assises à l'intérieur du vaisseau spatial. *Ce pouvoir va bien au-delà de l'entendement humain,* songea Owen. Et aussi longtemps qu'il n'aurait rien trouvé dans le monde des hommes qui puisse se mesurer à ce pouvoir, l'astronef ne se déplacerait pas d'un centimètre dans l'obscurité du hangar. Tout comme son rêve de laisser une empreinte dans l'Histoire.

Il se dirigea vers le coffre, composa la combinaison et sortit l'objet que Sue lui avait donné des années plus tôt. C'était la seule preuve qui lui appartenait en propre. Il examina les marques, mais elles restaient indéchiffrables. Quelque part dans les étoiles, il y avait des créatures qui pouvaient les lire. Mais, autant qu'il pouvait en juger, elles ne reviendraient jamais sur Terre, à moins d'avoir une bonne raison. Ou à moins qu'il trouve un pouvoir aussi grand que le leur et qu'à l'aide de ce pouvoir, il puisse les forcer à revenir. À la fin, tout se résumait à ça, pensa-t-il, en manipulant délicatement l'objet entre ses doigts. Tout se résumait au pouvoir.

Lubbock, Texas, 25 décembre 1958

— Un peu plus à droite, dit Tom.

— Ce n'est pas très gentil, Tom, dit Becky.

Tom retrouva par terre, à ses pieds, l'exemplaire de sa mère de *Ma vie dans les soucoupes volantes*.

— Maman croit à ce genre de fadaises. Elle emmène Jacob à ces conventions d'ufologie. Si nous pouvons lui démontrer comme il est facile de berner les gens...

Il lâcha le livre, prit l'appareil photo dans sa poche et le plaça devant son œil.

— O.K., fais-le bouger.

Becky agita la canne à pêche vers la droite, et l'enjoliveur qui pendait au bout de la ligne se mit à voler maladroitement.

— Mais Tom, protesta-t-elle, tu étais avec moi. Nous avons vu ces lumières dans le ciel.

— Il y avait un article sur ce sujet dans *Popular Science*. Sais-tu de quoi il s'agissait? demanda Tom. Le reflet des lampadaires sur les poitrines d'une volée de pluviers.

Il secoua la tête.

— Becky, nous étions des enfants. Nous avons vu ce que nous avons voulu voir.

Il prit la photo puis remit son appareil dans sa poche. De toute évidence, le plan qu'il venait juste de mettre à exécution le comblait d'aise.

— Comme ça, nous allons montrer à maman que son héros était un mystificateur, dit Becky. Et après?... Nous la laissons sans rien?

Tom jeta un coup d'œil vers le porche d'entrée de la maison. Jacob était là, son visage impassible tourné dans leur direction.

— Eh, Jacob! s'écria Tom, surpris par la soudaine apparition de son frère.

— Je ne veux pas m'en aller dans cette école, dit Jacob. Si je m'en vais, qui s'occupera de maman?

Becky rejoignit Jacob et s'agenouilla près de lui.

— Jacob, il faut que tu essaies de comprendre... Tu as un don, une perspicacité peu...

— Je tiens ça de mon père, lâcha Jacob de son ton monocorde habituel, en dépit de la bizarrerie de ce qu'il venait de dire.

— Jacob, tu as besoin d'aller dans un endroit où les gens te comprendront...

Elle s'interrompit et regarda Sally, de l'autre côté de la pelouse, qui lui adressait un signe de la main depuis l'entrée de l'abri de jardin.

— Ohé! Les enfants! cria-t-elle. C'est fini!

Tom et Becky échangèrent un regard inquiet, puis ils se dirigèrent vers la cabane dont Sally maintenait la porte grande ouverte. Elle était toute réjouie d'avoir accompli sa tâche.

— J'appelle ça un « contacteur ». Qu'est-ce que vous en dites? demanda-t-elle.

Tom examina ce qui avait toutes les apparences d'une machine à la Buck Rogers, faite de papier d'étain et hérissée d'antennes.

— C'est comme une radio, annonça Sally. Je peux envoyer des messages dans l'espace.

— Pourquoi veux-tu envoyer un message dans l'espace ? demanda Becky.

— Le père de Jacob me manque, répondit Sally. Je veux qu'il sache que nous allons bien et que j'aimerais qu'il vienne nous chercher.

Elle se mit à scruter le ciel nocturne. Pendant des années, elle avait gardé ça pour elle, l'homme étrange qu'elle avait trouvé dans la cabane, le pouvoir singulier qu'il avait de lire dans son esprit, la sympathie et la générosité dont il avait fait preuve à son égard, et l'amour qu'elle lui avait donné en retour.

— Je veux qu'il sache que nous sommes prêts à partir avec lui.

— Partir où ? demanda Tom.

Sally continua de fouiller du regard le ciel parsemé d'étoiles.

— À la maison, dit-elle.

La lumière le réveilla en sursaut. Effrayé par l'éclat aveuglant, il sut aussitôt qu'ils étaient venus pour lui… ou pour Jesse.

— Jesse ! cria Russell, en quittant en un éclair la place où il était étendu sur le plancher du wagon. Jesse !

Une silhouette apparut à contre-jour, qui lui bloquait le passage.

— Tiens-toi tranquille, Russell.

Il reconnut alors le visage grave de Bill où se lisait une implacable détermination.

— Où est Jesse ? demanda Bill. Bon sang ! Qu'as-tu fait de Jesse ?

Derrière son épaule, Russell aperçut la colonne des voitures de police, leurs phares éclairant puissamment l'obscurité qui entourait le wagon. Une vingtaine de policiers avaient pris position au milieu des voitures, prêts à ouvrir le feu sur lui.

— Où est Jesse ? cria Bill.

Russell jeta un coup d'œil dans le wagon vide.

— Il est… parti.

Bill le fixa dans les yeux.

— Tu vas aller en prison, Russell, dit-il. Et tu vas y rester jusqu'à ce que tu me dises ce que tu as fait à Jesse.

Mais Russell savait qu'il ne pouvait pas lui dire. Et plus tard, quand il se retrouva en cellule, son esprit se mit à chercher une explication à la disparition de son fils. S'ils l'avaient enlevé, ils l'avaient fait d'une manière inhabituelle, ils l'avaient emmené sans la lumière violente, le bruit assourdissant et la terreur paralysante.

— Russell.

Il tourna les yeux dans la direction de Kate, à l'extérieur de la cellule.

Il se leva.

— Kate, tu dois me croire. Je suis venu pour sauver Jesse, pas pour…

— Pour le sauver ? De quoi parles-tu ?

— Ils en ont fini avec moi, Kate, lui dit doucement Russell. Je pense qu'ils veulent savoir s'il est… prêt.

— Prêt pour quoi ? demanda Kate.

Russell eut brusquement la vision de Jesse pendu par les pieds, son corps blanchi par la lumière crue qui irradiait du vaisseau spatial. Une larme unique coulait le long de sa joue. Et il savait que c'est ce qui s'était réellement passé. Jesse avait vraiment été enlevé. Il secoua violemment sa tête.

— C'est quelque chose que je ne sais pas encore, dit-il.

Lubbock, Texas, 30 décembre 1958

Sally chargea le contacteur à l'arrière de son camion, pendant que Becky et Tom la regardaient faire d'un œil réprobateur. Un vent froid soufflait sur le paysage plat du Texas, mais son esprit était dans les étoiles.

— Maman, commença Becky avec précaution, nous pensons que Jacob ne devrait pas t'accompagner à ce... cette fête du Nouvel An où tu...

Sally continuait le chargement.

— Tu crois vraiment que sa place se trouve au milieu de tous ces illuminés ?

— Elle a raison, dit Tom sans l'ombre d'une hésitation.

Sally ne s'était pas arrêtée de charger le camion.

— Vous n'allez pas m'emmener Jacob pendant mon absence, n'est-ce pas, Tom ?

— Bien sûr que non, rétorqua Tom, exaspéré. Nous resterons ici, nous jouerons aux cartes, c'est promis.

— Le pauvre garçon ! dit Sally en riant. Il serait bien mieux avec ces illuminés qui pensent qu'ils vont aller sur Vénus.

Elle s'arrêta un instant et fixa Tom droit dans les yeux.

— O.K., dit-elle. Il peut rester.

Tom eut un sourire de soulagement.

— Je vais tout de suite l'avertir.

Sally jeta un coup d'œil à l'endroit où Jacob se tenait, sous le porche d'entrée. C'était comme si elle pouvait lire dans son regard.

— Je suis sûre qu'il est déjà au courant, dit-elle.

Centre de recherche de Groom Lake, 30 décembre 1958

Owen s'assit à son bureau, examinant les données pendant que Marty et Howard attendaient.

— Bon, il y a eu environ deux cents observations dans le centre de l'Illinois, le jour de Noël, dit Owen en relevant les yeux de son dossier. Mais c'est n'importe quoi. Un type a vu six cents disques jaunes suspendus en l'air au-dessus de Duluth. Une femme croit que les programmes de télévision sont émis depuis l'espace. Vous ne m'aidez pas, soupira-t-il en refermant le dossier.

— Nous avons les photos de surveillance prises lors de la conférence de Quarrington à Amarillo, dit Marty avec un léger rire. Ce type dira tout ce que nous voulons qu'il dise. Des voyages sur Vénus. Des « frères de l'espace ».

Howard alluma le projecteur. La première photo montrait le public présent à la convention d'Amarillo.

— Ces gens s'appellent entre eux les « contactés ». Un certain nombre d'entre eux ont bricolé des machines pour parler avec leurs « frères de l'espace ». Ils se sont réunis la veille du Nouvel An.

Howard continuait à passer ses diapositives. Des visages de personnes âgées, d'autres plus jeunes. Il y avait même des enfants. La plupart des gens étaient habillés de manière négligée. Certains avaient l'air complètement fous. D'autres paraissaient plus normaux. Owen examinait les photos, en se concentrant sur les visages, tandis que Marty et Howard continuaient leurs plaisanteries.

— On devrait peut-être emprunter une de leurs machines et appeler un homme de l'espace, dit Marty en pouffant de rire. Demandons-lui de venir piloter le vaisseau pour Ike.

97

Une des photos attira soudain l'attention d'Owen.

— Peut-être que nous n'aurons besoin d'appeler personne, dit-il. Reviens à la dernière.

Marty obéit instantanément.

Owen se pencha en avant et scruta le visage d'une femme dont le visage ne lui était pas inconnu. Un jeune garçon était assis près d'elle. *Ah, Sally,* pensa-t-il, *toujours à la recherche de ton amour perdu.*

3

**Tucumcari, Nouveau-Mexique,
31 décembre 1958**

Le silence se répandit parmi la foule lorsque Quarrington monta sur la scène. Il n'y eut plus un mouvement, et les journalistes eux-mêmes, si bruyants quelques secondes plus tôt, se turent.

Pendant un moment, le regard de Quarrington se déplaça sur l'assemblée. Il semblait prendre le temps d'examiner chaque visage, de le sonder à l'aide d'un mystérieux système de mesure, puis de choisir d'en retenir un parmi une multitude d'autres. Et il parlait à tous en s'adressant à celui-là.

— Ceux qui sont équipés d'un contacteur, dit-il. Allumez-les.

Les spectateurs s'exécutèrent aussitôt, les uns tirant des leviers, les autres tournant des molettes, d'autres encore ajustant des antennes. Le bruit de leur agitation était le seul perceptible aux alentours.

Certaines des machines apparaissaient incroyablement complexes avec leurs tubes, leurs bobines et leurs fils emmêlés. Mais, en se rapprochant, Owen remarqua que le contacteur de Sally n'avait qu'un seul interrupteur et un couple d'antennes.

— C'est un dispositif sophistiqué, déclara-t-il en arrivant près d'elle.

Elle se tourna vers lui et il vit qu'elle ne le reconnaissait pas. Mais cela ne le surprit pas. Les habits civils faisaient partie du stratagème, après tout ; un élément indispensable à l'histoire qu'il avait pris le temps d'inventer sur la longue route qui l'avait mené à ce rassemblement d'excentriques.

Il lui adressa son sourire ravageur.

— Comment ça marche ?

— Je l'ai construit d'après un plan fourni par le magazine *Fate*, répondit-elle. Les antennes sont supposées relayer mes ondes cérébrales dans l'espace.

— Comment font-elles ?

— Vous avez le choix. Vous pouvez acheter cette chose qui ressemble à un saladier, ou bien utiliser un seau métallique.

Elle sourit puis remarqua l'expression sérieuse de l'homme.

— Je plaisante, fit-elle en désignant le contacteur d'un mouvement du menton. Il y a un émetteur radio à l'intérieur de l'appareil, et un microphone.

Elle haussa les épaules.

— Je me contente de parler dedans, et d'espérer que tout se passe au mieux.

Le sourire d'Owen n'avait pas bougé, comme s'il était collé à ses lèvres.

— Vous ne vous souvenez pas de moi, n'est-ce pas ?

Sally secoua la tête.

Le sourire d'Owen finit par s'estomper.

— Votre appareil, c'est pour envoyer un message à cet... ami que vous avez trouvé dans votre abri de jardin.

Soudain les yeux de Sally s'illuminèrent.

— Vous étiez...

— Dans l'armée, dit Owen. Je vous ai rendu visite une fois. J'ai perdu mon travail à cause de votre ami. J'ai rédigé un rapport qui le présentait comme un « visiteur » en partance pour sa planète. Je ne faisais que dire la vérité, mais ça m'a coûté ma place... et mon mariage.

Le sourire réapparut, plus doux, enjôleur.

— Je n'ai jamais cru à toutes ces histoires. Jusqu'à ce que je voie les lumières.

Son regard s'arrêta sur la boucle d'oreille en forme d'étoile solitaire qui pendait au cou de Sally.

— J'aime bien votre pendentif.

La main de Sally se déplaça vers le pendentif. Elle le toucha délicatement.

— En fait, c'est une boucle d'oreille. Elle appartenait à ma grand-mère.

Owen continuait de regarder le bijou.

— Où est l'autre ? demanda-t-il.

— J'en ai fait cadeau, répondit Sally.

Owen releva tendrement les yeux vers elle.

— Eh bien, maintenant, c'est vraiment une étoile solitaire, dit-il.

Il balaya du regard les alentours et observa un moment les gens qui n'en finissaient pas de régler leurs machines.

— Si votre appareil fonctionne, que lui direz-vous ?

Elle hésita un instant, mais il devinait qu'elle était le genre de femme à dire la vérité, quel qu'en soit le prix.

— Qu'il me manque, dit Sally. Et qu'il y a quelque chose qu'il devrait savoir.

Elle fouilla dans son portefeuille et en sortit trois photographies.

— C'est Tom. Et voici Becky. Ce sont les enfants que j'ai eus de mon défunt mais peu regretté mari. Et ici, c'est Jacob.

Owen la regarda avec suffisamment d'intensité pour qu'elle comprenne qu'il savait qui était le père de Jacob.

Il lui offrit sa main et remarqua qu'elle la prit avec une grande douceur.

— Au fait, ajouta-t-il, mon prénom est Owen.

Ils parlèrent encore pendant quelques minutes, et, à chaque seconde qui passait, Owen sentait le piège se refermer sur Sally. C'était une femme seule qui menait une existence solitaire, une femme qui était tombée amoureuse d'un extraterrestre, avait donné naissance à son enfant et cherchait à présent son père disparu dans le ciel.

Une heure plus tard, il se retrouvait à la porte de sa chambre de motel. Son regard avait alors changé d'expression, et il y reconnut sans peine la flamme du désir, le besoin d'amour, l'envie d'être touchée comme elle ne l'avait plus été depuis des années.

— C'est bien de s'être revus après toutes ces années, lui dit Owen.

— Peut-être nous... reverrons-nous à l'occasion d'une de ces conventions.

— Je l'espère.

Sally eut un léger rire.

— Bien qu'à dire vrai, je commence à être fatiguée de ce grand docteur Quarrington et de tous ses voyages sur Vénus.

— Avec Renutha ? ajouta Owen en souriant.

Tous deux s'esclaffèrent, et Owen dit :

— Vous retournez chez vous dans la matinée ?

Sally hocha la tête.

— Oui, je l'espère, dit Owen en lui adressant un regard tendre.

— Quoi donc ?

— Que nous nous reverrons.

— Moi aussi, dit Sally, puis elle se mit à chercheı sa clé.

Owen fit mine de partir, mais sa voix le retint.

— Owen ?

Il revint vers elle.

— Vous avez dit que ce rapport vous avait coûté votre mariage, dit Sally. Je pense que votre femme a été bien bête de vous laisser.

Owen souriait quand elle referma doucement sa porte derrière elle. Puis il se dirigea vers son camion et retira la tête du Delco. Il savait que le lendemain matin, elle ne pourrait pas démarrer son véhicule et qu'elle viendrait lui demander de l'aide. Alors il lui proposerait généreusement de la raccompagner jusqu'à Lubbock.

Le plan fonctionna comme Owen l'avait prévu, et ils arrivèrent à Lubbock le jour suivant. Comme ils se garaient dans la cour, Owen vit une femme en train de suspendre des draps à une corde à linge, tandis qu'un homme lançait un ballon de football à un garçon. Ce dernier tourna brusquement son regard vers lui. Il y avait de la méfiance et, curieusement, de la peur dans ses yeux.

Cette frayeur n'avait pas quitté Jacob quand ils se rassemblèrent pour dîner, quelques heures plus tard. Sally parla de son travail, d'un certain Tyler qui songeait à vendre le petit restaurant où elle travaillait. Tom et Becky posèrent quelques questions, mais Owen n'éprouva aucune difficulté à y répondre. Seul Jacob ne disait rien. Owen avait remarqué son silence, et il comprit que le garçon savait pourquoi il était venu et ce qu'il comptait faire.

Il était pourtant primordial de s'en tenir au plan. Donc, lorsque les autres furent allés se coucher, il resta avec Sally jusqu'à une heure tardive et finit par se lever pour prendre congé.

— Il faut que je trouve une chambre de motel en ville, dit-il.

Il s'interrompit, comme si une pensée subite venait de le traverser, et dit :

— Ce M. Tyler. Vous pensez qu'il accepterait de me vendre le restaurant ? Je cherche... une affaire.

Sally éclata de rire.

— Eh bien, s'il vous le vend, changez la recette du poulet. Tyler fait le pire poulet rôti de l'ouest du Texas.

Les rires cessèrent et Owen vit se réfléchir dans ses yeux ses longues années de solitude.

— Vous n'avez pas besoin d'aller en ville, lui dit-elle.

Owen s'approcha d'elle, mais elle le repoussa gentiment.

— Je vais changer les draps dans la chambre d'ami, dit-elle.

Et elle disparut dans les escaliers.

Il pouvait entendre ses pas à l'étage au-dessus. Il se cala dans son fauteuil et soupira longuement, fier de ce qu'il avait réussi. Il ferma les yeux un instant. Quand il les rouvrit, Jacob se tenait à quelques pas de lui.

— Je ne monterai jamais dans votre soucoupe volante, dit Jacob.

Owen ne fit pas semblant de ne pas comprendre de quoi Jacob voulait parler. Il se contenta de sourire doucement. *Oh, si, tu vas y monter*, songea-t-il.

Las Vegas, Nevada, 1er janvier 1959

Anne s'assit avec raideur dans le salon, tandis qu'Éric et Sam menaient une sarabande infernale autour d'elle, se donnant des coups de poing et se faisant tomber par terre. L'idée ne lui vint pas à l'esprit de les arrêter, car elle était préoccupée par bien autre chose qu'un jeu d'enfants. Owen avait disparu.

Il avait disparu depuis plusieurs jours. C'était déjà arrivé, mais, cette fois-ci, l'absence n'avait pas été précédée d'un appel d'Owen lui-même, de Marty, d'Howard ou de quiconque aurait pu lui dire où se trouvait son mari, et ce qu'il était en train de faire.

Elle tendit la main vers le téléphone puis se ravisa. *Tu as épousé un soldat, se dit-elle, et tu es née dans une famille de soldats, alors tiens le coup et tais-toi. Et ne pose jamais de questions. Jamais.*

Sam et Éric foncèrent comme des bolides dans le salon puis ressortirent. Mais Anne n'y prêta pas attention. Il y a certaines questions qu'elle était en droit de poser, réalisa-t-elle, certaines choses qu'elle était en droit de savoir.

Elle décrocha le téléphone et appela Marty.

— Anne Crawford, dit-elle. Il y a eu un terrible accident. Sam est tombé du toit. Il s'est brisé le cou... Je dois parler à Owen. Je sais qu'il n'est pas à Washington. Où est-il, Marty ?

Elle perçut l'hésitation de Marty. Trois secondes s'écoulèrent avant qu'il ne lâche :

— Lubbock, dit-il. Lubbock, au Texas.

Lubbock, Texas, 1er janvier 1959

Ils gravirent une pente et arrivèrent devant une petite parcelle de terre nue, presque parfaitement ronde.

— J'ai trouvé ça deux jours après son départ, raconta Sally. Depuis, rien n'a poussé dessus...

Elle secoua la tête.

— Mon cœur est un peu comme ça aussi. Il faudra que vous le sachiez si vous restez, ajouta-t-elle en lui lançant un regard tendre.

Les yeux d'Owen passèrent du sol nu à Sally.

— Je suis issu d'une longue lignée de fermiers, lui dit-il. Nous pouvons faire pousser du blé là où l'herbe ne pousse plus. Je ne m'en vais nulle part, Sally, dit-il en souriant et en la prenant dans ses bras. À mes yeux, tu es le soleil et la lune.

Ils échangèrent un baiser, et Owen la sentit s'abandonner l'espace d'un instant. Puis elle se ressaisit, mais elle semblait très émue.

— Jacob, dit-elle.

— Il ne m'aime pas, n'est-ce pas ? demanda Owen.

— Non.

Owen l'embrassa de nouveau et dit :

— Peut-être devrais-je l'emmener pêcher sur le lac. Juste nous deux. Nous apprendrions à nous connaître.

— Je ne pense pas qu'il acceptera, dit Sally.

— J'arriverai peut-être à le convaincre.

Quand ils retournèrent à la maison, quelques minutes plus tard, Sally décida de décrocher les illuminations de Noël. Jacob tenait l'échelle lorsqu'elle détacha la dernière guirlande électrique.

— Tiens bien l'échelle, fiston, lui dit doucement Owen.

Jacob le regarda en silence.

— Les accidents arrivent de nulle part, insista Owen. Il y a toujours une tragédie qui s'annonce au coin de la rue.

— M. Crawford et moi nous sommes dit que vous pourriez faire un peu plus connaissance, dit Sally en descendant de l'échelle, les mains chargées de guirlandes électriques. Il propose de t'emmener pêcher.

Jacob regarda Owen avec méfiance.

— Rien de tel qu'une journée sur un lac pour devenir bons amis, dit Owen. Et je suis sûr que ta mère se débrouillera très bien sans nous.

Ils partirent un peu plus tard dans l'après-midi. Le soleil brillait comme ils prenaient la direction du lac. Owen fixait la route droit devant lui tandis que Jacob s'était assis à côté de lui, silencieux, mais plein de sombres pressentiments, comme un enfant perdu qui voit se profiler un orage à l'horizon.

Lubbock, Texas, 2 janvier 1959

Sally déposa une tranche de steak pané dans une poêle ; le grésillement de la friture était si fort qu'elle entendit à peine les coups à la porte.

Elle essuya ses mains dans son tablier et se dirigea vers la porte. Une femme bien habillée, mais à l'air curieusement désolé, se tenait sur le perron.

— Je suis Anne Crawford, dit la femme. Je cherche Owen.

— Owen ? demanda Sally.

— Owen Crawford, dit froidement Anne. Il travaille pour les Services secrets de l'armée. Je suis sa femme.

— Sa femme ? demanda Sally dont l'inquiétude ne faisait que croître.

— Oui, répliqua Anne d'un ton sans appel. Où est-il ?

Sally vit soudain tous ses espoirs s'envoler.

— Avec mon fils, soupira-t-elle.

Sur le chemin du lac, Owen décida de ne plus jouer la comédie au garçon. De toute manière, il savait déjà tout, alors quel était l'intérêt ?

Il se tourna vers lui et lui dit d'un ton sec :

— Tout sera plus simple pour ta mère si tu m'aides.

Jacob regardait droit devant lui, les mains croisées sur ses genoux.

— Est-ce que vous allez me disséquer quand ce sera fini ?

Alors il sait vraiment tout, songea Owen, *il sait exactement à quoi il doit servir.*

— Ça dépend de ce que tu seras capable de nous dire sans qu'on ait besoin de te couper en morceaux.

Le visage de Jacob demeura impassible.

— Ça ne se terminera pas avec moi, dit-il, les yeux toujours fixés sur la route. Je ne suis pas le seul.

Bement, Illinois, 3 janvier 1959

Kate n'arrivait pas à trouver le sommeil ; elle ne cessait de penser à Jesse. Elle pouvait sentir sa présence autour d'elle, mais elle n'entendait plus sa respiration dans la chambre voisine. Elle quitta son lit et rejoignit la chambre de son fils par le couloir. Ses affaires étaient empilées, dans l'état où il les avait laissées quand son père était venu le prendre. Mais où avait-il été emmené ? Qu'est-ce que Russell lui avait fait ? Elle imaginait les pires scénarios et cela la plongeait dans un abîme de désespoir. Elle s'assit sur le lit de Jesse, comme si elle s'était attendue à sentir son corps se blottir sous les draps. Elle regarda son armoire, son bureau, l'étagère des livres, et enfin le livre qu'elle lui avait lu quand il était plus jeune : *Les Aventures d'Artémis P. Fonswick.* La couverture la fit sourire : on y voyait Artémis devant la porte de sa maison-arbre.

Quelque chose rompit le silence, un grattement à peine audible à la vitre. Elle se leva, s'approcha de la fenêtre et scruta l'obscurité. Elle sentit qu'on l'appelait, qu'on l'attirait à l'extérieur de la maison. Elle descendit les escaliers et pénétra dans le jardin obscur. Le grand arbre du fond semblait s'animer pour elle, l'inciter à avancer.

Elle fit quelques pas autour du tronc sombre et leva des yeux qui s'élargirent brusquement sous le coup de l'émotion.

— Jesse !

Bement, Illinois, prison, 3 janvier 1959

Bill déverrouilla la porte et entra dans la cellule.

— Ils m'ont dit que Jesse est à la maison, dit Russell en bondissant sur ses pieds. Il va bien ?

— Pas grâce à toi, dit sèchement Bill.

Russell saisit le bras de Bill.

— A-t-il raconté ce qui s'est passé ?

Bill dégagea son bras.

— Juste que tu t'étais endormi et qu'il était allé se promener dans les bois.

Il jeta un regard sévère à Russell.

— Je voulais t'arrêter pour enlèvement, mais Kate m'a demandé de te laisser partir.

— Tant que Jesse se porte bien, dit à voix basse Russell.

Le coup partit de nulle part, et il sentit son estomac perforé par le poing de Bill.

— Ne remets pas les pieds ici, l'avertit Bill, jamais.

Owen gardait les yeux sur Jacob en introduisant les pièces dans le téléphone payant du petit restaurant. Il était assis dans un coin de la salle vide. Il contemplait le désert, le regard curieusement opaque, le corps parfaitement immobile comme s'il était déjà mort.

— Marty, on devrait arriver ce soir, dit Owen.

La voix de Marty était fatiguée.

— Ta femme a appelé. Elle m'a dit que Sam avait eu un accident et qu'elle avait besoin de savoir où tu étais.

— Et tu lui as dit ?

— J'ai pensé qu'elle avait besoin de…

— Écoute-moi bien, aboya Russell. Tu te rends chez moi et tu vérifies que les enfants vont bien. Si c'est le cas, prépare-toi à passer un sale moment.

Il raccrocha violemment le téléphone et rejoignit Jacob dans la salle. Il regardait toujours par la fenêtre. Il n'avait pas touché à son hamburger et à ses frites.

— Tu devrais manger quelque chose, lui dit Owen. Tu vas avoir besoin de toutes tes forces.

Jacob détourna lentement son regard dans sa direction.

— Monsieur Crawford, dit-il, regardez-moi.

Quelques minutes plus tard, alors qu'il s'éloignait du petit restaurant et reprenait le chemin de sa maison, Jacob entendait encore les hurlements de l'homme. Il savait qu'il ne chercherait plus à le revoir, et encore moins à regarder dans ses yeux. Une chose était sûre, il n'avait plus rien à craindre d'Owen Crawford.

Il marcha donc le long de la route, d'un air déterminé. Un peu plus tard dans l'après-midi, il aperçut la voiture de son frère qui ralentit à son approche.

— Oh, Jacob, lui dit-il dans un grand sourire, nous étions si inquiets !

Et il se précipita vers lui.

Il faisait déjà nuit quand ils atteignirent Lubbock. Sally débarqua de la maison pour serrer son fils dans ses bras. Elle l'embrassa encore et encore et ne voulait plus le lâcher. Elle finit par le libérer pour le laisser entrer dans la maison.

Il obéit, mais les chuchotements heurtés de sa mère lui parvenaient quand même.

— Jacob ne peut pas rester ici, dit-elle à Tom d'un ton grave. Je veux qu'il aille dans cette école.

Tom approuva d'un hochement de tête.

— Très bien, dit-il.

Elle retourna dans la maison, prit Jacob par la main et le reconduisit auprès de Tom et Becky, qui attendaient près de la voiture.

— Tu dois partir, Jacob, dit-elle.

Elle ouvrit la portière de la voiture de Tom et le fit entrer à l'intérieur.

— Je veux que tu la gardes, lui dit-elle.

Elle lui passa le pendentif avec l'étoile solitaire autour du cou.

— Tu y feras attention, hein ? Et tu penseras à moi de temps en temps... ajouta-t-elle en lui caressant les cheveux.

Il vit à quel point elle l'aimait, et combien le laisser partir lui coûtait. Un sourire se dessina doucement sur son visage.

— Tous les jours et deux fois le dimanche, lui dit-il.

Autoroute de l'Illinois, 3 janvier 1959

Le conducteur freina et Russell ramassa son sac de l'armée.

— Vous êtes sûr de vouloir descendre ici ? lui demanda l'homme. À part les étoiles, vous n'allez pas trouver grand-chose.

— C'est ce que je suis venu chercher, dit Russell en ouvrant la portière et en s'engageant dans la nuit.

Il s'éloigna du camion sans se retourner, quitta la route et s'avança en plein champ. Il posa son sac par terre, l'ouvrit et en extirpa un sextant et sa carte topographique. Puis il déplia la carte à même le sol.

Il se mit à tracer un itinéraire, puis un autre, et encore un autre. Et sa rage ne faisait que grandir à chaque nouvel échec, si bien qu'à la fin, il ne lui resta plus que sa rage. Alors il se redressa, le visage tourné vers le ciel, et il cria d'un ton de défi :

— Prenez-moi ! Prenez-moi, mais laissez mon fils tranquille !

III

LES GRANDES ESPÉRANCES

1

École de Greenspan, Wallace, Montana, 8 octobre 1962

Jacob Clarke s'avança vers la base en traînant les pieds. Il savait pertinemment ce que pensaient les autres élèves. Qu'il ne valait pas un clou et qu'il allait être éliminé en un rien de temps.

Il ramassa la batte. Elle lui sembla très lourde, comme si elle était faite de métal. Il la plaça sur son épaule et dirigea son regard vers le lanceur. Il se sentait vraiment trop faible pour renvoyer la balle correctement.

— Ça va aller ? demanda l'entraîneur.

Jacob hocha la tête.

Le lanceur fit tournoyer son bras et envoya un boulet de canon qui vint se loger dans le gant du receveur. Jacob n'avait pas bougé d'un cheveu.

Strike !

Il entendit la seconde balle siffler à quelques centimètres de son oreille.

Deuxième strike.

Un sourire hilare était figé sur le visage du receveur. Jacob plissa légèrement les yeux et planta son regard dans le sien.

La balle fendit l'air. Jacob sentit alors une force extra-ordinaire traverser ses bras. Il donna une impulsion terrible dans la batte qui frappa la balle de plein fouet. Les gosses autour de lui hurlaient, mais c'est à peine s'il entendait leurs cris. La balle s'élevait dans les airs, de plus en plus haut. Elle semblait se perdre dans une lumière blafarde, surnaturelle. Jacob sentit le sol se dérober sous ses pieds...

Quand il reprit conscience, il était allongé sur le lit de l'infirmerie.

— Jacob, sais-tu qui je suis ?

Le jeune homme ouvrit les yeux. Un homme vêtu d'une blouse blanche était penché sur lui. Ses yeux étaient d'un noir opaque.

— Tu as certains dons, Jacob. Mais tu ne devrais plus les utiliser. Ils t'affaiblissent.

— Je suis désolé, murmura Jacob.

— Nous trouverons d'autres moyens.

Jacob sentit une soudaine fatigue s'abattre sur lui. Ses paupières devinrent lourdes...

— Jack ! Jack !

Quand il se réveilla, tout avait changé. Combien de temps s'était-il écoulé ? Une heure ? Un mois ? Un docteur différent se trouvait à son chevet. Ses yeux étaient empreints d'une grande douceur.

— Je suis le docteur Benson. Pardon d'avoir été aussi long.

Il lui adressa un sourire réconfortant.

— Laissez-moi vous examiner.

Bement, Illinois, 8 octobre 1962

Jesse Keys sentait le vent passer dans ses cheveux. Il roulait vite, très vite, mais il lui semblait pédaler sans effort. Ses jambes moulinaient dans le vide, comme si sa bicyclette fournissait sa propre énergie.

Il s'engouffra dans une allée où était garé un vieux camion. Sur son flanc était peint en grosses lettres : FÊTE FORAINE ITINÉRANTE. En longeant le camion, il aperçut un homme assis au volant. Le forain le salua d'un hochement de tête et lui adressa un sourire noir.

Jesse donna un violent coup de pédale. Il entendit derrière lui le camion s'ébranler dans un bruit sourd. Il jeta un coup d'œil par-dessus son épaule : le camion le suivait. Il accéléra. Ses muscles tendus pesaient de toute leur force sur les pédales. Le vrombissement du moteur devenait de plus en plus net.

Soudain, deux globes lumineux apparurent au bout de l'allée. Jesse tourna la tête. Le camion avait disparu, remplacé par une troisième lumière. Il jeta un nouveau coup d'œil. Les lumières se rapprochaient. De plus en plus vite. Leur éclat aveuglant l'engloutit. Il se sentit soulevé dans les airs. Son vélo dévala l'allée avant de s'effondrer en contrebas. Lorsque les lumières s'éteignirent, ses roues tournaient encore dans le vide.

Centre de recherche de Wright-Patterson, 10 octobre 1962

Owen s'assit à son bureau. Face à lui se tenaient Marty et Howard, tous deux impatients d'entendre les conclusions de la visite du président Kennedy.

— Il ne pense pas que nos visiteurs constituent une menace, grimaça Owen. Nous avons un mois pour lui prouver le contraire. Si nous échouons, il fermera notre département et transférera nos fonds au programme de recherche spatiale.

Il s'enfonça dans son fauteuil. Ses traits étaient crispés. Toutes ces années de sacrifice réduites à néant... Ses deux fils qu'il connaissait à peine ; sa femme abrutie par l'alcool et les médicaments ; sa vie gâchée ; pour rien.

— Il y a bien ce couple… balbutia Marty.

— Oui, dit Owen, continue.

— Betty et Barney Hill. La rencontre a eu lieu en 1961. À leur retour des chutes du Niagara. Lui est employé à la Poste. Elle est assistante sociale. Ils donnent l'impression d'être dignes de foi.

— Des gens dignes de foi qui prétendent avoir été kidnappés à bord d'un vaisseau extraterrestre ? ironisa Howard.

Les yeux d'Owen s'illuminèrent.

— Kidnappés ? Et quoi d'autre ?

— Ils sont actuellement soumis à des séances d'hypnose, comme on le fait habituellement dans les cas d'amnésie.

Owen acquiesça d'un hochement de tête.

— Ils pourraient correspondre à ce que nous cherchons.

Marty lui tendit une photographie du couple. Un voile sombre passa sur le visage d'Owen.

— Non, pas de nègres, dit-il en lui redonnant la photo. Cela pourrait porter préjudice à notre crédibilité.

Son regard se posa sur chacun de ses interlocuteurs.

— Continuez de chercher. Il doit bien y avoir quelqu'un d'autre.

Mason, Illinois, 16 octobre 1962

Russell Keys s'extirpa de dessous la Buick Special modèle 1956. Son patron, M. Kennelworth, était déjà rentré chez lui pour le déjeuner. Ces cinq dernières années, Russell avait peu à peu gagné sa confiance. Il lui avait prouvé qu'il n'était ni un clochard, ni un criminel, mais un homme honnête qui avait besoin d'un travail et qui ferait tout pour le garder.

Il s'installa sur le banc où il avait laissé une cannette de soda. Il en avala une gorgée et, soudain, il sentit une douleur vive irradier son front. Il plaça la cannette sur sa tempe, espérant que le froid atténuerait ses souffrances, et ferma les yeux.

Quand il les rouvrit, il vit son fils debout face à lui. Comme il avait grandi ! Il était fin et élancé, aussi beau que Russell l'avait été au même âge.

Seize ans.

Des larmes perlèrent aux paupières de Russell.

— Salut, Jesse. Comment as-tu su que j'étais ici ?

— J'ai entendu maman parler à Bill. Elle lui disait que tu avais trouvé un travail aussi proche de chez nous que la loi t'y autorisait.

Un sourire triste se dessina sur le visage de Russell.

— Tu es devenu un beau jeune homme, dis-moi.

Un long silence s'installa, jusqu'à ce que Jesse se souvienne de l'objet de sa visite.

— J'ai lu des livres où il est dit que le gouvernement est au courant de l'existence des soucoupes volantes, mais qu'il la dissimule au public de peur de créer la panique.

Il sortit un ouvrage de sa poche qu'il tendit à son père.

Russell jeta un bref regard à la couverture. Deux hommes à l'allure mystérieuse y étaient dessinés à côté d'une soucoupe volante. Le titre était également mélodramatique : *Le Grand Secret. Ce que le gouvernement vous cache sur les ovnis.*

Russell leva les yeux du livre et constata qu'une expression de terreur était apparue sur le visage de son fils.

— Ils ont recommencé à t'enlever, n'est-ce pas ?

— Oui.

Russell prit son fils dans ses bras. Jesse resta un moment immobile avant de se dégager de l'étreinte de son père. Il était venu avec un but très précis et ne voulait pas s'en éloigner.

— Selon le livre, c'est l'US Air Force qui en sait le plus sur les extraterrestres. Alors, je me disais… tu étais pilote… pourquoi n'irais-tu pas leur parler ?

Une suggestion bien naïve, pensa Russell. L'idée d'un adolescent apeuré qui voit son univers s'effondrer. Mais elle était motivée par la volonté de se battre, et Russell se sentit soudain envahi par une grande tendresse. Oui ! Il fallait tout accomplir pour les sortir de leur solitude, même les actes les plus désespérés.

— Pourquoi pas ? répondit-il en esquissant un sourire. Nous pourrions commencer par rendre visite au fils de mon ancien bombardier. Il bosse pour l'US Air Force.

Leur projet fut mis à exécution quelques jours plus tard, avec le résultat que Russell craignait. Dans son bureau de la base d'Ogden, le lieutenant Wylie s'était montré aimable, voire même chaleureux, jusqu'à ce que les soucoupes volantes arrivent dans la conversation.

Malgré les efforts de Wylie pour ne rien laisser paraître de ses sentiments, Russell avait lu dans ses pensées comme dans un livre ouvert : il était persuadé de se trouver en présence de deux illuminés. Pourtant, il les avait écoutés attentivement et s'était même proposé de rédiger un rapport. L'espace d'un instant, Russell avait senti l'espoir renaître en lui. Un mensonge valait toujours mieux que de replonger dans les abîmes de la solitude. Mais la réalité était vite revenue à la charge. Lui et son fils étaient condamnés à subir, au mieux les railleries de leurs contemporains, au pire leur hostilité.

— Il ne nous a pas crus, se lamenta Russell, alors qu'il était attablé avec son fils dans un café-restaurant, voisin de la base. Personne ne nous a jamais crus.

— Que pouvons-nous faire ?

Russell allait répondre quand une douleur fulgurante lui transperça le crâne, comme si mille aiguilles incandescentes s'étaient plantées dans son cerveau.

— Je... je...

Il sentit les murs du restaurant tanguer avant de se refermer sur lui. La dernière chose qu'il vit avant de s'évanouir fut son fils qui se précipitait sur lui pour arrêter sa chute.

Il faisait nuit quand il se réveilla. Jesse était assis à son chevet, au côté d'un homme de grande taille vêtu d'une blouse blanche. Il pouvait lire l'inquiétude dans le regard de son fils.

— Alors, votre diagnostic? demanda-t-il au docteur.

— Vous avez une tumeur au cerveau. Au lobe frontal.

— Pouvez-vous l'enlever?

Le docteur secoua la tête.

— Je n'en ai jamais vu de la sorte.

En voyant les traits de Jesse se tirer, Russell réalisa à quel point son fils avait changé. La peur était devenue son lot quotidien. À sa vision du monde réel se superposait celle d'un monde connu de lui seul.

— Qu'y a-t-il, Jesse? À quoi penses-tu?

— Si tu as une tumeur, il y a de fortes chances que j'en aie une aussi.

Il se tourna vers le docteur.

— Pourriez-vous me faire passer les mêmes examens que mon père?

Le docteur sentait tout le désespoir qui venait de s'emparer de Jesse.

Les examens furent pratiqués l'après-midi même. Leurs résultats ne laissaient aucun doute: deux tumeurs identiques au niveau du front.

— Exactement de la même grosseur.

Le docteur n'en croyait pas ses yeux.

— Et exactement au même endroit.

Groom Lake, Nevada, 19 octobre 1962

Howard et Marty se promenaient le long du gigantesque hangar gris.

— Un mois, disait Howard, un mois pour remettre à Owen la preuve qu'il veut fournir à Kennedy.

Marty fixait le sol d'un air morose.

— Qu'est-ce qu'on va faire ?

— Tu te souviens de Jacob Clarke ? demanda Howard.

Marty s'arrêta et se tourna vers son collègue, perplexe.

— Évidemment. La seule personne qui ait jamais fait peur au colonel.

— Le lendemain de… l'incident, le frère du gosse a mis les voiles vers le Montana. Il n'y a aucune relation professionnelle, aucun ami connu. J'ai mené ma petite enquête. Jacob Clarke a disparu juste après qu'Owen eut tenté de lui mettre le grappin dessus. Et il se trouve que sa mère vit toujours au Texas.

— Alors, où se cache le gamin, selon toi ?

Un sourire satisfait se dessina sur les lèvres de Howard.

— Imagine-toi qu'il y a une école à Wallace, dans le Montana, une école pour enfants « spéciaux » dirigée par le docteur Ellen Greenspan.

Marty lui renvoya son sourire.

— Tâchons de découvrir ce qui effraie tant le colonel.

Owen écouta attentivement le docteur Kreutz lire les dernières lignes de son rapport.

— Soixante-seize rencontres avec nos petits hommes gris, dit le docteur. La nature de ces rencontres diffère d'un témoignage à l'autre. Certaines personnes mentionnent des trous de mémoire. Dans certains cas, l'hypnose a permis de reconstituer les éléments refoulés. Il semble qu'il s'agisse d'enlèvements.

— Des trous de mémoire, fit Owen d'un air songeur. Ont-ils été exposés durant ces périodes ?

— Probablement.

— Par le passé, une exposition de plus de dix minutes était immanquablement fatale.

— Cela semble indiquer qu'ils ont tiré des enseignements de leurs échecs. J'ai l'impression qu'ils ont changé leur plan. Non pas leur objectif, mais leur méthode.

— Pourquoi maintenant ? demanda Owen.

— Pourquoi pas, répondit Kreutz.

— Pouvons-nous le prouver ?

Kreutz haussa les épaules.

— J'ai besoin de mettre la main sur les plus crédibles d'entre eux, murmura Owen, comme s'il se parlait à lui-même. Il me faut des preuves à soumettre à Kennedy avant qu'il ne mette la clé sous la porte.

École de Greenspan, Wallace, Montana, 21 octobre 1962

Le docteur Ellen Greenspan se tourna face aux deux hommes qui venaient de l'accompagner dans la salle de cours.

— Voilà tout ce que je peux vous dire, soupira-t-elle. Il est parti.

Howard et Marty échangèrent un bref regard.

Dans de telles occasions, c'est Howard qui prenait la parole le premier.

— Et vous laissez vos élèves s'envoler, sans plus de vérification ?

— Bien sûr que non, s'impatienta le docteur Greenspan. Deux officiers fédéraux sont déjà venus. Leurs documents semblaient aussi authentiques que les vôtres. Dois-je prévenir la police?

Marty secoua la tête.

— Nous nous en occuperons.

— Peut-être devrais-je m'en charger?

Elle décocha un regard accusateur à Marty.

— Et cela vous arrive souvent de laisser deux agents du gouvernement faire la même chose que vous, sans plus de vérification?

Marty se hérissa.

— Docteur Greenspan, nous travaillons pour l'US Air Force. Il s'agit d'un enjeu de sécurité nationale. Nous vous invitons fortement à coopérer.

Le docteur haussa les épaules.

— Je fais de mon mieux.

Les deux officiers la dévisagèrent en silence pendant un moment, avant de prendre congé.

Elle attendit qu'ils soient sortis de l'immeuble. Puis elle se dirigea d'un pas vif vers sa voiture, ouvrit la porte et se pencha sur la banquette arrière.

— Jacob, dit-elle à voix basse.

Le petit corps s'agita sous la couverture.

— Oui.

— J'ai bien peur que tu ne doives rester là-dessous encore un peu de temps. Je ne suis pas sûre d'avoir convaincu nos amis que tu étais déjà parti.

Elle s'installa au volant, mit le moteur en marche et fit un créneau. Soudain, elle vit se profiler dans son rétroviseur une vieille Ford marron.

— Docteur Greenspan? dit Jacob.

— Oui, petit.

— Ces hommes nous suivent.

— Qu'est-ce que tu veux que je fasse?

— Accélérez un petit peu. Ne vous inquiétez pas : je ne les laisserai pas vous faire du mal.

Le docteur Greenspan roula à vive allure jusqu'à l'autoroute 12, avant de prendre la direction de l'ouest. La nuit tombait, comme un voile opaque et noir.

Marty roulait à quelques dizaines de mètres derrière la vieille Ford, qu'il vit s'engouffrer sur l'autoroute 12. À ses côtés, Howard étudiait la carte dépliée sur ses genoux.

— S'ils atteignent la 87 et prennent la branche nord, cela signifie qu'ils font route vers le Canada, fit remarquer Howard.

— Je déteste conduire la nuit, marmonna Marty. Ça me rend nerveux.

Howard n'avait pas décollé les yeux de la carte.

— S'ils prennent la direction du sud, cela veut peut-être dire qu'ils se dirigent vers Billings.

— Et si je renversais un cerf ? continua Marty avec un tremblement d'inquiétude dans la voix.

Howard lui lança un regard sévère, avant de sortir un pistolet de sa poche.

— Avance à leur hauteur. Je vais la descendre avant qu'elle n'accélère. À la vitesse où ils roulent, le gosse ne risque rien.

Marty posa un instant les yeux sur l'arme. Puis il appuya sur l'accélérateur.

— Ils se rapprochent, s'exclama le docteur Greenspan, les yeux rivés sur le rétroviseur.

Jacob s'extirpa de sous la couverture.

— À trois, vous arrêterez la voiture et vous vous coucherez sur le côté. Ne craignez rien.

Il prit une longue inspiration.

— Un... deux... trois.

Le docteur Greenspan freina de toutes ses forces et se renversa sur le siège du passager.

Jacob attendit en silence que les deux hommes arrêtent leur automobile derrière celle du docteur, qu'ils claquent leurs portières et s'avancent vers lui. Il ne s'était pas retourné. Il entendait juste le bruit de leurs pas sur le bitume. Quand ils se postèrent à sa fenêtre, il plongea son regard dans le leur.

— Regardez-moi.

Base aérienne de Hill, Ogden, Utah, 22 octobre 1962

Dès l'instant où il mit les pieds dans le bureau de Wylie, Jesse sut qu'il n'était pas le bienvenu, que l'homme qui lui faisait face le prendrait pour un cinglé, un obnubilé qui a lu trop de mauvais livres.

— Je veux que vous me mettiez en contact avec la personne qui dirige le département des ovnis.

— Il n'existe aucun département de la sorte à l'US Air Force, ni ailleurs.

— Je ne vous crois pas, interrompit Jesse. Mon père est à l'hôpital. Il a une tumeur au cerveau.

— Vous m'en voyez désolé.

— Les médecins ont décelé une tumeur identique dans mon crâne. Et j'ai tout lieu de croire que la tumeur y a été implantée par...

— Écoutez, Jesse...

— ... y a été implantée par ceux qui voyagent dans ces ovnis dont l'US Air Force nie l'existence.

— Jesse, vous ne pouvez pas... commença Wylie en se levant.

— Nos pères ont combattu côte à côte, coupa Jesse. N'oubliez pas cela. Je ne vous demande pas de me croire, juste de m'aider.

Wylie le dévisagea pendant un moment avant de pousser un long soupir.

— D'accord ! Mais si jamais vous racontez que c'est moi qui vous ai donné ce nom, je nierai tout en bloc, c'est bien entendu ?

Il écrivit un nom sur un petit bout de papier qu'il tendit à Jesse. Un voile sombre était passé sur le visage de Wylie.

Jesse y songeait encore, quand, quelques jours plus tard, il espionnait la maison de Crawford, dissimulé derrière un buisson. À cause de l'expression de Wylie, il avait imaginé un homme cruel, d'allure sinistre. Mais c'est un bon père de famille qu'il vit passer d'un pas débonnaire derrière la fenêtre.

Jesse attendit que Crawford sorte de sa maison pour bondir de sa cachette.

— Je m'appelle Jesse Keys, commença-t-il. Mon père s'appelle Russell Keys. Pendant la Seconde Guerre mondiale, il servait comme pilote en Allemagne. Lui et moi avons eu des rencontres avec des ovnis. Nous sommes même montés à bord.

Devant le silence de son interlocuteur, il continua :

— Ils nous ont enlevés et je sais qu'ils reviendront.

L'homme hocha la tête. Dès lors, Jesse devina qu'à la différence de Wylie, Crawford prenait ses propos très au sérieux.

Ce dernier esquissa un sourire.

— Conduisez-moi à votre père.

Sur la route de l'hôpital, Jesse lui donna plus de détails, de telle sorte qu'arrivé au chevet de Russell, Crawford était informé de toute la situation.

— Ce qu'ils m'ont fait a déjà tué tous les membres de mon équipe, dit Russell. Ce que j'ignore, en revanche, c'est pourquoi j'ai survécu. J'ai tenté de leur échapper. Et voilà qu'ils se sont mis sur les traces de Jesse. Il semble maintenant qu'ils soient plus intéressés par lui que par moi.

Crawford acquiesça.

— Vous voulez sûrement parler des tumeurs ?

— Ce ne sont pas des tumeurs. Ils ont mis quelque chose dans nos têtes. À un endroit dont les médecins affirment qu'il ne peut être retiré.

Jesse secoua la tête d'un air désespéré.

— Si quelqu'un les a mis là, ce quelqu'un devrait être capable de les en retirer.

— Ils le peuvent, enchaîna Crawford avec certitude, mais cela vous tuerait.

Il adressa un sourire à Russell.

— Vous avez là un fils très courageux. Vous pouvez en être fier.

Il se tourna vers Jesse.

— Je suis très impressionné par votre initiative d'être venu me trouver.

Jesse jeta un regard à son père. Il lut dans ses yeux un éclair de suspicion.

— Je suis à la tête d'un petit groupe très secret, continua Crawford. En surface, nous sommes des officiers tout ce qu'il y a de plus banal, mais notre véritable mission consiste à rassembler les témoignages de personnes qui ont été… enlevées.

— Alors, le lieutenant Wylie travaille avec vous ? demanda Russell.

— Wylie ? Oui, il est l'un des nôtres.

Jesse adressa un regard à son père qui semblait vouloir dire : « Ne dis rien. »

— Jesse a fait le bon choix en venant me voir, dit Owen à Russell. Vous avez raison. Ils sont à ses trousses, parce qu'il a en lui cette même chose qui vous a sauvé la vie. Il s'agit peut-être d'un trait génétique inhérent à votre famille. Mais vous n'êtes pas le seul.

Il ajouta après un bref silence :

— Il doit en exister d'autres.

Jesse aperçut une lueur lugubre dans l'œil de Russell.

— Jesse, dit-il, j'aimerais m'entretenir un instant en privé avec le colonel Crawford, s'il te plaît.

Jesse dévisagea Russell avec appréhension.

— Cela ne me prendra pas plus d'une minute, ajouta Russell.

Jesse s'exécuta en silence.

Le regard de Russell se posa sur Crawford.

— Vous les avez vus, n'est-ce pas ? demanda-t-il.

Crawford hocha la tête.

— Ne faites pas de mal à mon fils, dit Russell.

Owen haussa les épaules avec dédain.

— Faire du mal à votre fils ?

— Je sais que vous voulez les… tumeurs, enchaîna froidement Russell. Les choses qu'ils ont mises dans nos cerveaux. Vous pouvez avoir la mienne, mais pas celle de mon fils. Je veux votre parole que vous ne tenterez rien contre lui.

— Jamais je ne ferais souffrir votre fils, le rassura Owen.

— Marché conclu. Je vous donnerai ma tumeur.

Owen esquissa un sourire.

— Votre pays vous sera reconnaissant pour votre aide.

Two-Lane Highway, Canada, 24 octobre 1962

Le docteur Greenspan s'arrêta au carrefour, sortit de sa voiture et s'adossa contre la portière. La route était déserte. La plaine s'étendait à perte de vue. Elle ferma les yeux et savoura le silence. À l'arrière, Jacob dormait à poings fermés. Emmitouflé dans sa couverture, il ressemblait à n'importe quel petit garçon.

Elle jeta un regard sur sa gauche ; un camion s'approchait à grande vitesse. Il la frôla avant de continuer sa course, suivi par une voiture qui se gara sur le bas-côté, quelques mètres plus bas.

— Jacob est à l'arrière, dit-elle, alors que Tom et Becky venaient à sa rencontre. Nous étions suivis, mais Jacob les a arrêtés.

— Comment va-t-il ? se renseigna Becky.

— Bien mieux que nos poursuivants, répondit le docteur Greenspan.

Tom jeta un coup d'œil sur la banquette arrière.

— Merci, docteur. De la part de toute la famille.

— C'est un garçon hors du commun que vous avez là. Prenez soin de lui.

— Nous avons trouvé des gens qui se proposent de l'héberger pour un temps. Un couple de personnes âgées. Il sera en sécurité avec eux, jusqu'à ce qu'il puisse voler de ses propres ailes.

À l'arrière de la voiture, Jacob tressaillit, avant d'ouvrir les yeux.

— Salut Jake, fit Tom dans un sourire.

Base aérienne de Hill, 24 octobre 1962

Owen et le lieutenant-colonel de l'armée de l'air attendaient à la porte de la cellule où le lieutenant Wylie avait été conduit quelques heures plus tôt. Jesse Keys s'avançait vers eux, escorté par deux membres de la police militaire.

— Ah, le voilà ! dit Owen au lieutenant-colonel. J'ai vu Wylie lui remettre des documents confidentiels. Des numéros de série d'avions et de charges utiles.

Il secoua la tête, comme atterré par une telle trahison.

— Comment aurais-je pu soupçonner ce qui se tramait ?

— Vous m'avez piégé, salaud! cria Jesse.

Il tenta de se libérer de l'étreinte des deux soldats qui le plaquèrent au sol.

— Vous étiez censé nous aider et vous m'avez piégé!

Un sourire machiavélique se dessina sur les lèvres d'Owen.

— Plutôt jeune pour un espion.

— Un espion! cria Jesse. De quoi voulez-vous parler? Et les ovnis? Et les soucoupes volantes?

Owen secoua la tête d'un air désolé.

— Il devait être sous une sacrée pression pour commettre un acte pareil. Il ne reste plus qu'à prier pour qu'il n'ait pas eu le temps de livrer les informations volées.

Le lieutenant-colonel acquiesça.

— J'informe le Pentagone que nous avons subi une fuite.

— Où est mon père! hurla Jesse au moment où les deux soldats le poussèrent dans la cellule. Je veux voir mon père!

Owen jeta un dernier regard au visage désespéré de l'adolescent, sortit de la prison et se dirigea vers sa voiture, satisfait de voir Jesse sous bonne garde. Quant à Russell Keys, il n'avait plus grande importance. Il ne valait guère plus que la tumeur qui aurait bientôt raison de lui.

2

Nouveau-Mexique, 27 octobre 1962

Russell écoutait d'une oreille distraite la conversation des deux soldats qui l'accompagnaient. Ils parlaient affaires. Chacun avait son plan pour devenir riche. L'un, l'exportation d'huile végétale ; l'autre, l'élevage de poulets. Leur monde était simple, leur avenir tout tracé. Russell enviait leurs vies ordinaires, faites d'habitudes et de petits tracas, sans personne qui les scrute de par-delà les étoiles.

— Nous y voilà, s'exclama le chauffeur, alors que la voiture ralentissait devant la concession automobile d'Utah Bob.

Russell approcha son visage de la fenêtre.

Avec son parc d'autos rangées autour d'une caravane, le petit commerce d'Utah Bob ressemblait à n'importe quelle autre concession.

— Allez ! s'écria un des soldats en ouvrant la portière.

Russell sortit de la voiture, escorté par les deux soldats qui le guidèrent vers la caravane. Il allait tendre la main vers la poignée de la porte quand elle s'ouvrit d'elle-même. Il se retint de pousser un soupir d'étonnement au moment où il posa le pied dans un décor ultramoderne, tout de métal immaculé et de carrelage blanc. Deux médecins en blouse blanche attendaient de chaque côté d'une table d'opération. Sur les murs, des écrans de contrôle faisaient défiler des séries de chiffres et des vues du corps humain.

Un docteur se détacha d'un groupe de scientifiques en grande conversation.

— Enchanté, monsieur Keys. Je suis le docteur Kreutz et, au nom de tous, je souhaiterais vous remercier de nous laisser examiner votre tumeur.

Russell balaya la pièce du regard.

— Où est Crawford ?

— Le colonel Crawford m'a confié cette phase de l'opération.

La voix de Russell se durcit.

— Je ne ferai rien tant que je n'aurai pas parlé à Crawford.

Les manières policées du docteur Kreutz firent aussitôt place à un ton autoritaire.

— Je n'ai pas l'impression que vous soyez en position de donner des ordres, monsieur Keys.

Deux soldats en armes s'avancèrent d'un pas.

— Préparez-le ! ordonna le docteur.

Russell se retourna en un éclair et décocha un coup de poing à la mâchoire d'un assistant médical qui fut propulsé en arrière. À peine eut-il le temps de se remettre en garde qu'il sentit une aiguille lui percer le bras.

— Ne touchez pas à mon fils, hurla-t-il, alors qu'il voyait le décor vaciller autour de lui.

— Très bien, nous allons pouvoir procéder, s'exclama le docteur Kreutz.

Les deux soldats transportèrent Russell jusqu'à la table où patientait le chirurgien.

— Très bien, lâcha Kreutz.

À l'attention du chirurgien, il ajouta :

— Faites très, très attention.

Le chirurgien acquiesça avant de pratiquer une incision sur le front de Russell. Il décolla la peau et, à l'aide d'une scie chirurgicale, découpa une large section du crâne. Puis, il se saisit d'une sonde que lui tendait un infirmier et l'inséra doucement dans le cerveau.

— Ça y est ! dit-il après un instant.

Kreutz arbora un sourire satisfait quand il vit le chirurgien brandir une petite masse noire et luisante.

— Enfin, soupira-t-il, une preuve matérielle de l'existence de...

Des soubresauts venaient de secouer le corps de Russell.

— Il fait une attaque ! s'écria le chirurgien.

Il se tourna vers l'infirmier qui demeurait étrangement impassible, comme s'il était figé dans une sorte de transe.

— Qu'est-ce que vous fichez, mon vieux?

L'infirmier tomba sur ses genoux et, d'un mouvement vif et précis, se trancha les veines des poignets, d'où s'échappèrent des giclées de sang.

Kreutz était paralysé par l'effroi. Les infirmiers et les soldats se déplaçaient comme des robots, comme s'ils répondaient à des ordres audibles par eux seuls. Il vit, horrifié, l'un des soldats surgir derrière le chirurgien et lui trancher la gorge. Les autres militaires s'étaient saisis de leurs armes et faisaient feu dans toutes les directions, à l'aveugle. Les balles sifflaient de toute part. Soudain, une rafale atteignit le réservoir à oxygène. La caravane s'embrasa et se transforma en une gigantesque boule de feu.

Base aérienne de Hill, 27 octobre 1962

Jesse frémit en voyant deux membres de la police militaire faire irruption dans sa cellule.

— Suivez-nous, ordonna l'un d'eux.

— Que se passe-t-il? demanda Jessie avec de l'appréhension dans la voix.

— Nous avons reçu l'ordre de vous transférer. Nous n'en savons pas plus.

Jesse les suivit le long d'un couloir qui conduisait à l'extérieur du bâtiment. Des militaires s'agitaient frénétiquement de tous côtés.

— Qu'est-il arrivé?

— Les Russes ont descendu un de nos U2, répondit le militaire en l'escortant vers un autre immeuble. Nous avons ordre de vous déplacer dans un abri antiaérien.

L'endroit était à peine éclairé par une ampoule blafarde pendue au plafond. Le soldat décocha un regard menaçant à Jesse avant de se retirer. Jesse s'effondra sur le béton. D'où il était, il pouvait entendre les deux soldats discuter derrière la porte.

— Tu as appris ce qui est arrivé à Henderson et à Slide ? Ils montaient la garde dans une salle d'opération quand la caravane où ils se trouvaient a explosé.

Jesse se redressa et colla son oreille contre la porte.

— Ils y sont tous passés.

Jesse sentit ses jambes se dérober sous lui.

— Papa, soupira-t-il en se laissant glisser sur le sol.

— Avez-vous entendu ce qui est arrivé ? demanda Owen, cependant que Marty et Howard s'asseyaient devant son bureau.

— Ce qui est arrivé ? répéta prudemment Howard.

— À Russell Keys.

Howard et Marty échangèrent un bref regard.

— Où diable étiez-vous donc fourrés, tous les deux ? tonna Owen.

— Dans le Montana, répondit Howard d'une voix tremblante.

— Vous nous aviez demandé de vous rapporter des preuves incontestables. Nous étions sur une piste et...

— Et ? interrompit Owen.

— C'était une impasse, répondit Howard.

Owen le dévisagea d'un air soupçonneux.

— Très bien, fit-il, vous pouvez disposer.

Howard et Marty allaient prendre congé quand Owen s'exclama :

— Howard, pouvez-vous m'accorder une minute ? J'aurais besoin de vos lumières... Une affaire personnelle.

— Bien sûr, mon colonel, dit-il en s'avançant vers le bureau, alors que Marty refermait la porte derrière lui.

— Qu'est-ce qui ne va pas avec Marty ?

— Que voulez-vous dire ?

— J'ai l'impression qu'il ne va pas tarder à commettre une bêtise.

Il fixa Howard du regard.

— Gardez l'œil sur lui. J'ai toute confiance en vous. Vous êtes mes yeux et mes oreilles. Compris ?

Howard se raidit.

— Oui, mon colonel.

Las Vegas, Nevada, 28 octobre 1962

Anne se saisit de la photographie montrant son mari posant sur la piste de Roswell et la lança contre le mur. Elle tituba, ivre morte, vers le bureau d'Owen.

— Sors de là, où que tu sois ! beugla-t-elle.

À l'extérieur de la pièce, Éric et Sam entendaient, impuissants, leur mère mettre à sac le bureau de leur père.

— J'appelle papa, lâcha Éric d'un ton sec.

— Ça ne ferait qu'empirer les choses, interrompit Sam. Laisse-moi d'abord lui parler.

— Parle-lui si ça te chante, dit Éric d'un ton dédaigneux.

Il disparut dans le couloir, cependant que Sam ouvrait la porte du bureau.

— Que cherches-tu ? demanda Sam à sa mère.

— Des preuves !

Elle chancelait et semblait sur le point de s'effondrer.

— Qu'est-ce que tu veux dire ? Des preuves de quoi ?

Elle le dévisagea pendant un instant, avant de répondre :

— Sam, tu es le préféré de ton père. Tu sais ça ? Tu l'as toujours été.

Elle s'interrompit pour reprendre son souffle.

— J'espère que ça ne t'a pas gâché la vie.

Un éclair passa dans son regard. Elle se dirigea d'un pas hésitant vers le coffre-fort encastré dans le mur.

— Mais c'est bien sûr ! Ton anniversaire !

— Sept. Vingt-huit. Cinquante et un.

Elle composa les numéros. La porte s'ouvrit. Le coffre était vide, à l'exception d'un petit objet en métal. Anne le fit tourner dans sa main. Les inscriptions qui le recouvraient semblaient la fasciner.

— Qu'est-ce que c'est ? demanda Sam.

— Une partie de ton héritage, rétorqua Owen.

Sam se retourna brusquement et vit la silhouette massive de son père dressée sur le pas de la porte.

— Ta mère et moi devons avoir une petite conversation, annonça Owen.

Sam sortit de la pièce en silence. Anne était absorbée par la pièce métallique, à tel point que c'est à peine si elle avait prêté attention à l'apparition d'Owen.

— Mon père m'en a parlé. Cela provient d'un vaisseau spatial.

— Anne, ton père avait un problème avec la boisson, corrigea Owen. Il s'imaginait des choses.

Il fit un pas vers elle.

— Je te rappelle que je suis un officier des Services secrets. S'il existait un tel vaisseau, je le saurais. Cette pièce provient d'un avion expérimental sur lequel l'US Air Force est en train de travailler. Je pensais en faire cadeau à Sam.

Les yeux d'Anne restaient rivés sur le métal.

— Anne, lança Owen, en s'avançant lentement dans sa direction. Tu te souviens de la première fois où je t'ai emmenée faire un tour à cheval ?

Anne semblait ne pas l'entendre. Elle était comme hypnotisée par l'objet qu'elle tenait avec précaution dans sa main.

— J'aimerais que tout soit à nouveau comme cela entre nous.

Il lui retira doucement l'objet et le posa sur le bureau, avant de prendre tendrement ses mains dans les siennes.

— Anne, nous devons faire quelque chose à propos de l'alcool et des pilules.

Elle acquiesça timidement, le regard dans le vide.

— Je connais un endroit, dans le Minnesota. Un programme de six semaines. Tu peux partir dès ce soir, si tu le souhaites. Je demanderai à Howard de t'y conduire.

Elle poussa un long soupir. Owen constata que l'alcool avait dissipé en elle toute volonté de lui résister.

Il lui offrit son bras et l'escorta, en compagnie d'Howard, jusqu'à la voiture. Il l'aida à s'installer sur le siège du passager avant de donner à Howard les instructions nécessaires. Puis, il regarda la voiture s'éloigner en faisant au revoir de la main.

— À bientôt, murmura-t-il, nous nous reverrons bientôt.

Une demi-heure plus tard, Owen arrêta sa voiture le long de l'autoroute 50. Howard devait emprunter cet itinéraire pour se rendre dans le Minnesota. Finalement, il aperçut deux phares percer les ténèbres. Alors que le véhicule s'approchait, il entendit la musique country en provenance de l'autoradio. La voiture freina à sa hauteur. Owen s'approcha de la portière du chauffeur. Howard le dévisageait avec appréhension.

En voyant cette figure si familière, Owen hésita un instant avant de se reprendre. Après tout, ce ne serait pas le premier sacrifice à l'autel de son grand projet. Il dégaina un pistolet et fit feu.

Howard tomba sur le côté, un trou rouge sur la tempe.

— J'ai toujours trouvé ce garçon un peu simplet, dit-il à Anne, dont les yeux étaient emplis d'effroi.

D'un mouvement vif, elle ouvrit la portière et courut à perdre haleine le long de la route déserte. Owen la mit calmement en joue et pressa la détente. Elle s'effondra lourdement sur le bitume. Owen s'avança vers son corps ensanglanté, la prit dans ses bras et la transporta jusqu'à la voiture. Il plaça le pistolet dans la main d'Howard et tira une troisième fois.

La détonation retentit dans la nuit sous le regard impuissant des étoiles.

Base aérienne de Hill, abri antiaérien

Jesse fit tournoyer le modèle réduit de vaisseau spatial qu'il venait de confectionner à partir d'une assiette en carton découpée en lamelles. Sa conception lui était venue spontanément à l'esprit, sans qu'il ait eu besoin de fournir le moindre effort d'imagination pour l'assembler.

Il balaya l'abri du regard : le sol de béton, les murs de sacs de sable empilés jusqu'au plafond... Soudain, il pensa à son père, à sa tristesse s'il avait su que son fils était prisonnier, seul, attendant anxieusement le sort qu'ils allaient lui réserver.

Il entendit un léger bruissement, semblable au souffle du vent dans les maïs. Il jeta un coup d'œil sur le mur du fond. La rangée supérieure de sacs de sable venait de bouger, comme ébranlée par un tremblement de terre. Curieusement, le sol n'avait pas vibré. Un sac s'inclina avant de s'écraser sur le sol, soulevant un nuage de poussière.

Jesse se redressa. Il regarda, terrifié, un autre sac tomber, puis un autre, et encore un autre. Des rayons de lumière striaient le bunker, grossissant à mesure que les sacs s'effondraient. Une salle d'opération apparaissait en contre-jour, avec ses instruments et sa table en acier, entourée par quatre petites créatures dont les bras graciles pendaient bien au-dessous de leur taille. Une autre silhouette – plus grande – se distinguait dans la lumière. Elle écartait les bras pour accueillir son fils.

IV

TESTS À L'ACIDE

1

Est de l'Indiana, 3 avril 1970

La voiture officielle étincelait de mille feux sous un soleil radieux. Elle s'arrêta près d'un vaste champ de maïs, suivie par un cortège d'autres voitures qui se rangèrent sur le bas-côté. De toutes parts, des curieux tentaient de se frayer un chemin pour jouir du spectacle.

— Je suis vraiment content que tu m'aies emmené avec toi, déclara Éric Crawford.

— Je pensais qu'il était temps pour toi de... faire tes preuves, rétorqua Owen.

— Tu ne le regretteras pas. Tu ne vas pas en croire tes yeux.

Owen ne répondit pas. L'enthousiasme d'Éric avait le don de l'irriter. C'était son autre fils qu'Owen aurait souhaité voir à ses côtés, mais Sam avait choisi une direction opposée à la sienne, dans le journalisme. Quel gâchis ! Lui seul avait l'énergie et la force de caractère pour le seconder dignement. Tout le contraire d'Éric, qui n'avait d'autre ambition que d'obtenir un peu de reconnaissance de la part de son père.

— On nous rapporte ce type de phénomènes deux ou trois fois par semaine, maugréa Owen. Du

143

bétail mutilé, des lumières dans le ciel... Je ne crois pas que cela soit bien intéressant.

— Tu dois avoir de bonnes raisons pour te déplacer en personne, persista Éric.

Owen haussa les épaules.

— Celui-ci sort un tout petit peu de l'ordinaire, admit-il.

Owen descendit de la voiture et balaya la scène du regard. Le champ ondoyait doucement sous la caresse de la brise de printemps. C'était maintenant une foule qui se pressait au milieu des épis de maïs, animée par une soif de sensationnel. Après un instant de réflexion, le colonel s'avança jusqu'à une clairière où des tiges étaient aplaties sur le sol, comme écrasées par une gigantesque main invisible.

Un hélicoptère transportant deux émissaires du gouvernement atterrit quelques minutes plus tard.

— Colonel Crawford? Toby Woodruff, déclara le plus grand des agents. Du département de la Défense. Et voici Ted Olsen, de la NSA.

Des bleus, constata Owen avec dépit. Leur jeune âge témoignait du manque d'estime que le Président portait à son projet. *Cela aurait dû être Nixon en personne dans cet hélicoptère*, pensa-t-il amèrement, *et non pas ces gamins*.

Owen pointa du doigt l'hélicoptère.

— Allons faire un tour. Nous nous rendrons mieux compte d'en haut.

Vu du ciel, le maïs couché dessinait un cercle parfait.

— C'est une aire d'atterrissage ou je n'y connais rien, s'exclama Owen.

Il était soudainement gagné par la certitude que les rapports disaient vrai, qu'un événement d'une importance historique avait eu pour théâtre ce champ de maïs.

— Regardez la forme. On dirait bien une piste d'aviation. La troisième du genre. Deux autres ont déjà été observées en Europe : en France et en Allemagne. Mais aucune n'avait cette ampleur.

— S'il s'agit d'une piste d'atterrissage, enchaîna Éric, alors peut-être va-t-il y avoir...

— Un atterrissage, compléta Owen.

— Regardez par là-bas ! s'écria Éric, alors que l'hélicoptère basculait vers la droite.

Au milieu des tiges ondulantes venait de se profiler une autre forme, plus petite que la première. Un symbole « peace and love » agrémenté d'un mot dessiné dans le maïs : « SALUT ! »

— Une piste d'atterrissage, n'est-ce pas ? dit Woodruff avec un sourire moqueur.

Owen lui décocha un regard assassin. La raillerie de ce blanc-bec lui avait fait l'effet d'un coup de poignard. Encore une fois, ses espoirs s'envolaient en fumée. Comme Russell Keys et sa précieuse tumeur. Comme son fils, Jesse, disparu de l'abri antiaérien. Chaque fois qu'il s'apprêtait à crier victoire, les extraterrestres reprenaient leur dû. Ils le narguaient. La façon dont ils lui avaient repris Jesse Keys apportait la preuve irréfutable que, quoi qu'il fasse, il n'avait pas la moindre chance contre eux.

— Je crois être dans l'obligation de vous retirer la direction de ce projet, colonel Crawford, déclara Woodruff avec un petit sourire satisfait.

Chicago, Illinois, 11 avril 1970

La fusée s'ébranla dans un nuage de fumée noire. Jesse Keys retint son souffle en la regardant s'élever dans les airs. Des hommes volaient vers la lune. Sur

145

l'écran de la petite télé se jouait la plus grande aventure que l'homme ait jamais entreprise.

Willie s'effondra dans un fauteuil miteux, à côté de Jesse.

— Eh, mec, c'est quoi la chose la plus bizarre que t'aies jamais vue ?

Jesse haussa les épaules, les yeux fixés sur l'écran. Willie versa une petite dose de poudre brune dans une cuillère qu'il chauffa à l'aide d'une allumette.

— Un jour, j'ai vu une soucoupe volante.

Jesse enroula une ceinture autour de son bras.

— Je suis monté à bord d'une soucoupe volante. À plusieurs reprises. Une fois, j'ai vu mon père. Il était mort depuis quatre jours.

Willie imbiba une boule de coton de la solution dont il remplit une seringue.

— O.K., mec, dit-il en la tendant à Jesse. Ça, c'est quand même vraiment bizarre.

Il s'enfonça dans son fauteuil pour regarder la fusée s'élever dans la nuit.

— Aller sur la lune, c'est de l'argent foutu par les fenêtres, si tu veux mon avis.

Il se tourna vers Jesse.

— Tu sais ce que j'ai toujours admiré en toi ? Je veux dire au Vietnam… C'est que tu étais le seul officier à partir en éclaireur. À chaque mission.

Jesse fit une mine dédaigneuse. Les petits ballons que Willie venait de poser sur la table captaient toute son attention.

— Où en est mon ardoise ?

— Désolé, répondit Willie.

— Je t'ai sauvé la vie, Willie.

— Deux fois, mec. À mon tour de sauver la tienne. Décroche.

Jesse fut secoué par un rire désespéré.

— Je ne veux pas décrocher.

— Je sais ce que tu veux, dit-il avec un large sourire. Tu veux t'envoler pour un autre monde. Mais ça coûte du pognon.

— T'inquiète pas pour ça.

Willie secoua la tête.

— Arrête ton baratin. Tu es comme tous les drogués. T'as pas un sou devant toi.

Jesse n'insista pas. Il tourna à nouveau son regard vers l'écran de télé. La fusée avait disparu dans le vide spatial, expliquait le commentateur sur un ton mélodramatique. *Pas si vide que ça*, songea Jesse. Il fouilla dans sa poche et en sortit des médailles enveloppées dans un mouchoir.

— Elles appartenaient à mon père.

Il les tendit à Willie.

— Tu devrais pouvoir en tirer quelque chose.

Il sembla envahi d'une soudaine lassitude.

— Au moins un ballon, continua-t-il.

Haysport, Alaska, 11 avril 1970

Sarah, une jeune diplômée, empilait des boîtes de conserve sur le comptoir du magasin pendant que son mentor, le docteur Powell, un archéologue de renom, s'inquiétait de savoir si un télégramme lui était parvenu. Les autres clients, peu habitués à la présence d'étrangers dans leur village, les dévisageaient avec des airs soupçonneux.

— Vous êtes les gens qui faites des fouilles dans les bois, n'est-ce pas ? demanda l'un d'entre eux.

Les yeux de Powell se posèrent sur la petite fille qui venait de s'approcher de lui.

— Oui. Et toi, qui es-tu ?

— Wendy.

— Enchanté, Wendy.

La petite fille pencha la tête sur le côté. Ses grands yeux brillaient de curiosité.

— Qu'est-ce que vous cherchez?

— Nous étudions les Indiens qui vivaient ici autrefois.

Il balaya le magasin du regard et constata l'étrange réprobation des clients.

— C'est bien, intervint un homme. Vous allez créer un joyeux bordel.

La colère empourpra les joues de Sarah.

— Pourquoi êtes-vous si hostiles à notre égard? Nous ne faisons rien de plus que de déterrer...

— Des choses qui feraient mieux de rester là où elles sont, interrompit l'homme.

— Comme quoi? demanda Powell sur un air de défi. Qu'avons-nous déterré que nous aurions dû laisser à sa place?

L'homme hésita un moment, avant de répondre:

— Une momie.

Las Vegas, Nevada, 14 avril 1970

Sam Crawford était assis dans le bureau de son père. Il lisait pour la troisième fois un article du *Anchorage Daily News* intitulé: « UNE MOMIE DÉCOUVERTE À TSIMSHIAN VILLAGE. » L'article était illustré de la photographie du docteur Powell, posant à l'intérieur d'une chambre souterraine dont les murs étaient recouverts d'inscriptions étranges.

Soudain, la porte s'ouvrit et son père apparut.

— Éric vient juste de commencer à travailler sur le projet, lâcha-t-il en guise de bonjour. A-t-il mentionné ceci?

— Peut-être, répondit Sam avec indifférence.

— J'aurais préféré que ce soit toi, soupira Owen. Mais je vois que le journalisme te passionne plus.

— J'ai gagné le concours du meilleur reportage organisé par l'université.

Owen n'essayait pas de dissimuler son manque d'enthousiasme.

— Je t'offre une chance d'écrire ton nom dans l'Histoire, Sam.

— Je ne tiens pas à revivre ta vie afin de réparer tes erreurs.

Le ton d'Owen se refroidit.

— Je n'ai jamais commis d'erreurs.

— Ah bon! Et pourchasser... des petits hommes verts?

— Tu ne sais pas de quoi tu parles! s'emporta Owen.

— Apparemment, il semble que je sois loin d'être le seul. Sinon, tu n'aurais pas perdu ton travail. C'était dans tous les journaux. Comment ce bonhomme, Tom Clarke, t'a tourné en ridicule avec ses dessins dans les champs. C'est pour cette raison que tu as été viré, n'est-ce pas?

— J'avais tort sur ce coup. Je le reconnais. Mais je ne me trompe pas cette fois-ci. Quelque chose va arriver. Peut-être la semaine prochaine. Peut-être dans trente ans... Les visiteurs vont finir par se montrer au grand jour.

Il se dirigea vers le coffre-fort, l'ouvrit et en sortit un objet.

— Je l'ai trouvé sur les lieux de l'accident au Nouveau-Mexique, continua-t-il. Ce vaisseau, ce n'est pas l'homme qui l'avait construit.

Il marqua un silence, avant d'ajouter :

— Il y avait cinq créatures à l'intérieur. Trois d'entre elles avaient péri. La quatrième est morte en observation. La cinquième...

Il leva les yeux au plafond.

— Mon seul but, depuis que j'ai découvert l'épave, a consisté à savoir qui ils étaient et ce qu'ils voulaient. Le cinquième, le… survivant n'a jamais été retrouvé. J'ai suivi ses traces jusqu'à une petite ville du Texas. Là, je m'étais lié avec une jeune femme appelée Sally. La mère de Tom Clarke. L'homme qui a dessiné les faux cercles dans le champ afin de ruiner ma carrière. Elle avait un deuxième fils : Jacob.

Il dévisagea Sam avec insistance.

— Un garçon étrange qui semblait dépourvu d'émotions. J'ai plongé mon regard dans le sien et j'ai vu… tous mes souvenirs et toutes mes peurs… Plus encore : toute ma vie s'est déroulée sous mes yeux. Tu comprends ?

Sam secoua la tête.

— J'ai vu ma propre mort, Sam. Je me suis vu mourir.

Haysport, Alaska, 16 avril 1970

Powell venait de sortir du magasin quand il tendit l'enveloppe à Sarah.

— Voici les résultats. Le corps est âgé d'à peu près six ans.

— Bon, nous savions déjà qu'il ne s'agissait pas d'une momie, quoi qu'en dise la population locale.

— J'ai aussi une lettre des chercheurs de l'université. Les hiéroglyphes sont indéchiffrables. Personne, dans le département des langues, n'a la moindre idée de leur signification, ou de l'identité de leurs auteurs.

— Excusez-moi, docteur Powell.

Il se retourna et tomba nez à nez avec un étudiant aux cheveux longs.

— Je m'appelle Sam Crawford. J'étudie le journalisme à Berkeley. J'espérais pouvoir m'entretenir avec vous au sujet de vos fouilles.

Powell secoua la tête.

— Je crains que nos découvertes ne soient pas aussi passionnantes que vous le souhaiteriez.

— Que faites-vous alors des écrits trouvés sur les murs de la chambre funéraire ?

— Ils sont rédigés dans une langue inconnue. Probablement aussi faux que la prétendue momie. Momie qui n'a que... six ans. Il semble que ce ne soit pas sur un site archéologique que nous travaillions, mais sur la scène d'un crime.

Le shérif arriva sur le site quelques minutes plus tard.

— Alors, il est où, ce foutu cadavre ?

— Par ici, indiqua Powell.

Il précéda le policier et Sam jusqu'à l'intérieur de la chambre, maintenue à l'écart des curieux par une grande tente. Après avoir brièvement examiné les lieux, les yeux de Sam se posèrent sur la grande table... vide.

— Il est parti ! s'exclama Powell, abasourdi.

Il se tourna vers Kerby.

— Le corps est parti !

— Bon ! intervint le shérif sur un ton sarcastique. Il n'est pas parti tout seul sur ses petites jambes, n'est-ce pas ? Je veux que vous et toute votre équipe de rigolos ayez décampé d'ici demain matin. J'espère que c'est assez clair.

Une trace sur le mur attira l'attention de Sam.

— Docteur Powell, il y a là quelque chose qui devrait vous intéresser.

— Quoi ?

Sam désigna une forme dessinée sur la toile de la tente : une empreinte de main à quatre doigts dotés

151

dé quatre phalanges. Kerby considéra la marque pendant un long moment, avant de décocher un regard menaçant vers Powell. Il s'apprêtait à prendre la parole quand une voiture de police freina brutalement devant la tente. Une femme bondit du siège arrière.

— Wendy a disparu, cria-t-elle. Elle est partie dans les bois derrière le magasin et...

— Ne te fais pas de bile, Louise, tenta de la rassurer Kerby. Les gosses aiment bien se promener seuls dans les bois. On finit toujours par les retrouver.

— Pas dans ces bois-ci, soupira Louise d'un air sombre.

— Ne t'inquiète pas, renchérit Kerby. On a réglé ce problème il y a bien longtemps.

Louise ouvrit de grands yeux égarés.

— Tu crois vraiment ce que tu dis, Kerby ?

Chicago, Illinois, 17 avril 1970

Jesse Keys ne savait pas exactement comment il avait atterri dans cet hôpital pour vétérans. Une chose était certaine, en revanche : son dernier trip l'avait transporté jusqu'aux limites de la vie, là où la raison défaille et pénètre un nouveau monde.

Ces derniers jours, il était resté enfermé dans sa chambre à écouter les souvenirs de guerre de ses trois voisins de lit. Sans Amelia, l'infirmière, il serait probablement mort d'ennui. Elle lui avait apporté tout ce dont il avait eu besoin, et s'était montrée d'une grande gentillesse. C'est pourquoi il lui avait demandé si elle accepterait de le revoir après sa sortie de l'hôpital.

Ce même après-midi, ils s'étaient retrouvés sur les quais pour manger un hot-dog. Il faisait doux. Non loin de là, des enfants s'étaient rassemblés autour d'un clown souffleur de bulles.

— Ils sont mignons, n'est-ce pas? fit remarquer Amelia.

— Oui, ces gosses ont vraiment l'air heureux.

Le clown se saisit d'une longue baguette et forma une bulle, assez grande pour contenir un enfant et le faire disparaître dans les cieux. Jesse fut traversé par un frisson d'horreur quand le souffleur de bulles se retourna lentement dans sa direction. Le même visage émacié. Le même regard vide.

— Le forain, murmura Jesse.

— Quoi?

Jesse bondit sur ses jambes.

— Non! hurla-t-il.

Il se jeta tête baissée sur le clown et le plaqua au sol.

— Que voulez-vous? cria Jesse. Pourquoi m'enlevez-vous?

Amelia se rua sur lui et le tira en arrière. Le souffleur de bulles ouvrait de grands yeux apeurés.

— Arrête, Jesse! implora-t-elle.

Le clown planta son regard dans celui de Jesse. Soudain les traits du forain se fondirent en un autre visage, déformé par la peur. Jesse desserra son étreinte et recula. Amelia avait enroulé son bras autour du sien.

— Dis-moi ce qui s'est passé? demanda-t-elle en le tirant à l'écart.

Jesse acquiesça.

— Peut-être qu'un jour je t'expliquerai.

Haysport, Alaska, 17 avril 1970

Sam était seul au milieu des bois. Quelques heures auparavant, Powell avait remis des sifflets, à

153

Sarah et à une poignée d'autres archéologues, pour qu'ils battent la forêt à la recherche de Wendy. Depuis, il avait appris que deux d'entre eux avaient disparu, comme s'ils avaient été avalés par les arbres.

Même en plein jour, les bois étaient d'une densité inquiétante. Surmontant sa peur, Sam décida d'avancer. Chaque bruit le faisait sursauter. Soudain, il s'aperçut que la végétation devenait moins drue. Il pénétra dans une clairière couverte de hautes herbes ondoyantes. Le ciel avait pris des teintes bleu sombre à l'approche de la nuit. Jesse n'avait d'autre choix que de rejoindre le camp.

Celui-ci était désert quand il y parvint. Les membres de l'équipe fouillaient encore les bois ou étaient sur le chemin du retour.

Il s'avança vers l'endroit où le corps avait été trouvé et examina la table vide, ainsi que le sol tapissé d'herbe et de feuilles. Aucun objet du site n'avait été dérobé à l'exception du corps. Et les voleurs n'avaient laissé aucun indice derrière eux. Aucun objet en métal comme celui que son père avait conservé dans son coffre-fort. Seulement une empreinte à quatre doigts.

Sam l'étudia pendant un moment. Plus il la regardait, plus il se demandait si toutes ces théories à dormir debout, toutes ces histoires d'ovnis n'avaient pas un fond de vérité. Soudain, un rapprochement s'opéra dans son esprit. Ces inscriptions étranges sur les murs étaient les mêmes que celles qui ornaient l'objet métallique de son père. Powell lui avait confié qu'elles ne correspondaient à aucun langage connu, qu'elles n'avaient pas été tracées par la main de l'homme. Il ne s'agissait ni de lettres, ni de chiffres. Elles ne ressemblaient pas non plus à des dessins. Peut-être avaient-elles un caractère sacré ?

Un bruissement dans les arbres interrompit Sam dans ses réflexions. Il se tourna vers les bois à l'affût du moindre mouvement. Son cœur battait la chamade. Il sentit une goutte de sueur couler le long de sa colonne vertébrale. Pendant un instant, il lui sembla qu'un doigt à quatre articulations lui effleurait le dos. Il tenta de se reprendre. Non, ces peurs n'étaient pas les siennes. C'étaient celles de son père. Son imagination lui jouait des tours.

Le bruissement se fit à nouveau entendre. Sam fit brusquement demi-tour et aperçut une ombre bouger dans les branches enchevêtrées. Il s'approcha. La silhouette s'était arrêtée, chancelante. C'était Sarah, couverte de boue, les vêtements en lambeaux, les yeux hagards.

2

Chicago, Illinois, 17 avril 1970

Jesse s'abandonna dans les bras d'Amelia. Pardessus son épaule, il voyait le Grand Lac s'étendre à perte de vue vers le nord.

— Que s'est-il passé ? demanda-t-elle. Pendant la guerre, je veux dire.

Elle se recula légèrement et plongea son regard dans le sien.

— Je me souviens t'avoir entendu dire à l'un de tes voisins de chambre que tu n'avais pas peur d'être blessé.

Jamais elle ne l'avait interrogé si franchement. Jesse sut qu'il ne pouvait s'esquiver plus longtemps.

— Non, je *savais* que je ne serais pas blessé.

Il prit une longue inspiration, tel un nageur s'apprêtant à faire le grand saut.

— Nous étions dans la province de Quang Ngaï. Les Japonais nous avaient tendu un piège. Convaincu qu'il ne m'arriverait rien, je les ai défiés. Je leur ai crié : « Allez ! Sortez-moi de là. »

Ses yeux étaient perdus dans le vide.

— Et ils l'ont fait. Ils m'ont sauvé. Et ils ont abandonné les vingt-sept autres hommes de mon unité à une mort certaine.

Amelia lui lança un regard interrogateur.

— Qui ça « ils », Jesse ?

— Je ne sais pas, dit-il en secouant la tête.

— Tu ne sais pas ou tu ne veux pas me dire ?

— Un peu des deux, je suppose.

Amelia n'insista pas.

— Je présume que je dois ajouter cela à la liste.

— Quelle liste ?

— La liste des choses que tu me diras un jour, dit-elle en se blottissant dans ses bras.

Il sourit et passa sa main dans ses cheveux.

— Veux-tu m'épouser, Amelia ?

Elle lui renvoya son sourire et hocha la tête.

Haysport, Alaska, 17 avril 1970

Après avoir déposé Sarah en lieu sûr, Sam retourna sur le site archéologique, animé par une insatiable curiosité. Il éclaira la chambre avec sa lampe torche. Rien. Elle était telle que Powell l'avait laissée. Nulle porte ne permettait d'en sortir, à part celle devant laquelle il se tenait, tremblant de peur.

Il s'avança jusqu'à l'autel. Face à lui s'élevait un mur de pierres empilées. Il en retira une, puis une autre… Il continua ainsi jusqu'à ce que le mur s'écroule.

Il avait vu juste. Ce mur cachait un passage. Il y pointa sa torche. Le faisceau était absorbé par les ténèbres. Il n'y voyait pas à un mètre devant lui et, pourtant, surmontant la peur qui lui tordait le ventre, il y entra.

Le passage était trop petit pour y progresser debout. À mesure qu'il avançait, l'air se raréfiait. La pensée lui traversa l'esprit que l'ouverture allait se refermer derrière lui et que la terre allait le digérer lentement. Il sentit le sol s'incliner sous ses pieds. Il remontait doucement à la surface. Il tâtonna pendant quelques mètres jusqu'à se retrouver à l'air libre. Il se redressa et jeta un coup d'œil autour de lui.

La momie était là, allongée sur un lit de feuilles.

— Voilà la preuve, murmura Sam.

Il s'agenouilla et déroula les bandes qui l'enveloppaient, en commençant par celles du crâne. En écarquillant des yeux incrédules, il découvrit une tête de forme allongée, inhumaine, avec des yeux en forme d'amandes.

Un bruit le fit sursauter. Il se dissimula aussitôt derrière un arbre. Son cœur battait si fort qu'il pouvait l'entendre. Il resta pétrifié, décidé à ne ressortir de sa cachette qu'au retour des autres. Soudain, il vit, horrifié, une silhouette sortir du bois, s'avancer vers le corps et le prendre dans ses bras. Elle sanglotait alors que sa main à quatre doigts caressait le visage de la momie.

La créature tourna brusquement la tête et plongea son regard dans celui de Sam. Malgré ses efforts, il ne parvenait pas à détourner les yeux, comme tétanisé.

Enfin, la créature relâcha son emprise et Sam s'effondra au pied de l'arbre.

— Ça va ?

Sam ouvrit les yeux et sursauta. Un vieil homme était penché sur lui.

— Je pensais que vous étiez mort, dit-il.

— Qui êtes-vous ? demanda Sam.

— Léo, se contenta de répondre le vieil homme.

Sam se redressa pour mieux voir son interlocuteur.

— Ma fille s'appelait Nadine, commença le vieil homme.

Il semblait en transe. Il récitait, ou plutôt articulait, à la façon d'une marionnette dont la mâchoire est reliée à des fils.

— Elle aurait eu quarante ans cette année.

Son regard fixe se perdait dans le vide, comme s'il consultait un album visible de lui seul.

— Elle s'est absentée de la maison, un soir, continua-t-il. Elle voulait voir de près les lumières dans le ciel. Elle est revenue un jour et demi plus tard, sans le moindre souvenir de ce qui s'était passé, ou de l'endroit où elle était allée.

Le vieil homme s'interrompit brièvement, avant de reprendre son histoire. On eût dit que les fils qui l'actionnaient avaient été relâchés, puis tendus à nouveau.

— À peu près quatre mois plus tard, son ventre s'est arrondi. Elle a eu des jumeaux, au début de l'année 1959, mais elle n'a pas survécu à l'accouchement. C'est le docteur Shilling qui les a mis au monde. Plus tard, il m'a confié que Nadine avait juste eu le temps de voir ses enfants avant de mourir.

Les fils s'assouplirent, avant de se remettre en action.

— Je me suis occupé des garçons. Je les ai appelés Larry et Lester. Ils étaient bizarres, tous les deux. Ils ont grandi trop vite. À huit ans, ils avaient l'air d'en avoir seize. Et une curieuse façon de vous regarder. Ça effrayait les voisins. Alors, on a dû se retirer dans la forêt.

Sam entendit un bruissement dans les branches. Il se retourna et vit Kerby surgir des bois.

— Bonsoir, fit le shérif en agrippant fermement l'épaule de Léo.

Le vieil homme ne réagit pas, comme si les fils qui l'animaient s'étaient soudainement rompus.

Kerby posa son regard sur Sam.

— Toi et moi, on va faire un tour.

Il dégaina son pistolet.

— Allez !

En montant à bord de la voiture, Sam savait que ses minutes étaient comptées. D'abord, Kerby n'avait pas pris son véhicule de service. Et puis, il parlait de ses crimes ouvertement.

— Oui, j'ai tué un des jumeaux, pavoisait-il.

Il secoua la tête.

— Larry était de loin le plus coriace. Il a commencé à faire joujou avec ses « dons » quand il avait seize ans. Léo a dû t'en parler ! Des chiens et du bétail morts ! Des tours qu'il a joués aux chasseurs dans la forêt !

Il tourna la tête vers Sam, puis vers l'adjoint assis à côté de lui.

— Cette ville pouvait s'enorgueillir d'avoir le plus beau terrain de chasse de la région. Eh bien ! Voilà presque dix ans que presque plus personne ne met les pieds dans les bois.

Sam fusilla du regard l'adjoint qui sifflotait « Jeanie with the Light Brown Hair ».

— C'est mon boulot d'assurer la sécurité de cette ville, continua Kerby. Et ce gamin constituait une menace. J'ai essayé de lui mettre du plomb dans la tête, mais...

L'adjoint se pencha en avant et tapota l'épaule de Kerby.

— T'as fait ce que t'as pu. Il t'a pas laissé le choix.

— T'as peut-être raison. Quoi qu'il en soit, je l'ai enterré sous un arbre. Comment il a pu se retrouver dans ce puits, enveloppé comme il l'était, ça, je...

La main de l'adjoint était toujours posée sur l'épaule de son supérieur.

— T'as trop bon cœur, voilà ton problème.

— T'as peut-être raison, répéta Kerby.

C'était le moment ou jamais. En un éclair, il se coucha par-dessus l'adjoint, ouvrit la porte, se balança en arrière et poussa le policier sur la route. Il plongea à son tour. Tous deux roulèrent sur le bas-côté, pendant que Kerby freinait de toutes ses forces.

Sam bondit sur ses pieds, jeta un regard affolé autour de lui et s'enfuit en direction de la forêt. Il entendait Kerby et son adjoint courir à ses trousses. Sam ne se faisait pas d'illusions. S'ils l'attrapaient, ils ne perdraient pas de temps à le reconduire dans la voiture. Ils le tueraient sur place. À mesure qu'il progressait dans la forêt, la végétation s'épaississait. Les branches le giflaient. Les racines s'accrochaient à ses chaussures, déchiraient son pantalon. Comme si des milliers de mains essayaient de l'arrêter en s'agrippant à lui.

Soudain, une silhouette lui barra le passage. Ce ne pouvait pas être Kerby ou son adjoint. Jamais ils n'auraient eu le temps de le contourner.

La silhouette s'avança. Elle avait une tête en forme de poire et des bras anormalement allongés. Elle était néanmoins incontestablement humaine.

— Voulez-vous... me suivre ? demanda Lester.

Ils marchèrent côte à côte. La forêt semblait de plus en plus dense. Enfin, ils atteignirent une clairière au milieu de laquelle se dressait une petite cabane.

Ses fenêtres éclairées formaient deux grands yeux au milieu de la nuit. Lester le précéda à l'intérieur. Une petite fille était allongée sur un lit.

— Elle s'est fait très mal, dit Lester. Elle a dû grimper à un arbre, pour savoir où elle était, et tomber. Sa jambe est cassée en plusieurs endroits.

Sam se pencha sur elle. Elle avait les yeux fermés et respirait faiblement.

— Je lui apporte de la nourriture en cachette tous les jours. Je viens quand elle est endormie, parce que je ne veux pas qu'elle me voie.

— Que se passe-t-il quand les gens vous regardent? demanda Sam.

— Je ne sais pas vraiment, répondit Lester. Quand mon frère et moi étions enfants, nous faisions peur aux gens... mais ça s'arrêtait là. Après, c'est devenu pire. Je ne peux rien y faire. Quand ils... nous regardent... ils voient des choses... qu'ils ne devraient pas voir.

— Tous leurs souvenirs et leurs peurs, murmura Sam, presque en lui-même.

Lester acquiesça.

— Je pense qu'on peut dire les choses ainsi.

Sam examina la pièce. Un autre corps était allongé sur le sol. Sam devina qu'il s'agissait du cadavre du petit frère de Lester, Larry.

— Pourquoi avoir enveloppé votre frère de cette façon? demanda Sam.

— Mon frère et moi, nous nous mettions parfois à dessiner ces signes étranges. Nous ne savions pas ce qu'ils voulaient dire, mais j'ai pensé que si je l'enveloppais comme ça, avec toutes ces inscriptions autour de lui, et que je l'installais dans un endroit particulier, peut-être que...

— Peut-être qu'il reviendrait à la vie.

— Je sais, c'est idiot.

161

— Non, Lester, interrompit Sam. Ce n'est pas idiot du tout.

Lester secoua la tête.

— Je n'ai jamais eu l'intention de faire du mal à ceux qui ont creusé la tombe. J'essayais juste de trouver de l'aide pour la petite fille.

L'évocation de la façon dont les gens le traitaient le fit frissonner.

— Et la femme, celle qui sortait de la tombe... je l'ai regardée à peine une seconde.

— Elle s'en sortira, le rassura Sam.

À cet instant, Lester ressemblait à un enfant en détresse.

— Ce que... je fais aux gens... c'est devenu plus fort... après qu'Harry est parti... J'ai jamais voulu faire de mal à personne.

Sam baissa les yeux. C'est à ce moment qu'il aperçut des taches de sang sur le sol.

— Lester, vous êtes blessé vous aussi. Laissez-moi vous conduire chez le docteur.

Lester secoua la tête d'un air déterminé.

— Non, occupez-vous plutôt de la petite fille.

Wendy frémit légèrement avant d'ouvrir les yeux.

— Salut, dit doucement Sam.

— Salut. C'est vous qui m'avez apporté à manger ?

— Non, ma chérie. Comment t'appelles-tu ?

— Wendy.

— Tout va bien se passer, Wendy.

Elle se tourna vers Lester.

— C'est lui ? J'aimerais le remercier.

En un éclair, Lester se réfugia dans un coin sombre de la pièce.

— Pas maintenant, dit Sam en faisant écran entre la petite fille et Lester. Écoute, je vais te soulever. Cela fera peut-être un petit peu mal. Tu seras une grande fille ?

Wendy hocha la tête.

À l'instant où il glissa ses bras sous son corps, une pierre fit voler une fenêtre en éclats.

— Sors d'ici, Lester, cria quelqu'un.

Sam rampa jusqu'à la fenêtre, leva prudemment la tête et jeta un bref coup d'œil à l'extérieur. Un groupe de villageois munis de torches encerclait la cabane. Quelques-uns vidaient des bidons d'essence sur les murs.

— Il y a une petite fille, ici, cria Sam à la cantonade.

Soudain, il aperçut la mère de Wendy surgir de la foule.

— Arrêtez de verser de l'essence, implora-t-elle. Wendy est à l'intérieur.

— Je sors avec la fille, prévint Sam.

Il se tourna vers Wendy et murmura :

— Tu es prête, petite ?

Elle fit oui de la tête. Sam la prit alors dans ses bras et s'avança vers la porte. Avant que Lester ait eu le temps de reculer, Wendy croisa son regard.

— Monsieur ? dit-elle doucement. Merci.

Lester lui caressa le visage de sa main étrange.

— De rien.

La mère de Wendy se rua sur Sam en le voyant sortir de la maison.

— Dieu merci ! s'écria-t-elle.

Son regard se posa sur la blessure de sa fille.

— C'est lui qui t'a fait ça ? demanda-t-elle.

— Non maman, je suis tombée d'un arbre.

Un homme s'avança vers Louise.

— Va mettre Wendy dans la voiture. Nous allons en finir une bonne fois pour toutes.

Sam ressentit une frayeur d'une intensité qui lui était inconnue jusqu'alors. Jamais il n'avait été encerclé de cette manière, détesté et incompris. Comme il se sentait proche de Lester à ce moment-là...

— Pourquoi ne nous laisses-tu pas lui régler son compte ?

La voix qui venait de s'élever de la foule lui était familière. C'était celle de son frère, Éric. Il s'avança, suivi par le shérif, son adjoint et le docteur Shilling. Les trois hommes semblaient régler leur pas sur le sien.

— Que fais-tu ici, Éric ? s'inquiéta Sam.

Éric brandit l'exemplaire du journal d'Anchorage que Sam avait laissé à Las Vegas.

— Cela n'a pas été très difficile de retrouver ta trace, Sam. Et d'après ce que le shérif et le docteur Shilling m'ont expliqué, tu as là quelque chose qui est d'une importance vitale pour le projet.

Son regard brillait d'un éclat dur et perçant.

— Je suis venu pour t'empêcher de commettre un acte… regrettable.

Les traits de Sam se tendirent.

— Tu n'as rien à faire ici, Éric.

Il esquissa un sourire.

— Je crois que c'est à moi d'en juger.

Il allait s'approcher de la cabane quand Sam lui barra la route.

— Tu ne peux pas rentrer, dit-il fermement.

— Pourquoi ? Tu vas m'en empêcher ?

— Tu mettrais ta vie en danger.

Éric haussa les épaules.

— Tu te fais du souci pour moi ! C'est très touchant.

— Je ne te laisserai pas entrer, tonna Sam en lui agrippant le bras.

— Retire tout de suite ta main, protesta Éric en dégageant son bras.

Léo venait de se frayer un chemin parmi la foule et courait en direction de la maison. Un homme l'arrêta, un Zippo à la main.

— Recule, Léo. Nous allons mettre un terme au calvaire de Lester.

Il alluma son briquet.

— Recule, je te dis !

Puis il le jeta à terre. Le porche s'embrasa, et le feu grimpa en un éclair le long des murs jusqu'au toit. Sam se jeta à travers les flammes à l'intérieur de la cabane où Lester était recroquevillé, dans un coin, serrant Larry dans ses bras.

Un mur de flammes s'était dressé devant Sam. Cependant, il aperçut des images défiler dans les yeux en forme d'amandes de Lester : Éric, enfant, jouant dans la maison, puis renversant un verre d'eau sur ses devoirs. Ensuite, il se vit dans le bureau de son père, que sa mère mettait à sac. Enfin, des années plus tard, en présence de son père, qui sortait un morceau de métal de son coffre-fort.

La succession d'images grossit en un flot de visions cauchemardesques. Sam laissa échapper un hurlement. Son cri le ramena au présent, juste à temps pour voir Lester être dévoré par les flammes.

3

Las Vegas, Nevada, 1970

Owen se faisait du bonheur une image simple : celle de sa petite-fille confortablement installée dans ses bras, le dévisageant de ses grands yeux bleus.

— Allez Mary, dis papy, murmura-t-il.

— Elle n'a qu'une semaine, fit remarquer Julie.

Owen éclata de rire.

— Oui, évidemment.

Il regardait le bébé avec tendresse.

— J'aurais tellement souhaité que Sam…

— Très bien, s'exclama Éric.

Il s'avança vers son père, lui saisit l'enfant des bras et le tendit à sa femme.

— Julie, pourrais-tu nous laisser seuls, s'il te plaît?

Julie se leva, son bébé serré contre son sein, et quitta la pièce comme un soldat obéissant à qui l'on vient d'ordonner de disposer.

— Je t'apporte mon enfant, et tout ce à quoi tu penses, c'est Sam. Encore et toujours Sam!

— Je me fais du souci pour lui, se justifia Owen. Je n'ai pas de nouvelles depuis qu'il est parti.

— Et tu n'en auras plus, papa.

Owen lui lança un regard sombre.

— De quoi veux-tu parler?

— Sam est mort.

Owen sentit son âme se vider. La voix d'Éric était animée par la même cruauté que ses yeux.

— Il essayait de trouver des preuves susceptibles de ruiner ta réputation une bonne fois pour toutes. Il est mort en voulant ta perte. Voilà à quel point il te haïssait.

Owen avait la gorge serrée.

— Jamais tu ne m'as fait part des secrets que tu confiais à Sam, continua Éric, des sanglots dans la voix. Tu sais que je n'aurais jamais trahi ta confiance et, pourtant, tu as toujours refusé de me la donner.

Le sol sembla se dérober sous les pieds d'Owen. Le décor ondulait. Les murs tournaient.

— C'est ce que tu as vu, papa?

Owen agrippa son bras gauche. Il n'était plus qu'une douleur. C'était comme si du plomb brûlant lui coulait dans les veines et les artères.

— C'est ce que tu as vu dans les yeux de ce gosse?

Owen s'effondra.

Éric s'avança d'un pas. Il le dominait avec un air de triomphe.

— Crise cardiaque, c'est ça ? L'heure de ta mort a sonné ? C'est pour cela que tu m'as toujours haï : tu savais que j'étais la dernière chose que tu verrais.

Owen réalisa soudain son échec. Ses mensonges, ses trahisons, ses crimes n'avaient servi à rien. Son fils qui lui ressemblait tant allait suivre le même chemin, pavé de rancunes et de déceptions. Il était trop tard pour le mettre en garde, pour lui dire quelques paroles de sagesse.

— J'ai déposé ma marque sur le monde, soupira-t-il en implorant Éric du regard. La marque de Caïn !

Centre de recherche technologique K. G. B., Palo Alto, Californie, 20 avril 1970

Tom et Becky Clarke firent tinter la sonnette posée sur le comptoir de la réception.

— Nous souhaiterions voir Jack Barlow, déclara Becky.

Quelques instants plus tard, l'homme qui se faisait appeler Jack Barlow descendit les escaliers. Aucun doute n'était permis. Il s'agissait bien de Jacob. Il avait vingt-huit ans, mais semblait plus vieux : son visage était émacié et son crâne dégarni.

— Oh, mon Dieu, Jake ! balbutia Becky.

Jacob s'approcha de Becky et Tom d'un pas hésitant et les prit dans ses bras. Puis, ils s'assirent sur un banc dans le hall.

— J'ai entendu parler de tes cercles dessinés dans un champ de maïs, dit Jacob. Le signe « peace and love ». Très amusant.

Tom esquissa un sourire.

— Pas pour Owen Crawford, répondit Tom.

Son sourire s'élargit et revêtit une expression de triomphe.

— J'ai voulu lui faire comprendre qu'il ne faut pas chercher des noises à une famille de Texans.

Becky caressa la joue de Jacob.

— Nous pensions que maintenant qu'il est hors d'état de nuire, nous pouvions prendre le risque de te rendre visite.

Jacob changea brusquement de sujet de conversation.

— Comment va maman ?

— Elle se bat toujours comme une lionne, répondit Becky.

Elle jeta un coup d'œil en direction du comptoir, où elle aperçut la mine boudeuse de la réceptionniste.

— Cette femme, la réceptionniste…

— Carol, compléta Jacob.

Becky posa un doigt de chaque côté de sa tête.

— Je vois quelque chose.

— Vraiment ? demanda Jacob.

Becky lui adressa un clin d'œil complice.

— Alors, Jake, depuis quand sors-tu avec elle ?

Centre de recherche de Groom Lake, 20 avril 1970

Éric jeta un œil méprisant à la plaque posée sur la porte de l'ancien bureau de son père. *Lieutenant-colonel Marty Erikson.*

— Merci d'être venu, s'exclama Marty en voyant Éric franchir la porte.

Éric lui adressa un sourire qui le fit frémir. C'était le même que celui de son père.

— C'est vous le patron.

— Comment va le bébé ?

— Il se porte comme un charme, répondit Éric sur un ton faussement léger. Mary embellit de jour en jour.

— Écoutez, Éric, enchaîna Marty. J'aimerais vous faire part d'une chose qui me tient à cœur. Ceci afin d'améliorer nos rapports.

Il s'interrompit brièvement avant de continuer.

— Entendez-moi bien. Ce n'est pas dans ma nature de dire du mal des morts. Mais j'ai toujours eu peur de votre père.

— Il avait... disons... une forte personnalité.

— C'est cela. Vous vous souvenez de mon ami Howard Bowen ?

— Il était avec ma mère quand elle a été retrouvée morte.

— Cette nuit-là, Howard m'avait dit qu'il était chargé de conduire votre mère dans une clinique du Minnesota. Dans un centre de rééducation pour alcooliques.

— Et alors ? Howard et ma mère étaient... proches.

— Ça ne m'avait pas frappé, répondit sèchement Marty. Votre père a emprunté une voiture de service cette nuit-là. Quand il est revenu, elle affichait quatre cent dix-sept miles au compteur.

Éric souleva légèrement le menton, comme s'il s'apprêtait à recevoir un coup.

— C'est exactement la distance aller-retour qui sépare Groom Lake de l'endroit où Howard et votre mère ont été assassinés.

Marty s'interrompit. Devant le silence d'Éric, il ajouta :

— Ils ont tous les deux été tués avec l'arme de service d'Howard. Pourtant, il avait perdu son revolver deux jours avant sa mort. Je me rappelle lui avoir demandé dans quelles conditions il l'avait égaré.

Les pièces s'assemblaient dans l'esprit d'Éric : les travaux de son père, le meurtre de sa mère. Il murmura, presque en lui-même :

— Elle buvait énormément. Elle menaçait de révéler son projet.

Face au mutisme de Marty, Éric comprit qu'il venait enfin de découvrir la vérité sur les circonstances de la mort de sa mère, et quelle devait être sa réaction.

— J'apprécie votre franchise, Marty.

Alors qu'il allait prendre congé, Éric serra la main de Marty de manière trop démonstrative.

Il ne lui fallut pas longtemps pour mettre son plan à exécution. Avant la tombée de la nuit, il donna ses instructions à deux membres de la police militaire choisis pour leur discrétion.

Marty allait quitter la base, quand Éric marcha à sa rencontre, escorté par les deux policiers. Le sourire de son père se dessinait sur ses lèvres.

— J'ai vérifié les archives du parc automobile, Marty. La nuit où ma mère a été assassinée, c'est vous qui avez signé le registre, et non mon père. Ce qui fait de vous un complice.

Marty le dévisagea, interloqué. Les deux membres de la police militaire s'avancèrent d'un pas.

— Ces hommes vont vous remettre aux autorités civiles de Carson City. Je suis sûr que la crainte que vous inspirait mon père sera prise en compte par le jury, ainsi que vos états de service.

— Et c'est vous qui piloterez le projet...

— Qui d'autre serait mieux placé ?

— Les chiens ne font pas des chats.

Le sourire d'Éric s'était transformé en un inquiétant rictus.

— Non.

V

MAINTENANCE

1

Lubbock, Texas, 15 octobre 1980

Jacob Clarke se sentait nostalgique alors que la voiture cahotait sur le chemin étroit qui menait à la maison de son enfance. Son frère, Tom, tenait le volant. Derrière discutait sa femme, Carol, avec leur fille de sept ans, Lisa. Ils étaient heureux. Jacob aurait tout donné pour que cet instant ne s'arrête jamais, pour mener une vie normale, et que les choses naissent et meurent selon le rythme implacable de la nature ; une vie ponctuée de petits bonheurs et de drames, où les ténèbres sont chassées par le matin. Il n'aspirait à rien d'autre et, alors qu'il se rapprochait de la demeure de sa mère, il lui sembla que cette sérénité était à portée de main.

— Qu'est-ce que tu écoutes ? demanda Tom sur un ton joyeux.

— Pardon ? demanda Jacob.

— Je parlais à Lisa, s'excusa Tom.

Il tourna la tête vers la banquette arrière, où la fille de Jacob était absorbée par la musique de son baladeur. Carol éclata de rire.

— Elle ne peut pas t'entendre, fit-elle en pointant du doigt les écouteurs.

Tom articula lentement les mots en ouvrant grand la bouche.

— Les Ramones ! s'exclama Lisa.

Tom ramena son attention à la route et fit un signe de tête en direction de la vieille ferme qui venait d'apparaître à l'horizon.

— Elle est comme dans ton souvenir ? demanda-t-il.

Après avoir garé sa voiture, Jacob contempla silencieusement la vieille bâtisse. Le temps avait fait des ravages. Elle avait besoin d'un sérieux ravalement et de nouveaux volets. Les gouttières étaient trouées à divers endroits. En cela, rien ne la distinguait des autres fermes décrépies de la région. Aucun indice ne trahissait les phénomènes extraordinaires qui avaient eu lieu dans ses murs, ou dans la remise en tôle ondulée, ombragée par une poignée d'arbres dégarnis.

À peine l'avait-elle aperçu que Becky se précipita hors de la maison et se jeta dans les bras de Jacob.

— Maman vient juste de se réveiller, dit-elle.

À l'adresse de Carol, elle ajouta :

— Je suis si heureuse que vous soyez tous venus. Maman tenait énormément à voir Lisa avant que…

— Je sais, interrompit Carol d'une voix douce.

Sally était allongée sur son lit, reliée par un tuyau à une machine à oxygène.

Jacob ne l'avait jamais vue si épuisée, si flétrie. Pendant un long moment, il ne put parler. Qu'était-il advenu de la femme forte et déterminée qui aurait soulevé des montagnes pour entrer en contact avec des mondes lointains ?

— Tu es devenu un bel homme, dit Sally d'une voix hésitante. Tu vas bien ?

Chaque mot semblait lui demander un effort considérable. Jacob hocha la tête. Elle sourit, puis ferma les yeux pendant un instant, comme si revoir son fils, après tant d'années, éveillait en elle une émotion presque douloureuse. Quand elle les rouvrit, Carol se tenait devant elle, et Lisa se blottissait timidement contre sa jambe.

— Maman, je te présente ma femme, Carol. Et voici Lisa, ta petite-fille.

Sally se redressa péniblement.

— Lisa, laisse-moi te regarder, murmura-t-elle.

La petite fille s'avança vers le lit de sa grand-mère.

— Allez, dis bonjour, lui demanda Jacob.

— Bonjour mamy.

Sally la dévisagea et sembla, pendant un instant, emportée par le flot de ses souvenirs.

— Elle a les yeux de ton père, confia-t-elle à Jacob.

Il lui prit la main. Une profonde nostalgie se lisait dans les yeux de sa mère. Elle semblait implorer du regard le retour de l'homme venu du ciel, qui l'avait aimée avant de disparaître à tout jamais. Une expression d'extrême lassitude se grava sur son visage et elle se laissa retomber dans son lit froissé.

— Elle pense toujours à lui, n'est-ce pas ? fit remarquer Jacob, quelques heures plus tard, alors qu'il était attablé dans la cuisine face à Tom.

— Je sais qui il était, dit Tom en guise de réponse.

Jacob le considéra d'un air sceptique.

— Pendant la guerre froide, le gouvernement a pratiqué des expériences sur des soldats, commença Tom. Chacun peut le vérifier. Les documents sont accessibles au public. On leur a administré des drogues. J'ai toutes les raisons de croire que ton père était un de ces soldats. Il s'est enfui de la base militaire de Roswell. Owen Crawford l'a repris.

Tom se pencha en avant pour mieux entendre les paroles qui allaient être prononcées.

— Tu tiens tes « dons » de ton père, Jake. Des drogues qu'ils lui ont fait absorber. Et non pas parce qu'il venait de l'espace.

Sa voix prit un ton plus grave.

— Il y a pire, continua-t-il. Ils continuent. Avec des civils, cette fois. Les mêmes expériences. Les mêmes lavages de cerveaux. Les mêmes kidnappings. Certaines de ces personnes croient avoir été enlevées par des extraterrestres, mais elles ne font que répéter ce que le gouvernement veut leur faire croire.

— Des enlèvements par des extraterrestres ? Cela semble un peu tiré par les cheveux comme explication, non ?

Il se reprit aussitôt, conscient d'avoir froissé Tom.

— Je veux dire…

À cet instant, Becky fit irruption dans la pièce.

— Maman est au plus mal, s'écria-t-elle. La morphine semble ne plus faire effet.

Jacob se leva d'un bond et accourut au chevet de sa mère. Il prit sa main et la serra doucement.

— Tout va bien se passer, maman, tout va bien se passer.

— C'est la fin, n'est-ce pas ? dit-elle d'un ton las.

— Pas tout de suite, maman.

Il l'aida à se redresser et glissa un oreiller derrière son dos. Il posa délicatement la main sur son front, puis il se concentra sur la vision, déterminé à la faire apparaître durant les derniers instants de sa vie. Quand il vit ses yeux s'écarquiller d'émerveillement, il sut que l'image venait de se former. Elle porta sa main au lobe de son oreille, en retira quelque chose que Jacob et les autres ne pouvaient distinguer, mais qui avait plus de réalité pour elle que l'air qu'elle respirait.

— John, murmura-t-elle.

Il était là, pareil au jour où elle était tombée follement amoureuse de lui, quand elle avait refermé sa main sur la boucle d'oreille qu'elle venait de lui offrir.

Jacob tendit les mains vers Tom et Becky qui, à leur tour, posèrent leur regard sur leur mère. La vision leur apparut. Une silhouette s'esquissait au milieu d'une lumière aveuglante. Le visiteur venu d'un autre monde était miraculeusement redescendu sur terre.

La silhouette écartait les bras.

Ils échangèrent un bref regard. Tous *l'*avaient vu.

Soudain, elle s'estompa. Les paupières de Sally s'étaient refermées. Elle avait rendu son dernier souffle. Une expression de profonde sérénité se reflétait sur son visage.

Autoroute 375, Nevada, 19 octobre 1980

Éric s'agitait à l'arrière de la jeep qui roulait à tombeau ouvert en direction de Groom Lake. La voix au bout de la ligne du téléphone de voiture était presque inaudible. Ce qu'Éric discernait malgré les grésillements suffisait à le rendre vert de rage.

— Écoute-moi, Ted! hurla-t-il dans le combiné. Il faut à tout prix que ces fonds soient transférés vers le département de recherche en biologie.

Il se tut un instant, les traits tendus par l'impatience.

— Quoi? Trouver des ressources? Occupe-toi de tes affaires. Tu m'entends? Fais ton boulot si tu veux le garder.

Il raccrocha violemment le combiné et lança un regard furieux par la fenêtre.

Ils étaient là. L'armée de crétins en mal de sensations fortes. La foule des curieux. Tous s'étaient donné rendez-vous à Roswell, la destination préférée de tous les illuminés du pays. Éric secoua la tête, atterré par tant de bêtise.

— Nous devrions ouvrir un magasin de souvenirs, tonna-t-il. Et vendre des petits extraterrestres montés en porte-clés.

Il fut secoué d'un éclat de rire plein d'amertume.

Arrivé au centre de recherche de Groom Lake, il sauta de sa jeep et se rendit prestement dans le hangar où il savait que l'attendait son équipe. Plusieurs dizaines de scientifiques et d'ingénieurs placés sous ses ordres, tous dévoués au projet qui avait échappé à son père, mais auquel il s'accrocherait jusqu'au bout

À l'intérieur du hangar, quelques personnes gisaient, inconscientes, sur des brancards, entourées par des hommes, pour la plupart en civil, qui les identifiaient en vue de leur évacuation. Éric balaya la scène du regard, repérant d'un bref coup d'œil ceux qui travaillaient dur et ceux qui, le lendemain matin, trouveraient une lettre de licenciement dans leur casier. Il interrompit soudainement son tri. Pour l'heure, il avait des choses plus importantes à régler. Il se dirigea d'un pas décidé vers la pièce blanche occupée par le docteur Chet Wakeman.

— Je m'occupe de faire transférer les cobayes au milieu du désert, loin de la foule des curieux, disait-il lorsqu'Éric fit irruption dans la pièce.

Son ton plein d'assurance était celui d'un homme heureux d'évoluer dans son élément.

— La foule grossit chaque jour un peu plus, Chet, s'exclama Éric en s'avançant vers la table. On se croirait au cirque.

Un large sourire illumina le visage de Wakeman.

— Quitte à être dans un cirque, mieux vaut être au centre de la piste.

Soudain, sa voix prit un ton lugubre.

— Nous avons dû ouvrir une demi-douzaine de personnes, aujourd'hui, avant d'en trouver un. C'est pire que la pêche à la perle. Mais le jeu en valait la chandelle.

Il se tourna vers la droite, où une vaste paroi de verre donnait sur une salle d'observation meublée d'une table unique, sur laquelle était posée une petite boîte en plomb.

Il s'empara d'un micro avant de donner ses ordres.

— Faites entrer le soldat.

La porte de la salle d'observation s'ouvrit pour laisser apparaître un jeune soldat.

Éric lui donna dix-huit ans. Il devina en lui un grand manque d'expérience, doublé d'une profonde naïveté ; le cobaye idéal. Le soldat s'avança jusqu'au milieu de la pièce, et sursauta en entendant la porte se refermer brutalement derrière lui. Il balaya les murs du regard, sans prêter attention à la petite boîte en plomb qui contenait le spécimen.

Soudain, il se prit à rire. D'un rire qui grossissait à chaque seconde. Un rire désespéré et fou. Il s'interrompit soudainement, et se rua, tête baissée, contre la vitre à travers laquelle Éric observait la scène. Son crâne s'écrasa contre la paroi en verre. Il se redressa et donna un nouveau coup de tête, puis un autre. Son visage n'était plus qu'une plaie luisante.

— Dans le bouddhisme, on nous apprend que la sagesse est accessible à travers l'expérience de la difficulté et de la lutte, commenta Wakeman d'une voix reposée. Quand un homme se met en colère, c'est parce qu'il cherche volontairement l'énergie de cette colère.

La tête du soldat s'écrasa une dernière fois contre la vitre. Wakeman demeurait étrangement indifférent.

— Nous savons que nos petits copains de l'espace ont découvert une corrélation entre la pensée et l'énergie.

Il tourna son regard vers Éric.

— Sept secondes. C'est le temps d'exposition nécessaire à cette chose pour réduire le cerveau de ce soldat en bouillie.

Il tapota la vitre maculée de sang.

— Ces implants ont le pouvoir d'exploiter n'importe quelle pensée, n'importe quel souvenir.

Le soldat s'effondra comme un pantin désarticulé.

— Bien sûr, continua Wakeman, quand elles sont court-circuitées, l'effet est spectaculaire, mais pas directement lié à leur véritable fonction.

— Qui est...

— ... de localiser ceux qui en sont porteurs, répondit Wakeman sans marquer d'hésitation. Ce sont des marqueurs. Des sortes d'empreintes neurologiques.

Il haussa les épaules.

— Nous ne savons pas exactement comment ils fonctionnent. Ni même pourquoi la paroi en verre nous a protégés.

Il sortit de la poche de sa blouse une fiole dont il renversa le contenu. Une demi-douzaine de minuscules implants roulèrent sur la table.

— Nous les avons trouvés dans les cerveaux de patients que nous surveillions depuis des années.

Éric eut un mouvement de recul.

— Ces implants sont vides.

— Vides ?

— Comme de vieilles piles. Ils n'émettent plus.

— Pourquoi ?

— Je dirais qu'ils se sont éteints quand nos cobayes ont cessé de remplir la mission que nos visiteurs leur avaient confiée.

Éric étudia un instant les implants.

— Et si jamais ils se rallumaient ?

Un sourire de gamin excité à l'idée de jouer un mauvais tour se dessina sur le visage de Wakeman.

— Alors, ce serait la fête à tous les étages !

2

Lubbock, Texas, 20 octobre 1980

Jacob contemplait par la fenêtre le paysage aride écrasé par un ciel d'un bleu immaculé. Derrière lui, Becky décrochait une robe de l'armoire de sa mère qu'elle tendit à Tom.

— Tu t'en souviens ? C'était sa préférée. Elle la portait le jour où j'ai reçu mon diplôme. Elle avait été jusqu'à Fort Worth pour l'acheter.

— Tu devrais la garder, suggéra Tom.

Becky serra la robe contre son sein, comme s'il s'agissait de sa défunte mère.

— J'ai beaucoup réfléchi à ce que le prêtre a dit à l'enterrement de maman : comment une mort cruelle nous amène à douter de l'existence de Dieu.

— Les desseins de Dieu et ceux de l'homme sont différents, dit Jacob en se retournant. C'est un principe caractéristique de la science moderne.

— Qu'est-ce que tu entends par là ? demanda Tom.

— La science est très proche de la religion, expliqua Jacob. La seule différence est qu'elle ne nous rassure pas. Elle nous dit qu'il y a un plan, mais qu'une partie de ce plan consiste à ce que nous redevenions poussière.

Becky acquiesça.

— Poussière, répéta-t-elle en écho, les yeux rivés sur la robe de sa mère. J'aurais juste souhaité pouvoir lui parler un peu plus avant qu'elle ne s'en aille.

Des larmes commençaient à perler à ses paupières.

— Je sais, murmura Tom en la prenant dans ses bras.

Jacob luttait contre le chagrin qui lui serrait la gorge. Il sortit de la chambre et marcha jusqu'au porche, où Tom ne tarda pas à le rejoindre.

— Ça va ? demanda-t-il d'une voix douce.

— Juste un peu fatigué.

— À cause de ce que tu as fait pour maman ?

— Je vais bien, je t'assure, répondit Jacob.

Il dévisagea longuement son frère avant d'ajouter :

— Tu ne veux pas croire à ce qui nous est arrivé, à maman et moi, n'est-ce pas ?

— Oui, je me refuse à y croire, Jake, rétorqua calmement Tom.

— Mais, au fond de toi, tu l'as toujours soupçonné ?

— Quelle ironie ! Le plus grand démystificateur du pays se trouve avoir un demi-frère à moitié extra-terrestre.

— Qu'est-ce que tu vas faire maintenant ?

— J'aimerais que tu fasses éclater la vérité.

Un long silence s'installa. Au loin, Carol et Lisa se promenaient le long de la clôture à moitié effondrée.

— Non, je ne peux pas faire ça.

— Mais, Jacob, argua Tom, le monde doit savoir. Tu es la preuve vivante qu'*ils* existent.

— Qu'est-ce que tu veux que je fasse ? Tordre des cuillères à la télé ? M'exhiber dans un cirque ?

— Après cela, les gens sauront.

— Sauront quoi ? Pas pourquoi ils sont venus. Encore moins ce qu'ils veulent.

Il haussa les épaules, résigné.

— De plus, je ne suis pas le seul.

— Comment le sais-tu?

— Je n'en suis pas certain, admit-il. C'est juste que, parfois, j'ai le sentiment qu'il y a... quelqu'un d'autre.

— Comme toi.

Jacob contempla pendant un instant le paysage désolé.

— Le gouvernement a une longueur de retard. Ils fouillent dans toutes les directions possibles.

Il dévisagea Tom d'un air sombre.

— Owen Crawford connaissait la vérité à mon sujet, enchaîna-t-il. Peut-être connaissait-il l'existence de quelqu'un qui me ressemble?

Groom Lake, Nevada, 20 octobre 1980

— Jesse Keys!

Wakeman venait de prononcer ces mots sur le ton de quelqu'un qui vient de trébucher sur une énorme pépite d'or.

Le regard d'Éric se posa sur la photographie en noir et blanc collée sur le moniteur de son ordinateur.

— Un autre des nombreux échecs de mon père, dit-il d'une voix morne.

— Échec?

— Je ne vois pas comment l'appeler autrement, répondit sèchement Éric.

— Ton père ne pouvait pas savoir ce qu'il allait advenir quand il a extrait les implants de Russell Keys. Après tout, il...

— Je ne tiens pas à parler de mon père, interrompit brutalement Éric. Parle-moi plutôt de cet homme. Ce Jesse Keys.

— Une chose est sûre à son sujet.

— Quelle est-elle?

— Il avait une importance capitale à leurs yeux.

— Comment le sais-tu ?

— Parce qu'ils l'ont aidé à s'enfuir de l'abri anti-aérien dans lequel il était enfermé.

— Qu'est-ce que tu crois que cela signifie ?

— Peut-être rien, admit Wakeman. Mais il est clair qu'il y en a qu'ils conservent au chaud, et d'autres dont ils se débarrassent aussitôt après s'en être servis. Jesse Keys appartient à la première catégorie. En poussant les recherches génétiques, j'espère découvrir ce qui les intéresse tant chez lui et pourquoi ils le protègent.

— La génétique, répéta Éric, l'air songeur. Qu'as-tu appris au sujet de ces deux frères en Alaska ?

— À mon humble avis, il s'agit de croisements qui ont échoué. Tout comme le gosse que ton père a tenté de ramener du Texas.

Une lueur venait de s'allumer dans les yeux d'Éric.

— Tu saisis ce qu'ils sont en train de faire ?

Éric sentit un frisson d'excitation lui remonter le dos.

— Non.

— Tout ce qu'ils peuvent.

Ses doigts s'agitèrent frénétiquement sur le clavier de son ordinateur.

— Ce programme a été mis au point par le FBI pour dresser un portrait-robot de ce à quoi pourraient ressembler les fugitifs, des dizaines d'années après leur disparition.

Il frappa la touche Entrée et attendit qu'apparaisse à l'écran une photo virtuelle de Jesse Keys à l'âge adulte.

— Je mettrais ma main à couper que ce Jesse Keys est toujours en vie, et je ne vois qu'une solution pour découvrir ce qui les attire chez lui : lui demander.

Autoroute 50, Missouri, 21 octobre 1980

Un appel d'urgence venait de retentir. Jesse Keys se pencha d'un mouvement vif vers son micro.

— Oui?

— Chef, il vient de se produire un carambolage sur Old Cayton Road. Un bus rempli à craquer de collégiens. Les auxiliaires médicaux sont déjà sur place.

— J'arrive tout de suite.

Quand, quelques minutes plus tard, Jesse arriva sur les lieux de la collision, il fut sidéré par l'étendue du désastre. Le bus s'était littéralement désintégré contre un pylône électrique. Des dizaines de véhicules étaient emboutis les uns dans les autres. Des hurlements s'élevaient de la tôle froissée. Sur la voie inverse de l'autoroute, les voitures s'étaient arrêtées, bloquant tout le trafic.

— Quelle est la situation, Bobby? demanda-t-il au premier médecin qu'il aperçut.

— Des gosses de retour de Milton, répondit Bobby, le souffle court. On a deux garçons sérieusement amochés. Ils sont déjà dans l'ambulance. Une fille est toujours coincée à l'intérieur. On dirait que la colonne vertébrale est atteinte. On essaie de la sortir de là.

Jesse se précipita vers l'autocar. Une minerve avait été passée autour du cou de la fille. Jesse se baissa pour l'ajuster légèrement.

— Mes amis? demanda la fille.

— Ils sont en route vers l'hôpital.

— Et Kevin?

Jesse secoua la tête.

Les yeux de la jeune fille roulèrent en arrière. Elle allait perdre conscience quand Jesse sortit un crayon de sa poche et cria:

— Écoute, tu peux me rendre un service ?

— Quoi ? balbutia la jeune fille.

— Peux-tu garder la tête droite et suivre ce stylo avec tes yeux ?

Elle devait fournir un effort considérable pour se concentrer sur l'objet qui se balançait devant elle.

— Très bien ! s'exclama Jesse en glissant le stylo dans sa poche. On va te sortir de là en un rien de temps. Contente-toi de garder les yeux ouverts en maintenant ta tête droite.

Il se leva et balaya la scène du regard : des voitures éventrées, du bitume maculé de sang, des gyrophares, des automobilistes fascinés par le spectacle de la mort.

Ces images, vues mille fois, lui étaient devenues indifférentes. Soudain, il aperçut Bobby, agenouillé dans un champ de blé.

— Désolé, chef. C'est juste que...

— C'est normal, le rassura Jesse. La première fois, j'ai vomi mon déjeuner sur les chaussures de mon chef.

Il donna une tape amicale sur l'épaule de Bobby.

— Et rappelle-toi une chose : quand tu mets les pieds sur les lieux d'un accident, chaque geste que tu peux faire, si dérisoire soit-il, soulage la peine de ces gens.

Il sortit le stylo de sa poche et fit un signe en direction de la jeune femme prisonnière du métal.

— Force-la à le fixer. Il faut l'empêcher, à tout prix, de regarder par le trou du pare-brise.

Bobby acquiesça.

— Merci, chef.

La circulation reprenait progressivement. Jesse se posta au milieu des deux voies, scrutant ce qui aurait pu échapper à la vigilance des pompiers et des médecins. Les ambulanciers rangeaient leur matériel. Un policier ordonnait aux curieux de passer leur chemin à coups de sifflet. Un homme grand, au visage émacié, fumait une cigarette à côté de son camion sur lequel était peint à la main : « FÊTE FORAINE ITINÉRANTE. » Le sang de Jesse se glaça. C'était lui. Le même homme qui l'avait pourchassé le long de l'allée quand il était enfant.

Le forain lui fit un signe de tête, comme à une vieille connaissance. Jesse se sentit soudain animé d'une colère froide. Il avança vers l'homme, la rage au ventre. Les voitures pilaient sur son passage, ou faisaient de grandes embardées pour l'éviter. Il allait poser le pied sur la voie d'urgence quand une lumière violente l'aveugla.

Il se réveilla allongé au milieu de la route déserte. Rien ne subsistait de l'accident, mis à part quelques débris de verre épars. La nuit tombait lentement sur la campagne.

Le lendemain, alors qu'il tondait le gazon, Jesse essayait en vain de se rappeler les heures qui lui avaient été volées. Il n'avait pas prévu de passer la tondeuse ce jour-là. Mais, après cet incident, il voulait trouver un peu de réconfort dans l'exécution de tâches à la fois machinales et routinières.

Son fils de neuf ans, Charlie, marchait à ses côtés en donnant des coups de pied dans l'herbe coupée.

— Savais-tu que douze personnes sont allées sur la lune depuis 1969 ? demanda-t-il.

Jesse secoua la tête et arrêta la tondeuse.

— Non, j'ignorais qu'il y en avait autant.

— Mon exposé portera sur le premier vol. Ce sera une pièce de théâtre.

— J'y serai.

Charlie était aux anges.

— Même s'il y a un accident ?

— Je demanderai à quelqu'un de me remplacer.

— L'accident d'hier? demanda Charlie d'une voix hésitante. Tous les gens s'en sont sortis?

— La plupart.

— Tu vas bien?

Jesse arrêta de pousser sa tondeuse et dévisagea son fils. Il se demandait quels changements dans son attitude avaient pu indiquer à Charlie qu'il était... différent.

— Je vais bien.

À l'évidence, sa réponse ne le satisfaisait pas. Quelque chose était arrivé à son père. Il en était certain sans être, pour autant, capable de mettre le doigt dessus. Conscient de cette gêne, Jesse préféra changer de sujet. Il détacha le sac de la tondeuse, qu'il retourna à l'endroit où s'empilait un tas d'herbe sèche.

— Et si on arrosait le jardin avant que ta mère ne rentre?

Après avoir ouvert le robinet, le tuyau se mit à bouger de façon étrange, comme s'il était animé d'une vie propre, comme s'il s'agissait d'un serpent. Un sentiment de terreur s'empara de Jesse. Il laissa tomber le tuyau et le fixa du regard, prêt à bondir en arrière au cas où il se dresserait pour l'attaquer.

— Jesse.

La peur lui tordait les entrailles.

— Chéri, que se passe-t-il?

Amelia se tenait juste derrière lui. Jesse se retourna lentement, incapable de prononcer un mot. L'effroi se lisait dans ses yeux.

Il sentit une étrange démangeaison sur sa poitrine, comme s'il avait été mordu. Il se dirigea à grands pas vers la maison. De la fenêtre de la salle de bains, il pouvait entendre Amelia et Charlie murmurer des paroles inquiètes.

La démangeaison se réveilla violemment, aiguë et douloureuse, comme une morsure. Il souleva sa chemise. Ce qu'il voyait était si effroyable qu'il peinait à le croire. Pourtant, la marque ne laissait pas de place au doute. Il ne s'agissait pas d'une morsure, ou d'une plaque d'allergie, mais de la trace brûlante d'une main à quatre doigts.

Las Vegas, Nevada, 28 octobre 1980

Éric sirotait son café en feuilletant le journal du matin. Reagan était en tête des sondages. La crise des otages de l'ambassade d'Iran n'avait trouvé aucune issue.

— Cette histoire d'otages est le parfait exemple de ce qui arrive lorsqu'on se montre faible avec l'ennemi, marmonna-t-il. Nous aurions dû intervenir pour les libérer, quel qu'en fût le prix.

Sa fille Mary leva les yeux de son bol de céréales.

— Mon professeur dit que si nous l'avions fait, à l'heure qu'il est, ils seraient tous morts.

— Peut-être. Mais les Iraniens y auraient regardé à deux fois avant de recommencer.

— Pourrions-nous parler d'autre chose ? coupa Julie en s'asseyant à table.

Éric replongea dans sa lecture. Il n'avait raté aucun des reportages sur les « soucoupes volantes » dans le ciel du Maine, qui faisaient les gros titres des journaux depuis quelques jours. Chaque fois, il avait ressenti les frémissements d'un changement, une nouvelle brèche dans sa solitude. À l'exception de l'incident de Roswell, l'Occident avait prêté peu d'attention aux phénomènes extraterrestres. *Quel intérêt*, se demanda-t-il, *à rester dans une zone où les ovnis n'étaient jamais revenus ? Si l'on veut chasser l'ours polaire, mieux vaut se rendre dans l'Arctique.* Ces derniers jours, il lui était apparu comme une évidence que, s'il voulait parachever le travail de son père, il devait chercher ailleurs. D'une certaine façon, Owen avait vécu comme un chasseur à l'affût, attendant que sa proie vienne à lui, plutôt que de la poursuivre.

La décision s'imposa à lui comme un coup de tonnerre.

— Je crois que nous devrions déménager, annonça-t-il.

Julie réfléchit un instant avant de suggérer :

— Un peu plus à l'écart du centre-ville ?

— Non, dans le Maine.

— Ne crois-tu pas que ce soit un peu soudain ? demanda Julie, ébahie par la proposition d'Éric.

Mary adressa à son père un sourire entendu.

— Ne serait-ce pas parce qu'il y a des soucoupes volantes dans le Maine ?

Éric lui décocha un regard où se lisait à la fois de l'étonnement et de l'admiration.

— Comment le sais-tu ?

— Dylan Peters dit qu'avec sa famille ils ont pris des photos de soucoupes volantes, mais qu'aucune n'est sortie au développement, et que tu étais le militaire qui s'occupe des ovnis et tout ça…

— Tu sais que tu es une petite fille très intelligente, dit Éric avec fierté.

Il se tourna vers Julie.

— Je pense que cette décision est la meilleure.

Missouri, 28 octobre 1980

Jesse lisait un livre sans prêter attention aux mots qui défilaient devant ses yeux. Son esprit était ailleurs. Il pensait à un événement qui s'était déroulé quelques jours plus tôt.

Au cours d'une nuit comme celle-ci, claire et glaciale, une agitation terrible s'était emparée de lui. Il s'était levé en prenant soin de ne pas réveiller Amelia, s'était habillé à la va-vite et avait pris les clés de sa voiture.

Un quart d'heure plus tard, il était arrivé sur les lieux de l'accident sur lequel il était intervenu, quelques jours plus tôt. Il était descendu de sa voiture. Le vent faisait ondoyer les jeunes pousses de blé du champ voisin. Il s'était retourné brusquement. Un fermier armé d'un fusil venait de l'interpeller. Jesse avait cru entendre : « Alors, on est venu voir mon champ irradié ? » L'agriculteur avait baissé son arme quand il avait reconnu l'homme qui avait sauvé la vie de son fils l'année passée.

Peu après, le fermier l'avait accompagné à l'endroit où un gigantesque cercle de blé brûlé s'étalait sur son champ.

— On dirait une soucoupe volante, n'est-ce pas ? avait-il suggéré, faisant écho à la pensée de Jesse.

Une soucoupe volante. Les mots retentissaient encore dans son esprit. Quand, en levant les yeux de son livre, il vit une lumière se refléter dans le miroir au-dessus de la cheminée, il se sentait étrangement prêt.

Il prit une longue inspiration. *Ils* étaient revenus. Mais cette fois, cela se passerait différemment. Il se leva d'un bond. Cette fois, il allait se battre. Il renversa la table en se ruant hors de la maison. Une boule lumineuse flottait au-dessus de la rue. Son éclat s'intensifiait à mesure qu'elle s'approchait du sol.

— Que voulez-vous ? hurla Jesse. Foutez-moi la paix !

— Papa ?

Charlie lui faisait un signe de la main. À ses côtés, Amelia ouvrait de grands yeux effrayés. Elle était encombrée de sacs à provisions et venait de garer sa voiture, dont les phares éclairaient la scène.

— Rentre à la maison, papa.

Plus tard dans la nuit, alors qu'il était allongé dans son lit à côté d'Amelia, il sut que le moment était venu de tout lui dire : comment ils l'avaient sauvé du temple au Vietnam, pourquoi il pensait qu'ils étaient ses anges gardiens et comment, à plusieurs reprises, il avait volontairement mis sa vie en danger pour voir si, à nouveau, ils viendraient à sa rescousse. Il ne s'arrêta pas là. Il voulait qu'elle sache tout. Alors, seulement, elle pourrait le juger. Il dévoila ses secrets les uns après les autres. Sans souci de chronologie. Les mots se bousculaient. Il lui avoua dans quelles conditions il avait été « enlevé » de l'abri antiaérien, pourquoi il était devenu un homme traqué, non seulement par les extraterrestres, mais aussi par des militaires ; pourquoi il avait adopté un nouveau nom et s'était enrôlé afin de se cacher. Enfin, il lui montra l'empreinte rouge étalée sur sa poitrine.

Amelia ne vit qu'une rougeur.

— Peut-être que… toutes ces choses sont dans ta tête, avança-t-elle avec précaution.

— Ne vois-tu pas une main ?

— Nous avons traversé des moments difficiles, murmura-t-elle en lui caressant tendrement la joue. Nous nous en sommes toujours sortis. Nous nous en sortirons encore cette fois-ci. Mais je t'en conjure… s'il te plaît, Jesse, il faut que tu parles à quelqu'un.

Il secoua la tête.

— Je sais déjà ce qu'ils me diront : qu'il s'agit d'une tumeur. Comme celle qui a tué mon père. Il y a quelque chose dans ma tête, Amelia, mais ce n'est pas une tumeur. C'est quelque chose qu'ils y ont mis. Quelque chose qui les renseigne sur moi.

Malgré la pénombre, il lisait dans son regard qu'elle croyait le voir sombrer lentement dans la folie.

— Jesse, écoute-moi, pour l'amour de Dieu, tu dois consulter. Si tu ne le fais pas pour moi, fais-le au moins pour Charlie.

Charlie. Oh, combien il souhaitait rester en vie et en bonne santé pour le voir grandir !

— Très bien. J'irai consulter.

Il consulta le docteur Findlay le lendemain même, se soumit à une batterie de tests et revint, quelques jours plus tard, pour en connaître les résultats. Le diagnostic ne fit que confirmer ses craintes.

— La tumeur est très petite, annonça le docteur Findlay. Je ne vois pas d'augmentation du taux de fluide... mais cela pourrait, néanmoins, expliquer vos changements de comportement récents.

À quoi bon s'épuiser à le convaincre qu'il ne s'agit pas d'une tumeur, songea Jesse.

Le docteur lui tendit une petite carte sur laquelle étaient imprimés un nom et une adresse.

— Le docteur Franklin Traub. C'est le meilleur du pays.

Jesse rangea la carte dans sa poche. Il devinait la suite. Le docteur Traub allait lui recommander une intervention chirurgicale qui pourrait lui être fatale, tout comme elle l'avait été pour son père. Alors, il emporterait son effroyable secret dans la tombe. L'espace d'un instant, cette mort lui apparut comme une douce issue. Pour lui et... pour sa famille.

Lubbock, Texas, 29 octobre 1980

Jacob et Becky avaient le regard rivé sur l'écran de télévision où Tom conversait comme une célébrité avec le présentateur. Il lui expliquait calmement que des gens étaient régulièrement enlevés par des extraterrestres dont il montra un dessin. Il estimait leur taille à un mètre trente environ, avec des crânes en forme de poire, des yeux en amande, des bras pendant jusqu'aux genoux et des doigts fins constitués de quatre phalanges.

— Tu vas voir, d'une minute à l'autre, il va nous faire un tour de cartes.

Becky lui décocha un regard sombre.

— J'ai toujours su, Jake. Toujours. Mais je n'ai jamais cru que la machine que maman construisait dans le garage attirerait l'attention de ton père.

Jacob était concentré sur l'écran. Tom expliquait que, lui, le plus célèbre pourfendeur de charlatans du pays, avait été amené à se ranger du côté de ceux qui prétendaient avoir été enlevés par des extraterrestres. Il attribuait ce revirement à une expérience personnelle dont il ne pouvait parler ouvertement.

Jacob secoua la tête. *Personne ne le croira*, pensait-il, *à l'exception d'une poignée d'illuminés*. Mais le prix à payer serait énorme. Il deviendrait la risée de tous, on le raillerait sans fin. Des histoires drôles circuleraient sur son compte. Les gens changeraient de trottoir pour éviter de croiser son chemin.

Jacob tourna la tête vers Carol qui lisait une histoire à Lisa, assise sur ses genoux. Leur bonheur était précaire, un rien pouvait le faire voler en éclats.

Il posa à nouveau son regard sur le poste de télévision. Le public riait à gorge déployée. *Oh, non !* pensa-t-il. *Oh, non !*

Clinique de River, Saint Paul, Minnesota, 30 octobre 1980

Jesse et Amelia attendaient dans le bureau du docteur Traub qu'il leur dévoile le résultat des examens. Face à eux, le docteur avait la main posée sur un dossier mince.

— Vous aviez raison, dit-il à Jesse. Il ne s'agit pas d'une tumeur.

Jesse resta un instant interloqué. On le croyait enfin. Un docteur, un scientifique confirmait ce que tous, jusqu'à présent, avaient toujours voulu ignorer. Il n'était plus seul.

— C'est très petit, continua Traub. Cela a l'air métallique. Où avez-vous grandi ?

— Dans l'Illinois.

— Avez-vous déjà été exposé à des produits chimiques ?

— De l'héroïne, confessa Jesse.

— Et vous dites que votre père avait une tumeur similaire ?

— Pas similaire.

— Non ?

— Identique.

— Je vois, répondit le docteur avec un sourire rassurant. On constate parfois ce genre de dépôt chez les personnes travaillant en contact avec certains produits chimiques. Il s'agit de corps étrangers qui se forment à cet endroit, car le corps ne sait pas s'en débarrasser autrement. Vous serez sûrement soulagé d'apprendre que cela peut être soigné sans recours à la chirurgie. Nous utilisons des ultrasons que nous dirigeons sur le dépôt pour le désagréger. Une fois le traitement commencé, c'est une question de jours avant qu'il ne disparaisse complètement.

Jesse regarda Amelia, puis le docteur Traub.

— Pas d'opération? fit-il sur un ton où se mêlaient la joie et l'incrédulité.

Le docteur hocha la tête.

— Donc, si vous retirez cette chose de mon cerveau, alors... ils me laisseront enfin en paix?

Jesse venait de prononcer ces mots avec hésitation, comme s'il craignait la réponse du docteur.

— Ils?

— Cela n'a pas d'importance, soupira Jesse.

Traub le fixait avec un regard bienfaisant.

— Vous ne croyez pas qu'il s'agit d'un dépôt métallique, Jesse?

— Vous avez votre opinion. J'ai la mienne.

— Pourquoi êtes-vous ici, si vous pensez que je ne peux pas vous aider?

— Vous devez m'aider.

Son visage se rembrunit.

— Vous devez me débarrasser de cette chose. Je me contrefiche de ce que c'est. J'ai un fils de neuf ans. Je ne veux pas qu'il lui arrive du mal... à cause de cette chose dans ma tête.

Le docteur Traub lui adressa un sourire rassurant, que démentait son regard calculateur.

— Ne vous inquiétez pas. Bientôt, tout cela sera du passé.

Las Vegas, Nevada, 1er novembre 1980

La maison n'était que chaos, et Éric n'avait qu'une envie : s'en échapper. Des monceaux de boîtes et de cartons avaient envahi les couloirs. Mary hurlait qu'elle ne voulait pas que sa maison de poupée soit emballée. Julie hurlait qu'elle voulait qu'elle la range sur-le-champ. Dans ce tumulte, Éric accueillit avec soulagement la sonnerie qui venait de retentir à la porte.

Chet Wakeman se tenait sous le porche. Il semblait aux anges.

— On a une chance du tonnerre, Éric. Jesse Keys se trouve dans une clinique du Minnesota.

— Comment le sais-tu ? demanda Éric, interloqué.

— J'ai un contact, là-bas. Le docteur Traub. Il apparaît que Keys est venu le consulter à la suite de troubles du comportement. Traub a identifié la même sorte de « tumeur » que celle retrouvée dans le crâne du père de Keys.

Il claqua dans ses mains, ravi.

— Nous le tenons !

— Que comptes-tu faire de lui ? demanda Éric.

Wakeman esquissa un sourire.

— Je réfléchis. Je réfléchis.

— Pendant que tu réfléchis, fais attention à ne pas le laisser filer, commenta Éric avec un peu d'impatience dans la voix. Je ne répéterai pas les erreurs de mon père.

— Ton père est mort depuis combien de temps ? Huit ans ?

Éric acquiesça.

— Tu ne penses donc pas qu'il serait temps de lui foutre la paix ?

Un voile noir passa sur son visage.

— Nous ne le perdrons pas, fit Wakeman en haussant les épaules. Un de nos hommes a inspecté les vieux dossiers, à la recherche d'éléments qui auraient pu nous échapper. Il a trouvé ceci.

Éric parcourut brièvement le document que lui tendait Wakeman. Il s'agissait du relevé des inscriptions recouvrant l'objet métallique que son père conservait dans le coffre-fort de son bureau. Rien sur son visage ne trahissait qu'il les connaissait.

— Une idée de ce dont il peut s'agir ? demanda Wakeman.

— On dirait les hiéroglyphes provenant du tombeau en Alaska.

— C'est ce que j'ai d'abord pensé. Mais celles-ci datent de 1947, et la chambre funéraire en Alaska n'a été découverte qu'en 1970.

— Tu es parvenu à les traduire ?

— Malheureusement, non. Mais je sais que nous approchons du but, maintenant qu'on a mis la main sur ce Jesse Keys. Les gars de la génétique avancent à grands pas. Chaque jour, ils en savent un peu plus sur les implants.

Il s'interrompit et dévisagea Éric d'un œil sombre.

— Y a-t-il quelque chose que tu aimerais partager ?

— Tu sais tout ce que je sais.

Chet Wakeman l'étudia pendant un moment. Puis, son regard se posa sur son bureau où étaient posés deux livres de Tom Clarke.

— Qu'est-ce que c'est ? demanda-t-il.

— Tu ne l'as pas vu, à la télé, l'autre jour ? Parler du complot ourdi par le gouvernement pour dissimuler la présence d'extraterrestres sur terre ?

Il laissa échapper un rire nerveux avant de continuer :

— Le bonhomme se prend pour les Woodward et Bernstein des enlèvements par des petits hommes verts[1].

Wakeman n'avait pas décollé son regard des ouvrages.

— Hmm, Tom Clarke ?

— Tom Clarke, répéta Éric. Le même homme qui affirmait que notre programme était un monceau de foutaises. Celui-là même qui a dessiné le signe de la

---

1. Journalistes du *Washington Post* ayant révélé le scandale du Watergate. *(N.d.T.)*

paix qui a coûté son travail à mon père. Voilà que maintenant il croit !

— On dirait !

Éric n'avait cessé de retourner dans sa tête les raisons de la soudaine conversion de ce sceptique invétéré.

— Je finirai bien par découvrir ce qui lui a fait changer d'avis.

École élémentaire de Centerville, Dallas, Texas, 2 novembre 1980

La voiture de Becky venait de marquer un arrêt au feu rouge. Éric sut que le moment était venu. Il s'approcha d'un pas vif, ouvrit la portière et se glissa sur le siège du passager.

— Ne craignez rien, dit-il en lui montrant sa carte officielle. Continuez de rouler.

— Qui êtes-vous ? demanda Becky.

— Contentez-vous de rouler, répéta Éric. Je vous le dirai quand nous serons au parc.

Becky le dévisagea avec appréhension.

— Si j'avais l'intention de vous tuer, est-ce que je vous emmènerais dans un lieu public ? demanda Éric avec un sourire.

Arrivé au parc, Éric escorta Becky jusqu'à un banc.

— Vous êtes bien plus jolie que je ne le pensais, dit-il. Les clichés des caméras de surveillance ne rendent pas justice à votre beauté.

— J'imagine que vous ne m'avez pas prise en otage pour me faire des compliments ? demanda-t-elle nerveusement.

— Je m'appelle Éric Crawford. Je suis ici parce que votre frère a changé subitement de camp. Aujourd'hui, il croit.

Becky ne répondit pas. Son regard était perdu dans les arbres du parc.

— Vous ressemblez beaucoup à votre mère, continua Éric.

Elle se tourna vers lui.

— C'est ce qu'on dit.

— Mon père était un salaud. Ce qu'il a fait à ma mère est impardonnable. Mais j'imagine qu'il avait ses raisons. Il a trouvé un vaisseau spatial dans le désert du Nouveau-Mexique. Il y avait quatre corps à bord de ce vaisseau. Et cinq sièges. Il s'est rendu chez vous pour chercher le cinquième passager. Depuis, il n'a jamais cessé de chercher. Et quand il est mort, j'ai pris la relève.

Il se pencha en avant. Son visage avait pris un air grave.

— Cette planète a été visitée des milliers de fois, depuis que mon père a découvert le vaisseau. Des gens ont été enlevés. Des expériences ont été pratiquées sur eux. Mais nous ne savons toujours pas ce que font les extraterrestres, ni ce qu'ils attendent de nous. Mon père était un homme dur, Becky. Mais ce qu'il voulait accomplir était raisonnable, compte tenu de la menace que ces extraterrestres font peser sur la terre. Probablement la pire que nous ayons jamais connue.

Il baissa la voix, comme s'il voulait lui confier un lourd secret.

— Je ne vous demande pas de me révéler ce qui a fait changer votre frère. Du moins, pas pour l'instant. J'aimerais vous demander un autre service.

— Quoi ? demanda Becky.

Le sourire de Crawford père se dessina sur son visage.

— Dîner avec moi.

Clinique de River, 2 novembre 1980

Le docteur Traub leva les yeux au moment où Wakeman entra dans son bureau.

— Il y a du nouveau, déclara Wakeman en faisant tomber une liasse de feuilles devant le docteur. Mes hommes sont parvenus à identifier le signal émis par l'appareil de localisation. Il est extrêmement faible. Il suffit donc de l'amplifier pour le renvoyer à... nos petits copains.

— Vous voulez dire à leur transmetteur ?

— Peut-être un transmetteur organique, répondit-il avec un sourire satisfait. Un cerveau, par exemple.

Il s'assit sur la chaise posée en face du bureau de Traub.

— L'énergie de la pensée... de l'esprit. Voilà pourquoi Jesse Keys a tant d'importance à leurs yeux. Il est leur émetteur. Et bien sûr, il n'y a qu'une façon de savoir s'il est réellement leur émetteur.

— Comment ?

— L'éteindre.

La suggestion choquait visiblement le docteur Traub.

— Vous voulez dire... le tuer ?

— Tôt ou tard, notre heure finit par sonner, répondit Wakeman sur un ton léger. Et puis, c'est une question de sécurité nationale.

Traub s'enfonça dans son fauteuil et dévisagea son interlocuteur d'un regard accusateur.

— Il est hors de question que vous fassiez cela ici.

Wakeman éclata de rire.

— Quelle mouche vous pique, docteur ? Je vais le ramener dans le Nevada.

— Très bien.

— Mais j'aimerais que vous prépariez le terrain, si vous n'y voyez pas d'objection.

— De quelle façon ?

— En lui disant que vous avez accompli tout votre possible et qu'il est de son intérêt de se rendre à la clinique de Brazel.

Traub acquiesça.

— Si, comme vous le prétendez, il s'agit d'un émetteur et que vous le fermez, vous pensez réellement que nos visiteurs vont accourir ?

Wakeman laissa échapper un petit rire sardonique.

— On rigolerait bien s'ils montraient le bout de leurs nez, non ?

Dallas, Texas, 3 novembre 1980

Becky montrait des signes d'impatience quand Éric vint la chercher en voiture. Il était persuadé de l'avoir conquise.

— Jolie robe, fit-il d'un ton admiratif.

— C'était la préférée de ma mère.

Il lui prit le bras et ouvrit sa portière.

— Un avion nous attend.

— Et dites-moi pourquoi je devrais monter dans un avion avec vous ?

— Vous serez rentrée chez vous avant deux heures, répondit Éric, un grand sourire aux lèvres. Parole de gentleman.

Pauvre Becky qui semblait croire que sa résistance faisait illusion !

Une table avait été dressée à bord de l'avion. Une bouteille de champagne y était posée entre deux chandeliers.

— Je vois que vous savez vous y prendre avec les femmes, constata Becky sur un ton ironique.

Le dîner fut vite expédié. À chaque éclat de rire, à chaque gorgée de champagne, Éric sentait la jeune femme tomber un peu plus sous son emprise. Tout provoquait en elle l'hilarité : le gouvernement, la loi, et même les théories étranges de Tom.

— Quand on grandit à Las Vegas, on rencontre toutes sortes de gens bizarres.

— C'est certain.

Elle baissa les yeux sur son assiette.

— J'ai l'habitude de me contenter des restes.

Il eut un bref éclat de rire avant de prendre un ton sérieux.

— Je me suis marié très jeune. Elle était la première femme avec qui j'aie couché. Elle est tombée enceinte après notre premier rapport. Alors, je me suis marié. Tous les moyens étaient bons pour prouver à mon père que j'étais devenu un homme.

— J'avais simplement besoin de savoir qui j'étais, enchaîna Becky, emportée dans ses pensées ; besoin de trouver un endroit où je ne serais plus seulement la petite sœur de Tom Clarke.

— L'ombre du frère, commenta Éric. Pour moi aussi, tout se passait comme si le soleil tournait autour de mon frère, Sam.

— Oui, continua Becky, comme si elle se parlait à elle-même. On veut, à tout prix, fuir ses parents. On croit être mûr. Et notre passé nous rattrape, des années plus tard.

L'avion atterrit sur une piste abandonnée perdue au milieu du désert.

— J'aimerais vous montrer quelque chose, dit Éric.

Ils sortirent de l'avion et traversèrent la piste en direction d'un vaste bâtiment. Ils longèrent un couloir, éclairé par des néons aveuglants, qui conduisait à une porte close. Il l'invita à la pousser.

— Voilà ce que je voulais vous montrer, dit-il en allumant la lumière.

Elle ouvrit des yeux émerveillés sur un gigantesque bocal renfermant un petit corps au crâne en forme de poire et aux yeux en amande.

— Impressionnant, n'est-ce pas ? murmura-t-il.

Il la prit par le bras et s'approcha de la créature.

— Il m'arrive de venir ici tout seul. Je passe des heures à la regarder. Je ne peux m'empêcher de penser que, si je la fixe suffisamment longtemps, je finirai par comprendre.

Becky porta sa main à sa gorge.

— Merci, Éric, de partager ce secret avec moi.

Il lui caressa les cheveux.

— D'abord, ce n'était pas mon intention, et puis...

Il la prit dans ses bras. Elle le dévisagea gravement.

— Tom dit que vous avez enlevé des gens et pratiqué des expériences sur eux.

Son étreinte se resserra.

— Je vous donne ma parole, Becky. Je n'ai jamais fait de mal à personne.

Le premier baiser fut tendre, le deuxième passionné. Becky se sentait fondre sous la chaleur de ses lèvres. Elle avait perdu toute conscience du temps et de l'espace. Lui aussi s'abandonnait. Plus rien n'existait que la bouche qui s'offrait à lui ; ni les lampes au néon, ni les machines, ni même la créature enfermée dans le bocal, qui les regardait avec ses grands yeux.

3

Autoroute 23, Wisconsin, 6 novembre 1980

Tout s'était passé si vite. Alors qu'il était assis confortablement à côté du chauffeur, Jesse peinait à remettre de l'ordre dans l'enchaînement des événements. D'abord, le docteur Traub lui avait annoncé que le dépôt ne se désagrégerait pas aussi rapidement qu'il l'espérait. Puis, il avait été présenté au docteur Patterson, à la clinique de Brazel, où Traub l'avait invité à se rendre pour subir une intervention chirurgicale. Patterson ne lui avait pas laissé le temps de joindre son fils.

Le chauffeur fut le premier à rompre le silence.

— Vaste pays, n'est-ce pas ?

— Oui, répondit-il d'un ton morne.

L'homme grand et mince portait un long tee-shirt froissé. *Étrange tenue pour un docteur,* songea Jesse.

— On va vous débarrasser de la chose dans votre tête. Et alors, vous pourrez dire adieu aux petits hommes gris.

— J'espère.

Ils roulèrent en silence pendant un long moment. Jesse avait toujours l'esprit occupé par les turbulences qu'il avait traversées les jours précédents : ses aveux à Amelia, l'insistance de celle-ci pour qu'il consulte le docteur Traub, la bienveillance du docteur...

Il interrompit soudainement le fil de ses pensées. Les petits hommes gris. Il n'en avait jamais fait part au docteur.

Il se tourna vers le chauffeur.

— Je n'ai jamais parlé de petits hommes gris au docteur Traub.

L'homme haussa les épaules.

— Simple supposition.

Jesse acquiesça. Il prépara rapidement un plan qu'il mit aussitôt à exécution. Le coup projeta la tête du chauffeur contre la vitre. La violence du choc souleva son tee-shirt et fit apparaître un .45 magnum passé dans sa ceinture.

Jesse s'empara du revolver, arrêta la voiture et allongea le corps inanimé du chauffeur sur la banquette arrière. Installé au volant, il fit demi-tour et fonça pied au plancher vers le Missouri, déterminé à sauver son fils avant qu'il ne soit... enlevé.

Charlie se tenait debout, au tableau, face à ses camarades de classe.

— C'est un petit pas pour l'humanité... je veux dire pour l'homme, et un grand bond pour l'humanité.

Ses yeux étaient rivés sur le siège vacant, où il aurait tant aimé voir son père rayonner de fierté.

La porte s'ouvrit brusquement. Il était là, haletant et souriant.

— Je n'arrive pas à croire que tu sois venu, s'exclama Charlie en courant à sa rencontre.

Il bondit dans ses bras. Des larmes de joie lui perlaient aux paupières.

— Nous devons partir, murmura Jesse en le déposant à terre.

Sur ces mots, il le prit par la main et le guida jusqu'à sa voiture.

— Où allons-nous? demanda Charlie.

Son père enfonça l'accélérateur en guise de réponse. Quelques instants plus tard, ils arrivèrent sur une section d'autoroute que Charlie avait déjà vue sur des photos, dans les journaux. C'était là qu'avait eu lieu le terrible accident. Son père rangea son véhicule sur le bas-côté et écrasa les freins. Les pneus crissèrent sur le bitume.

— Papa, pourquoi nous arrêtons-nous?

Aucune réponse. Son père se contenta de lui prendre la main avant de le faire sortir de la voiture. Au bord de la route, un champ de blé ondoyait sous la caresse du vent. Le bruit d'un moteur attira l'attention de Charlie. Il regarda par-dessus son épaule et vit la voiture de son père s'arrêter un peu plus loin. Un homme en sortit. Son père !

— Papa ! s'exclama Charlie en levant les yeux sur l'homme qui lui tenait la main.

Jesse se mit à courir dans sa direction.

— Charlie, sors de ce champ ! supplia Jesse. Viens vers moi !

Son autre père s'arrêta brusquement et regarda Charlie droit dans les yeux.

— Ce n'est pas ton père.

— Ne l'écoute pas, cria Jesse.

L'enfant ne savait plus où donner de la tête.

— Charlie, c'est moi, implora l'homme qui lui tenait la main.

— Il n'est pas moi, hurla Jesse. Ne crains rien. Tout va bien se passer, Charlie. Ce n'est pas moi.

— Il ment, Charlie, assura l'homme qui resserrait son étreinte autour de sa main. Ton véritable père, c'est moi.

— Non ! Il m'a imité à partir d'une photo.

Charlie dévisagea l'homme qui le suppliait de ne pas pénétrer plus loin à l'intérieur du champ.

— Tu te rappelles ? Le mois dernier, je me suis coupé en me rasant et je ne m'en suis pas rendu compte. Je suis descendu prendre mon petit déjeuner, le visage couvert de sang. Maman et toi...

Le regard de Charlie se tourna vers l'homme qui lui agrippait toujours fermement la main. Du sang coulait le long de sa joue.

— Tu n'es pas... balbutia Charlie, à l'instant où un groupe d'hommes surgit des blés. Papa ! hurla l'enfant en tentant vainement de se libérer de la poigne de l'imposteur.

— Laissez mon enfant tranquille !

Jesse dégaina un revolver et pressa la détente. À l'instant où résonna la déflagration, on eût dit qu'un globe de lumière se détachait du soleil.

Jesse devinait les murs de sa chambre d'hôpital dans un brouillard, comme si ses yeux étaient recouverts d'un voile blanc. C'est à peine s'il reconnaissait Amelia et Charlie assis à son chevet.

— Ils sont venus chercher Charlie, dit-il d'une voix faible.

Il sentit le goût métallique du sang sur ses lèvres. Un filet de sang vermillon venait de couler de ses narines. Soudain, un petit objet noir et luisant roula sur son torse. Jesse crut d'abord à un caillot. Mais Amelia lui dit qu'il s'agissait d'un morceau de métal. Elle le considéra pendant un moment, avant de le tendre à son mari. Jesse fut parcouru par un violent ressentiment. Toutes ces années de souffrance lui revenaient en mémoire à l'instant même où une brèche s'ouvrait dans sa solitude. Il s'apprêtait à parler quand un crissement de pneus retentit dans la cour de l'hôpital. Un bref regard par la fenêtre suffit à le renseigner sur le danger qui le guettait. Un groupe d'hommes avançait à grands pas vers le hall d'entrée. À son expression, Amelia devina ce qu'elle devait faire. Sans un mot, elle prit son fils par la main et le guida vers la porte. Quelques secondes plus tard, Jesse la vit sortir de l'immeuble, habillée en infirmière, poussant Charlie dans un fauteuil roulant. Aucun des hommes qui examinaient chaque voiture du parking ne sembla s'alarmer de leur présence. Jesse sentit son cœur se soulever. Cette femme qu'il aimait, et à qui il avait osé révéler son secret, lui faisait le plus beau des cadeaux. Grâce à elle, son fils allait, peut-être, vivre une vie heureuse sur Terre, éternellement sur Terre.

Autoroute 93, est du Nevada, 7 novembre 1980

Éric n'en croyait pas ses yeux. Tom Clarke et Becky se tenaient au milieu de la route, encerclés par un groupe de journalistes agrippés à leurs appareils photo. Il devait se rendre à la raison. Becky ne l'avait jamais aimé. La douleur était d'autant plus violente qu'il lui avait ouvert son cœur.

Il descendit de son camion et s'avança vers Tom.

— Vous et vos amis allez être placés en garde à vue à Las Vegas.

Il se tourna vers Becky. Il avait beau s'en défendre, il l'aimait toujours. Son baiser l'avait ensorcelé.

— Et pour quelle raison? demanda Tom.

— Pour obstruction d'une manœuvre militaire.

— Salaud, maugréa Becky.

— Allez, c'est fini. Montez dans ce camion.

Tom leva les yeux par-dessus l'épaule d'Éric.

— Tu ne sais toujours pas comment il vole, n'est-ce pas?

Éric fit volte-face et aperçut quatre hélicoptères transportant le vaisseau spatial dans un filet, tel un grand fauve pris au piège.

— Combien de temps penses-tu pouvoir raisonnablement dissimuler ces preuves? renchérit Tom.

— Aussi longtemps que je le jugerai nécessaire.

À peine avait-il achevé sa phrase que des militaires en armes s'alignèrent face aux journalistes. Pendant un long moment, les deux groupes s'observèrent en silence.

Un léger vrombissement, semblable au vent qui se lève, se fit entendre au loin. Au bout de quelques secondes, le murmure se transforma en un ronflement sourd. Soldats et journalistes se retournaient de tous côtés pour en deviner la provenance, quand ils virent un gigantesque vaisseau se matérialiser au-dessus de leurs têtes. De la base de l'ovni surgit un rayon qui dessina autour d'eux une sorte de cage lumineuse. Le ronflement, de plus en plus puissant, devenait insupportable. Les lumières étaient aveuglantes. Ils fermaient les yeux et se bouchaient les oreilles avec la paume de leurs mains.

Soudain, les bruits et les lumières s'évanouirent et la nuit tomba, si vite qu'on eût dit qu'ils se trouvaient enfermés dans une petite cellule sans fenêtre.

Éric n'entendait et ne voyait plus rien.

Puis, lentement, ses sens se réveillèrent. Il perçut d'abord les protestations des soldats, puis il vit Tom et Becky être conduits dans un camion. Et enfin Wakeman qui vociférait dans sa direction.

— Ils ont emporté tes preuves, s'exclama Wakeman en regagnant son véhicule. Les corps, le vaisseau, tout.

Éric regarda les derniers journalistes que Tom et Becky avaient amenés avec eux se faire embarquer dans un camion. Quand la porte se referma sur le dernier d'entre eux, il se dirigea vers sa jeep, jeta un bref coup d'œil aux alentours pour vérifier que personne ne l'observait, se saisit de sa serviette et l'ouvrit.

— Pas tout, murmura-t-il en posant son regard sur la dernière preuve sur terre de l'existence d'un autre monde.

VI

CHARLIE ET LISA

1

Ellsworth, Maine, 19 février 1983

Dans la solitude de son bureau, Éric songeait à Becky Clarke, à l'amour aussi soudain qu'inattendu qu'il avait éprouvé au moment où elle s'était offerte, et à sa trahison. Il savait qu'il était vain de chercher une raison aux sentiments qui avaient pris possession de lui, le soir où il s'était retrouvé seul avec elle et qui, depuis lors, semblaient l'avoir vidé de toute volonté. Il avait non seulement perdu l'amour, mais aussi tout espoir de bonheur. Toute sa vie, il avait couru après des extraterrestres, sans se douter que ce qu'il désirait le plus au monde était une femme de chair et de sang. L'ironie de la situation le fit grimacer.

Dans la pièce d'à côté, sa fille Mary faisait studieusement ses devoirs. Un peu plus tôt, elle lui avait demandé de l'aider à résoudre un exercice de physique. C'est alors qu'il avait réalisé que la science se réduisait pour lui à la seule chose qui lui ait jamais appartenu réellement, la seule chose qui ait échappé à la fois aux extraterrestres et aux humains : l'objet découvert par son père.

C'était la preuve incontestable qu'il n'avait pas agi en vain. Il était sa raison de vivre. S'il devait lui être retiré, il savait que sa vie deviendrait aussi vide que l'espace traversé par le bout de métal pour arriver jusqu'à lui.

Il se dirigea vers le coffre-fort, composa la combinaison et se saisit avec précaution de son précieux trésor. Pendant un long moment, son regard s'immobilisa sur les inscriptions sibyllines. Il ne mourrait que le jour où il serait parvenu à les déchiffrer.

La sonnette de la porte d'entrée le sortit de sa rêverie. Il laissa à Julie le soin de l'ouvrir. C'était Chet Wakeman. Mary venait de l'accueillir d'un chaleureux « Oncle Chet ! ».

Éric écouta d'une oreille distraite les formules d'usage puis la question inévitable :

— Où est Éric ?

— Dans son bureau, répondit Julie.

Il rangea d'un mouvement vif l'objet dans le coffre dont il claqua la porte. Au même moment, Wakeman entra dans le bureau.

— Salut, Éric, fit Wakeman avec un large sourire. Mon Dieu, tu t'es transformé en vampire ou quoi ? On n'y voit goutte ici.

Il pressa l'interrupteur.

— Ta fille est vraiment formidable. Tu devrais me rendre visite avec elle de temps en temps.

Éric s'enfonça dans le fauteuil placé derrière son bureau. Wakeman le dévisagea d'un air grave.

— Je ne sais pas quel est ton problème, mais il serait temps que tu le résolves.

— Tu as du nouveau ? enchaîna Éric sur un ton presque affable.

— Il se trouve que j'en ai. Ils se sont retirés du projet, comme nous le redoutions.

Le regard d'Éric se tourna instinctivement vers le coffre-fort, avant de revenir sur Wakeman.

— Parce que toutes nos preuves... tout le fruit de nos recherches s'est envolé ?

— Parfaitement.

Wakeman fut secoué d'un rire cynique.

— Je croyais avoir trouvé un argument imparable. J'ai dit à un sénateur que si nous n'avions pas de preuves, c'est parce qu'elles nous avaient été dérobées par des soucoupes volantes. Tu sais ce qu'il m'a répondu ? Qu'il nous rendra les fonds quand elles nous les auront rapportées.

— C'est dommage que nous n'ayons pas été capables de mettre la main sur Charlie Keys, marmonna Éric.

— Tu sais, ce qui me fait le plus mal, c'est que si nous avions profité de ces crédits, j'aurais pu mettre au point un appareil capable de localiser Charlie Keys, grâce à l'implant qu'il trimballe dans son cerveau. Nous aurions pu le trouver, ainsi que tous ceux qui ont été enlevés, en moins de vingt-quatre heures.

Éric acquiesça tristement.

— Alors, qu'allons-nous faire, maintenant ?

Wakeman s'enfonça lourdement dans son fauteuil.

— Je crois que je vais aller faire un tour en Californie. J'ai deux amis là-bas qui bossent dans un labo de biotechnologie.

Une expression de douleur passa sur le visage d'Éric.

— Je n'arrive pas à chasser de mon esprit le sourire de ce connard de Tom Clarke quand il a dit : « Vous ne savez toujours pas comment elle vole ? »

Son regard s'immobilisa sur le coffre-fort.

— Je veux savoir ce qui a fait de lui un croyant du jour au lendemain.

— N'étais-tu pas censé tirer les vers du nez de sa sœur ? demanda Wakeman en lui adressant un clin d'œil.

— J'ai échoué.

Wakeman considéra son ami d'un air entendu.

— Ce que tu ne parviens pas à chasser de ton esprit c'est qu'elle t'ait plaqué. Voilà ce qui te rend maussade, mon pote.

Éric lui décocha un regard assassin.

— Ma vie privée ne te regarde pas. Pour ta gouverne, sache seulement que ce n'est pas encore fini. Et, Becky ou pas Becky, je vais découvrir ce qui lui a fait changer d'avis.

Los Altos, Californie, 28 février 1983

La balle de base-ball pesait des tonnes dans la main de Jacob. Il lui semblait qu'il soulevait une planète miniature. Lisa était en position, sa batte sur l'épaule, prête à bondir. Dans un effort de tout son être, il fit tournoyer son bras et lança la balle.

Elle heurta la batte et s'éleva dans les airs. Alors qu'il la suivait des yeux, Jacob se sentit envahi d'une profonde lassitude, comme un coureur de fond qui, ayant puisé dans ses dernières réserves, voit la ligne d'arrivée s'éloigner à mesure qu'il s'en approche.

La balle vint mourir contre la barrière. Jacob lut de la déception dans le regard de sa fille.

— Ça s'est joué à peu de chose, dit-il d'un ton rassurant.

Lisa secoua la tête.

— J'ai frappé trop tard. Je croyais que la balle allait plonger.

— C'est ce que j'aime dans ce sport, fit remarquer Jacob en se dirigeant vers la base. Tu ne sais jamais ce qui va arriver.

Lisa lui donna une tape amicale.

— Je croyais que c'était plutôt parce que c'est un jeu incroyablement compliqué et qu'il y a beaucoup de statistiques idiotes à mémoriser.

Elle conclut sa phrase par un clin d'œil.

— Il y a un peu de ça, admit Jacob.

Il retourna sur sa base et souleva une balle qui ne lui semblait pas moins lourde que la première. Il ferma les yeux pour implorer de ses vœux la force qui lui manquait. Alors, il sentit un poids s'abattre sur lui, comme si du plomb coulait dans ses veines. Il avait l'étrange impression que son corps s'était mû en une sorte de prison de métal.

— Tu es sûr que ça va?

C'était la voix de Carol. Il lui fallut déployer un effort surhumain pour ouvrir les yeux.

— Nous devrions rentrer maintenant, suggéra Carol.

Oui, rentrer.

Alors qu'il allait ouvrir la portière de la voiture, il se figea. Quelque chose au fond de lui venait de lui intimer un ordre. Il fouilla dans sa poche et en sortit une petite boîte à bijoux.

— Elle appartenait à ta grand-mère, dit-il en l'ouvrant.

Il en sortit un collier, auquel était accrochée une boucle d'oreille. La même boucle d'oreille que celle que l'extraterrestre avait emmenée à l'autre bout de l'univers. Il glissa le bijou autour du cou de sa fille.

— Je t'aime, chérie.

Lisa fit rouler délicatement le collier entre ses doigts. Jacob devinait à son expression tout ce que ce geste représentait pour elle.

— Un jour, un homme viendra te voir, déclarat-il. D'un seul regard, il te fera comprendre qu'il n'y a nul endroit dans l'univers où il souhaite être sans toi.

Lisa, toujours émerveillée par le collier, leva la tête et acquiesça. À cet instant, Jacob sut qu'il venait d'accomplir son devoir, qu'il avait transmis son héritage. Alors, il sentit le sol se dérober sous ses pieds et il s'écroula comme une étoile qui s'affaisse.

Bakersfield, Californie, 1er mars 1983

Les néons de la pizzeria inondaient la voiture de reflets rouges et bleus. Le siège du passager, où Amelia avait laissé son fils quelques minutes plus tôt, était vide. Des gouttes de sueur froide roulèrent sur son front. La pizza qu'elle venait d'acheter glissa de ses doigts avant de s'écraser sur le trottoir. Elle scruta désespérément le parking.

Enfin, il apparut, une expression d'hébétude sur le visage, comme s'il venait de se réveiller d'un long sommeil.

— Charlie, tu ne peux pas partir comme ça, sans crier gare. Où étais-tu ?

L'enfant la dévisageait en silence. Il porta sa main à sa gorge, où elle aperçut trois petites cicatrices dessinées en triangle.

— Que m'est-il arrivé ? demanda-t-il.

— Je ne sais pas.

— Les hommes qui nous courent après… ce sont eux qui ont fait ça ?

Amelia secoua la tête.

— Je n'en ai aucune idée, chéri.

Charlie avait l'air d'un enfant que ses parents ont oublié sur le quai d'une gare, et qui ne sait comment rentrer chez lui.

— Papa saurait, lui, suggéra-t-il.

Amelia prit son fils dans ses bras.

— Je ne sais pas si ton père sera jamais en mesure de nous expliquer quoi que ce soit.

New York, 16 mars 1983

Éric n'avait plus qu'une personne devant lui. Cela faisait presque une demi-heure qu'il attendait dans la queue où se pressaient les admirateurs de Tom Clarke, impatients de se faire dédicacer son dernier ouvrage.

— Pourquoi pensez-vous que les extraterrestres soient repartis avec toutes leurs affaires? demanda l'homme debout devant la petite table.

Tom esquissa un large sourire.

— Qu'est-ce qui vous fait penser qu'ils n'ont rien laissé derrière eux?

Il se saisit d'un livre au sommet d'une pile et le signa avant que le lecteur ne s'éloigne d'un air songeur.

Éric s'avança d'un pas.

— Question intéressante.

— Qu'est-ce que tu veux? demanda sèchement Tom.

— J'ai beaucoup de temps libre en ce moment.

— Voyez-vous ça.

— Comment va Becky?

Tom se leva d'un bond et renversa la pile de livres.

— Ça ne te regarde pas.

Éric ramassa les livres qu'il replaça, un à un, sur la table.

— Le temps est fini où nous étions ennemis, dit-il calmement. Je suis un simple citoyen maintenant. Grâce à nos « amis », qui ont fait disparaître les preuves.

Tom le scruta avec défiance.

— Qu'est-ce que tu veux, Éric?

— Tu es devenu croyant en un claquement de doigts, répliqua Éric. J'aimerais bien savoir pourquoi.

— Peut-être parce que j'ai vu la lumière, tout simplement, répondit-il.

— Si tu fais référence aux lumières du désert de Mojave, tu as changé d'opinion des mois auparavant.

Son regard se faisait de plus en plus pressant.

— Il y a quelque chose que tu ne m'as pas dit?

— Je pourrais te poser la même question.

Éric haussa les épaules, abandonnant tout espoir de lui soutirer des révélations.

— Salue ta sœur de ma part, conclut-il en s'éloignant dans l'allée où l'attendait Wakeman.

— Alors, qu'en penses-tu? demanda Wakeman.

— Il ne voudra jamais lâcher le morceau.

Wakeman esquissa un sourire.

— Tu sais ce que j'aime dans la théorie du chaos? C'est l'idée que le moindre changement peut bouleverser tout le système. Ce qui signifie qu'à l'heure qu'il est, il ne nous reste plus qu'à observer le ciel.

Éric hocha la tête d'un air déterminé.

— Observe le ciel si tu veux, Chet; moi, je garde un œil sur Tom Clarke.

Los Altos, Californie, 4 mars 1986

L'appartement semblait toujours aussi vide et étrangement morne, comme si toute vie s'en était retirée. Lisa regarda la boucle d'oreille et ne put s'empêcher de penser à son père. Elle se souvint avec douleur comme il avait semblé à bout de forces à la fin de ses jours.

Elle se tourna vers sa mère dont les yeux gonflés avaient versé tant de larmes. La pauvre était plus seule que jamais.

— Son état avait empiré depuis la mort de ta grand-mère, murmura Carol. Je ne cessais de le pousser à consulter, mais il s'y refusait. Il était résigné.

— Il devait être conscient de ce qui lui arrivait, reprit Lisa.

Les mots lui manquaient pour soulager le chagrin de sa mère.

— Quand tu parles, parfois, je crois l'entendre, soupira Carol.

Elle passa la main dans les cheveux de sa fille.

— Il t'aimait tellement. Il était si fier de toi.

Lisa le savait. Elle n'en avait jamais douté. Pendant les mois qui avaient suivi sa disparition, et même après que sa mère se fut remariée avec un guitariste nommé Danny, elle s'était sentie aussi proche de lui que s'il ne les avait jamais quittées. Elle ne s'était jamais séparée de la boucle d'oreille qu'elle portait en pendentif. C'était le dernier cadeau qu'il lui avait offert, et elle y trouvait une sorte de réconfort.

La boucle d'oreille pendait toujours à son cou le jour de la reprise des cours au collège de Morrison, trois ans plus tard.

— Tu connais du monde ici?

Le regard de Lisa se posa sur Nina, sur ses cheveux roses et son tee-shirt Husker-Du.

— Non, admit-elle.

— O.K., fit Nina dans un large sourire. Alors, tu veux devenir mon amie pour la vie?

Lisa allait répondre quand une liasse de feuilles glissa du classeur de Nina. Elle se baissa pour l'aider à les ramasser et remarqua, à sa grande surprise, que ses dessins étaient d'excellente qualité. Après tout, Nina n'était peut-être pas l'adolescente frivole et écervelée dont elle se donnait l'air.

— Je n'aime pas montrer mes croquis, murmura timidement Nina. J'ai peur que les gens…

— Tu ne devrais pas te soucier de ce que pensent les autres, enchaîna Lisa avec fermeté. Quelle importance si quelqu'un n'aime pas ce que tu fais?

Elles marchèrent en direction d'un vieux van Volkswagen.

— C'est mon beau-père, annonça Lisa. Il s'appelle Danny.

— Un hippie sur le retour? demanda Nina d'un air entendu.

— C'est un guitariste, expliqua Lisa à son amie. Il vivait près de chez nous quand mon père est mort. J'imagine que ma mère a...

Elle haussa les épaules.

— Ma mère est à Berkeley, continua-t-elle. Elle suit des cours de diététique alternative.

— Alors, tu vis seule avec... Bob Dylan?

Lisa acquiesça.

— Pour l'instant.

Ce n'est pas si mal, après tout, songea Lisa, ce soir-là, en préparant des travers de porc, pendant que Danny regardait la télévision. Ils écoutaient le président Reagan expliquer aux peuples du monde entier qu'ils devaient faire abstraction de leurs différences et s'unir face aux extraterrestres, au cas où leurs intentions se révéleraient malveillantes.

Nina leur rendit visite après le dîner. Elle conquit Danny presque immédiatement, malgré son régime végétarien strict et sa moue dégoûtée quand il lui proposa fièrement des travers de porc.

Après le départ de Nina, Lisa alla promener son chien Watson dans le parc voisin. Les bruits lui étaient familiers : les conversations des couples sur les bancs, les rires des enfants, le murmure lointain et constant des radios et des postes de télévision. Elle aimait venir se recueillir dans ce parc. Pourtant, ce soir-là, elle ne pouvait s'empêcher de penser à son père, comme il lui manquait de plus en plus à mesure que passaient les années. Certes, elle avait l'étrange impression qu'il l'accompagnait toujours en pensée, qu'il l'observait à distance, mais elle aurait tant aimé qu'il soit encore avec elle, physiquement.

Tout à coup, Watson se figea et se mit à grogner.

— Qu'y a-t-il, Watson ?

Le chien bondit comme une flèche en direction des bois. Lisa se jeta à sa poursuite.

— Reviens, Watson.

Le chien s'engouffra dans un bosquet. Soudain, les réverbères du parc s'éteignirent. Lisa s'épuisait à lutter contre les branches qui lui barraient la route. Elle était à bout de souffle quand elle atteignit le bord de la route. Un homme y était assis sur un tronc couché, une cigarette à la main, face à son camion où l'on pouvait lire, écrit en grosses lettres : « FÊTE FORAINE ITINÉRANTE. »

Il n'avait pas bougé d'un pouce quand Lisa avait surgi des arbres. Mais, comme s'il avait senti son regard sur sa joue et son nez crochu, il tourna la tête dans sa direction.

— Lisa, ce soir, tu vas devenir une femme.

Madison, Wisconsin, 4 mars 1986

Charlie s'engagea dans le tronçon le plus sombre de Madison Street. Une brise légère faisait danser des sacs en plastique sur le trottoir. Il s'arrêta net et prit une longue respiration pour se ressaisir. S'il se laissait effrayer par un coin de rue désert, alors il vivrait comme une bête apeurée jusqu'à la fin de ses jours.

Il s'avança d'un pas décidé. La brise qui soufflait dans son dos semblait le pousser vers l'abri de bus. Un homme y était assis. Sous la lumière blafarde de l'unique lampadaire, ses yeux noirs ressemblaient à deux orbites vides. Un vieux camion poussiéreux était garé un peu plus loin.

Charlie ne put réprimer un frisson et se figea. Son regard s'immobilisa sur l'homme dont la cigarette dessinait des boucles de fumée, semblables à des âmes montant au ciel.

Los Altos, Californie, 17 mars 1986

Lisa ne parvenait toujours pas à comprendre d'où venait la passion qui s'était si soudainement emparée d'elle, et semblait s'intensifier de jour en jour. La voilà qui était plongée dans la lecture des *Faits étranges du désert du Mojave* de Tom Clarke, un livre qu'elle avait à peine remarqué jusqu'alors. L'envie d'explorer la question de la présence d'extraterrestres sur Terre s'était imposée à elle, si subitement qu'elle lui avait fait l'effet d'une révélation.

Carol adressa un regard inquiet à Danny, avant de se tourner vers sa fille qui, absorbée par sa lecture, n'avait pas touché à son assiette.

— Tu prépares un exposé pour l'école? demanda Carol.

— Non, répondit Lisa sans décoller les yeux de son livre.

— Alors, pourquoi le lis-tu?

Lisa haussa les épaules, les yeux toujours rivés sur sa page.

— Je ne sais pas. Par curiosité.

Danny inspecta la couverture de l'ouvrage ornée de la photographie de Tom Clarke.

— Tom Clarke. C'est le frère de Jacob, n'est-ce pas? fit-il remarquer.

Carol acquiesça.

— Il est un peu dérangé.

Le visage de Lisa se durcit.

— Je vais dans ma chambre, dit-elle d'un ton sec.

Allongée sur son lit, Lisa ne parvenait pas à saisir ce qui l'avait poussée à réagir de la sorte. Après tout, Danny s'était toujours montré gentil à son égard, et elle connaissait à peine Tom Clarke. Pourtant, quand Danny avait eu ces propos désobligeants, elle s'était sentie insultée. *Étrange,* pensa-t-elle en ouvrant son livre à la page qu'elle avait cornée.

Elle était tellement concentrée sur les phénomènes du Mojave qu'elle n'entendit pas sa mère entrer dans sa chambre.

— Que se passe-t-il, Lisa ? demanda Carol.

— Rien.

Elle se rendait compte que sa mère n'en croyait pas un mot et, pourtant, elle ajouta :

— Rien, je t'assure.

Carol s'assit sur le lit.

— Ton oncle Tom a beaucoup d'idées bizarres, Lisa.

Elle jeta un œil craintif sur le livre, comme s'il s'agissait d'un revolver chargé.

— Tu ne commencerais pas à avoir les mêmes idées, dis-moi ?

— Et si c'était le cas ? répliqua Lisa sur un ton où perçait la défiance.

— Lisa, continua Carol d'une voix douce, tu es née dans une famille très... spéciale. Ton père avait un esprit hors du commun. Il lui suffisait de regarder une chose pour savoir comment elle fonctionnait. Pareil avec les gens. Il voyait des choses que les autres ne voyaient pas.

Elle prit la main de Lisa dans la sienne.

— Ta vie change parce que tu grandis. Tu n'es pas enlevée par des extraterrestres. Tu deviens adulte, voilà tout.

Elle laissa échapper un petit rire.

225

— Et je sais que c'est bien plus effrayant.

Lisa écoutait sa mère d'une oreille distraite. Son attention était accaparée par les phénomènes du Mojave, sur le livre de son oncle. Quand Carol quitta sa chambre, Lisa avait pris sa décision. Elle allait entrer en contact avec Tom.

2

**Bureau des sciences et technologies,
Washington, D.C., 15 août 1992**

Wakeman adressa un clin d'œil malicieux à Éric.

— Tu sais pourquoi on est là ? demanda-t-il.

Éric n'en avait pas la moindre idée. Il avait reçu un bref appel téléphonique l'enjoignant d'assister à un briefing au bureau des sciences et technologies. La réunion commença par la description formelle d'un événement inquiétant.

— Il y a à peu près trois semaines, nous avons envoyé une mission habitée dans l'espace, expliqua Hinkle. L'objet de cette mission consistait à placer en orbite un équipement top secret, dont le lancement s'est déroulé dans la plus grande discrétion.

Il jeta un coup d'œil au général Beers, comme s'il attendait son feu vert pour continuer. Le général acquiesça silencieusement et Hinkle poursuivit son introduction.

— Elle se déroulait dans le cadre de la stratégie de défense initiée par le président Reagan.

— La guerre des étoiles, lâcha Wakeman, sur un ton d'insouciance que Hinkle affecta d'ignorer.

— Comme vous devez probablement vous en souvenir, enchaîna Hinkle, des doutes ont été exprimés sur la faisabilité de ce projet.

— Alors, qu'avez-vous envoyé dans l'espace ? demanda Wakeman. Un réacteur ?

— La difficulté majeure consistait à fabriquer un système compact assez puissant pour alimenter des armes laser et des rampes de missiles.

— Un réacteur, donc, coupa joyeusement Wakeman.

Hinkle lança un regard assassin à Wakeman avant de poursuivre.

— Notre charge utile était hautement confidentielle. La capsule tournait en orbite depuis quatorze jours. Dans deux heures, elle allait atteindre la position où la charge pourrait être... livrée, quand... les astronautes ont rompu tout contact. Le black-out a duré presque deux heures et demie.

— Ils ont disparu, coupa sèchement Éric.

— Plus rien, confirma Hinkle. Puis, ils sont revenus. Frais comme des gardons. Sans se douter une seule seconde que leur vie avait été amputée de deux heures et demie.

— Et qu'est-il advenu de la charge ? s'enquit Éric.

— Disparue, répondit Hinkle.

— Et les astronautes ?

— Nous les avons soumis à une batterie de tests. Hypnose, drogues... Tout y est passé. Impossible pour eux de se rappeler ce qui s'était déroulé dans ce... trou noir.

Wakeman s'assit et déploya un large sourire.

— Alors, messieurs, que pensez-vous de tout cela ?

Le général Beers se pencha en avant et dévisagea Wakeman d'un œil sombre.

— Mettons les choses au clair. Les gens présents dans cette pièce coûtent, chaque année, sept milliards à la Défense.

Il se tourna vers Éric.

— Nous avons besoin de votre aide, messieurs.

— Qu'attendez-vous de nous ? demanda Éric.

— Tout ce qu'il vous est possible de collecter comme information sur ces... choses... dans le ciel. Qui elles sont et ce qu'elles veulent.

Sur ces mots, Beers ordonna à Éric et Wakeman de se mettre au travail.

— Notre heure de gloire a sonné, s'exclama Wakeman en fermant la porte derrière lui.

Éric s'arrêta et le regarda d'un air grave.

— Tu commences l'enquête pendant que moi, je continue à creuser cette histoire de Tom Clarke.

— Tom Clarke ?

— Il reçoit en permanence des appels de Los Altos en Californie, expliqua Éric. La ligne est au nom d'un certain Danny Holden. J'aimerais bien y jeter un coup d'œil.

Wakeman esquissa un grand sourire.

— Pendant longtemps, j'ai cru qu'il s'agissait d'un bluff, que tu étais sur un gros coup dont tu ne me disais rien.

Éric arriva à Los Altos deux semaines plus tard. Il ne lui fallut pas plus d'une journée pour trouver la caravane où résidait Danny Holden.

Il présenta sa carte d'inspecteur du recensement à l'homme venu lui ouvrir la porte. Ce dernier le pria poliment de prendre un siège dans sa minuscule salle à manger.

— Commençons par votre nom, dit Éric.

— Danny Holden.

— Êtes-vous propriétaire ou locataire ?

Danny éclata de rire.

— Qui voudrait louer une caravane ?

Éric lui renvoya son sourire.

— Et votre femme s'appelle ?

— Carol.

— Des enfants ?

— Une fille. Celle de Carol. Son nom est Lisa.

Éric notait chaque réponse dans son carnet.

— C'est ma belle-fille, ajouta Danny. Carol l'a eue d'un premier mariage.

À cet instant, Lisa entra dans la pièce, encombrée par sa batterie.

— Lisa, je te présente monsieur...

— Jones, enchaîna Éric.

— Monsieur Jones. Il travaille pour le recensement.

— Enchantée, dit Lisa.

Il lui tendit la main.

— Je suis très, très heureux de faire votre connaissance, s'exclama-t-il en lui tendant la main.

Il aperçut une lueur de suspicion dans ses yeux. Certes, il était habitué à des réactions de défiance chez les gens qu'il était amené à rencontrer sous divers travestissements. Mais jamais il ne s'était senti mis à nu de la sorte. L'adolescente semblait percer de son regard la surface des choses.

Seattle, Washington, 5 septembre 1992

L'appartement était petit et d'allure modeste. Mais pour Lisa, qui avait vécu toute sa vie dans une caravane, il faisait l'effet d'un palace.

— Coquet, n'est-ce pas ! ironisa Tom d'un ton narquois.

— Il me plaît, répondit Lisa. Merci beaucoup.

Tom avait répondu à son coup de téléphone quelques jours plus tôt. Elle lui avait appris la visite de l'inspecteur chargé du recensement. La réaction de Tom avait été immédiate. Il l'avait aussitôt pressée de se rendre à Seattle, où il se chargerait de lui trouver un logement. Elle espérait que cette maison allait devenir le point de départ d'une nouvelle vie.

— Tu m'as promis qu'un jour, tu me dirais la vérité sur ces gens, implora-t-elle.

Le visage de Tom se raidit.

— Si j'en crois la description que tu m'as donnée, je dirais que l'homme qui est venu te rendre visite est Éric Crawford. Son père était le colonel Owen Crawford. Le même Owen qui poursuivait ton père.

— Pourquoi cet Owen Crawford était-il aux trousses de mon père?

— Parce qu'il pensait qu'il pouvait être... la preuve qu'il cherchait.

— Quelle preuve?

— Que des gens ont été enlevés.

— Par...?

— Oui, se contenta de répondre Tom.

— Et ma mère, elle est au courant de cette histoire?

— Elle sait que ton père était très... spécial. Mais pour ce qui est des extraterrestres, non. Elle est persuadée que je délire.

Lisa sentit s'abattre sur elle un poids considérable. Le poids d'un secret qu'elle aurait souhaité n'avoir jamais entendu. Tom lui caressa la joue.

— Écoute, si jamais tu as besoin de moi, place une petite annonce dans le *New York Times*.

Lisa hocha la tête.

— Tu verras, tout ira bien.

Il la prit dans ses bras avant de se diriger vers la porte.

— Merci, dit Lisa.

— Crois-moi, ajouta Tom, personne ne te trouvera.

Elle lui fit au revoir de la main. Elle savait qu'il croyait chaque mot qu'il venait de prononcer. Elle irait bien. Personne ne la tourmenterait plus jamais, ni les agents du gouvernement, ni les extraterrestres. Elle ne pouvait qu'espérer qu'il eût raison.

Milwaukee, Wisconsin, 6 septembre 1992

Charlie n'avait jamais cessé de penser à son père depuis son décès. Maintenant, alors qu'il avait en main ses médailles, il le sentait étrangement proche de lui, comme si son père l'observait avec bienveillance par-dessus les étoiles.

— Ton père n'a pas voulu garder ses propres médailles, lui dit sa mère. Ces décorations appartenaient à ton grand-père. Il les avait reçues pendant la Seconde Guerre mondiale.

Elle les regarda avec amour, comme si leur souvenir était plus chargé de la présence de Russell que de celle de son père.

— Il les portait sur lui tous les jours. Il les avait encore dans la poche quand il est mort.

Charlie baissa les yeux sur la boîte où étaient soigneusement conservées les médailles de Russell Keys. Une photographie était posée dans le fond. Il la sortit et l'étudia avec intérêt.

— C'est une photo de ton père. Elle a été prise quand il avait huit ans. Je crois me souvenir que l'homme à ses côtés était son beau-père.

Elle inspecta à son tour le vieux cliché. Charlie vit dans son regard que le passé reprenait vie dans son esprit.

— Oh oui, je me souviens, dit-elle. C'était le jour où le beau-père de Russell l'avait emmené à la fête foraine. Plus tard, il m'a raconté que c'était le jour le plus terrifiant de son existence. Encore pire que le Vietnam.

Elle tenait la photographie du bout des doigts, comme si elle pouvait prendre feu à chaque instant.

— Il s'agissait de l'une de ces fêtes foraines itinérantes. Avec ces wagons qui vous donnent le vertige. Les montagnes russes.

— Et ce sont les montagnes russes qui l'ont effrayé à ce point ?

Amelia secoua la tête, les yeux rivés sur la photo.

— Non, c'étaient les forains.

Elle pointa du doigt une large silhouette appuyée sur un stand de vente de tickets.

— Comme celui-ci, par exemple.

Elle lui tendit le cliché. Tandis qu'il l'examinait avec attention, sa main caressa machinalement sa cicatrice derrière l'oreille.

— Qu'est-ce qui n'allait pas chez papa ? demanda-t-il.

— Il avait des... problèmes au cerveau. Il s'imaginait des choses.

— Quelles choses ?

— Il est mort, Charlie, rétorqua Amelia en guise de réponse. Es-tu certain que c'est de cette façon que tu veuilles te souvenir de lui ?

— Je veux tout savoir.

— Très bien ! Il croyait avoir été enlevé par des extraterrestres. Plusieurs fois.

Charlie jeta un coup d'œil sur la photo, plus particulièrement sur le forain dont il reconnaissait les traits.

— Les gens qui nous cherchent, ce sont des extraterrestres ?

— Non, mais ils y croient, eux aussi. Ils pensent que ton père a été enlevé. C'est pour cette raison qu'ils étaient à ses trousses.

— Et toi, demanda Charlie, tu y crois ?

— Je ne sais pas. Ton père était persuadé que les extraterrestres étaient ses anges gardiens. Qu'ils le protégeaient. Parce qu'ils attendaient de lui quelque chose. Il était convaincu qu'ils l'avaient sauvé au Vietnam.

Elle hésita un moment avant de continuer.

— Et il croyait que c'était toi qu'ils voulaient.

Les yeux de Charlie se posèrent à nouveau sur le forain.

— Ils sont venus me chercher. Plusieurs fois.

Il vit une expression de terreur se dessiner sur le visage de sa mère.

— Mais tu sais quoi, maman ? Ils ne me font plus peur. Maintenant, je suis juste en colère.

Elle sourit. Dans ce sourire, il lut toute la fierté qu'elle éprouvait pour son fils, et celle qu'aurait éprouvée son père.

— S'ils viennent encore me chercher, je ne les laisserai pas faire sans me battre.

Seattle, Washington, 8 septembre 1992

Lisa posa la batterie près de la porte, au pied de son poster du film *J'ai épousé un monstre de l'espace*. Elle avait dû la trimballer sur son dos sur des centaines de mètres, mais le jeu en valait la chandelle. Elle s'était fait embaucher dans un groupe amateur. Après son essai, le leader lui avait dit qu'elle était « à chier », mais que si elle s'améliorait les jours suivants, elle pourrait se produire avec eux dans un hôtel des environs.

Elle allait refermer la porte de son appartement quand elle sursauta, en voyant le guitariste du groupe debout, l'air penaud, dans le couloir.

— Je me souviens de la nuit avant mon départ de la maison de mes parents, dit-il. J'étais allongé dans le lit dans lequel j'avais toujours dormi depuis

233

que j'avais neuf ans, entouré par toutes mes affaires. Ça faisait tout drôle de penser que, le lendemain, tout serait entièrement différent... et pour toujours. Tu vois ce que je veux dire ?

— Parfaitement ! C'est exactement ce que j'ai ressenti, répondit-elle dans un sourire. Le matin, je m'attends souvent à me réveiller dans mon ancienne chambre.

Elle se retourna lentement. Le décor avait changé, le poster disparu. Les murs réfléchissaient une lumière blafarde. Lisa sentit les battements de son cœur s'accélérer. Elle ferma un instant les yeux. Quand elle les rouvrit, l'illusion s'était dissipée. Tout était redevenu normal, sauf que le guitariste s'était volatilisé... comme s'il n'avait jamais existé.

Ellsworth, Maine, 28 octobre 1992

Éric arborait un sourire radieux en garant sa voiture au pied de la conserverie de poissons. Il contempla un instant ses murs délabrés et son toit de tôle rouillée, avant de se diriger vers la grande porte.

À l'intérieur, des dizaines d'ordinateurs s'alignaient dans des travées où s'affairaient des techniciens en blouse blanche. L'atmosphère effervescente lui rappelait ses jeunes années au centre de Houston.

— Bienvenue à la maison, s'exclama Wakeman. Alors, comment c'était, la Californie ?

— Chaud, répondit Éric. Très chaud.

Wakeman prit un ton grave.

— J'ai des nouvelles qui vont te mettre sur le cul. Prêt ?

Éric acquiesça.

— Je dois avouer que j'avais tort, commença Wakeman.

Un sourire satisfait s'était dessiné sur son visage.

— J'ai empoché tout le fric que les généraux ont bien voulu nous donner, et j'ai demandé à mes gars de construire un traceur électronique capable de lire les signaux émis par les implants. Tu te souviens de ces petits bips amplifiés par le transformateur ? En fait de transformateur, il s'agissait du corps conservé à Groom Lake.

Il fit un geste en direction d'un moniteur où apparaissait une carte des États-Unis constellée de petites lumières rouges.

— Tu vois cette carte ? Elle brille comme un sapin de Noël. Cela signifie que les signaux émettent à plein régime.

— J'ai du mal à te suivre.

— En gros, cela veut dire que, grâce à ce transmetteur, nous pouvons localiser n'importe quel implant.

Il l'invita à s'approcher d'un des moniteurs.

— Imagine que nous voulions savoir où se trouve Alan, le gars qui travaille pour le ministère de l'Intérieur. Celui qui croyait avoir rendez-vous chez le dentiste et qui en est ressorti avec un émetteur dans la dent.

Wakeman se pencha sur le clavier et pressa une touche. La carte s'élargit pour faire apparaître un gros plan de Medford, dans l'Oregon.

— Et voilà ! s'écria-t-il sur un ton de jubilation. 976 Apple Street, 975...

Un sourire radieux barrait son visage.

— On pourrait lui rendre une petite visite ?

Éric secoua la tête.

— En quoi cela nous est-il utile, Chet ?

— « En quoi cela nous est-il utile », il me demande ! Mais parce que cela nous permet d'avoir sous les yeux la famille des personnes enlevées au grand complet.

— Je vois ça, répondit froidement Éric.

— Ce que tu ne vois pas, à l'évidence, c'est que je peux faire un recoupement avec les implants que nous avons nous-mêmes installés, et repérer – je te le donne en mille – les personnes enlevées non identifiées.

— Charlie Keys, par exemple.

— Exactement.

— Et qui d'autre ? demanda Éric avec un air de défi.

— Donne-moi n'importe quel nom, répondit Wakeman avec assurance.

— Lisa Clarke.

Wakeman s'installa face à l'ordinateur et rentra le nom.

Aucune lumière n'apparut.

— Elle n'y figure pas, dit-il avec une pointe de déception dans la voix.

— On dirait que ton système n'est pas tout à fait au point, fit remarquer Éric.

— Mon système fonctionne, répliqua Wakeman. Elle ne doit pas avoir d'implant.

Il réfléchit un instant avant d'ajouter :

— D'ailleurs, pourquoi en aurait-elle un ? Elle est… une des leurs.

— Alors, comment est-elle connectée ?

— Probablement par une sorte de lien psychique, répondit Wakeman.

Il rentra une série de données dans l'ordinateur et un cerveau apparut sur l'écran.

— Il s'agit d'une vue en coupe du cerveau que nous avons découvert en Alaska.

Éric étudia l'image pendant un moment. Wakeman se rassit, certain de la validité de son hypothèse.

— Lisa Clarke en a certainement un comme celui-ci.

Éric acquiesça.

— Je pense que le temps est venu de s'en assurer.

Seattle, Washington, 1er novembre 1992

À peine Lisa était-elle sortie du club qu'elle l'avait remarqué : l'homme adossé au mur et vêtu d'un blouson sombre. Sa façon de la regarder lui avait fait froid dans le dos. Elle avait continué son chemin en regardant droit devant elle, comme si de rien n'était. Quelques instants plus tard, elle dépassa une cabine téléphonique d'où surgit une femme habillée d'une parka jaune. Lisa jeta un bref coup d'œil par-dessus son épaule. Tous deux la suivaient. Au loin, elle aperçut un abribus éclairé et se hâta dans sa direction. Les pas de ses poursuivants se faisaient de plus en plus sonores sur le pavé.

Soudain, un sentiment violent de panique s'empara d'elle. Elle se mit à courir à perdre haleine vers le passage clouté. Le rythme des pas derrière elle s'accéléra.

Le trafic était dense. Elle se précipita à travers la rue. Une voiture pila pour l'éviter et lui bloqua la route. Lisa se retourna. L'homme à la capuche et la femme vêtue d'une parka couraient à sa poursuite. L'homme avait dégainé un pistolet.

La fenêtre de la voiture qui lui faisait obstacle s'abaissa. Un homme était assis au volant.

— Lisa, dit-il, comment allez-vous? Nous avons beaucoup de choses à nous dire.

Elle le dévisagea, interloquée. Comment connaissait-il son nom?

Derrière elle, l'homme et la femme se rapprochaient dangereusement. Elle était coincée. Tout à coup, cinq rayons lumineux transpercèrent le ciel et convergèrent pour former un halo protecteur autour de Lisa. Malgré l'intensité des faisceaux, elle pouvait voir à travers, comme s'il s'agissait d'un vase de cristal incandescent. Elle aperçut ses poursuivants se figer, aveuglés par le cocon étincelant, puis se retourna. Le chauffeur de la voiture souriait étrangement, les yeux levés au ciel. Elle suivit son regard et vit un vaisseau scintillant flotter à une dizaine de mètres au-dessus de sa tête.

La femme avec la parka jaune s'apprêtait à franchir la paroi, qui se mit à trembler. Elle fut propulsée en arrière. Alors qu'elle était étendue sur le sol, Lisa inspecta son visage. Il était à moitié brûlé. L'homme s'avança à son tour. Ses yeux allaient de sa complice au globe incandescent, en exprimant autant d'horreur que de surprise. Son pistolet pendait mollement à sa main.

C'est alors que la lumière se mit à bouger. Lisa se déplaçait avec elle. Elle avait le sentiment de flotter sur un nuage ; un nuage qui la ramènerait chez elle. Elle se sentait étrangement calme, certaine que rien ne pourrait lui arriver. Plus rien n'avait d'importance, ni l'homme qui pointait son arme vers elle, ni le chauffeur qui lui faisait signe de la baisser, ni l'inspecteur du recensement qui venait de bondir hors de la voiture et la voyait s'éloigner avec un regard médusé.

Puis, l'éclat s'estompa et elle se retrouva au milieu de sa salle à manger.

Elle prit une longue inspiration pour détendre ses nerfs. Elle savait ce qui lui restait à faire. Elle se dirigea vers le téléphone d'un pas déterminé et composa un numéro.

— Les renseignements, commença la voix au bout de la ligne. Votre demande concerne quelle ville ?

— New York. Le siège du *New York Times*, s'il vous plaît.

3

Conserverie supérieure de poissons, Ellsworth, Maine, 6 avril 1993

Les photographies rassemblées dans la base de données défilaient lentement sur l'écran de l'ordinateur.

— Il s'agit d'un programme de recoupement, expliqua Wakeman. Nous y avons entré les coordonnées de tous les individus ayant été enlevés plus d'une fois. Et nous avons observé un sous-ensemble : parmi ceux qui ont été enlevés régulièrement, certains l'ont été le même jour. Nous les avons appelés le « groupe des huit » : cinquante hommes et cinquante femmes, enlevés huit fois depuis leur naissance, le même jour, en même temps. Ils ont disparu une première fois au cours de leur enfance, puis à la puberté.

— Crois-tu que les extraterrestres essaient de créer une nouvelle race ?

Wakeman haussa les épaules.

— Pour l'instant, nous sommes dans le noir le plus complet.

Un éclair traversa son regard au moment où la photo de Charlie Keys apparut sur l'écran.

— Stop ! s'écria-t-il. C'est le fils de Russell Keys.

Éric acquiesça. Wakeman montra la photo du bas.

— Et là, c'est Lisa Clarke, bien sûr.

Il considéra les deux photos pendant un bref instant, avant d'ajouter :

— Elles ont été prises en même temps, le 8 septembre de l'année dernière. Il s'agit de l'enlèvement simultané le plus récent. En fait, c'est le seul parmi les cinquante à avoir eu lieu depuis un an et demi.

Éric revint à son idée initiale.

— Penses-tu qu'il s'agisse d'une sorte de croisement ? Keys avec une fille un quart extraterrestre ?

— Peut-être me suis-je égaré dans la mauvaise direction, murmura Wakeman.

Il se tourna vers Éric.

— J'ai toujours pensé qu'on pouvait, grâce à la génétique, reproduire certains traits de caractère. Et si c'était ce que nos petits copains tentaient de réaliser ?

— Où veux-tu en venir ?

— Prends Russell Keys. Il était pilote, n'est-ce pas ? Brave, courageux, intrépide. Son fils, Jesse, a hérité des mêmes qualités. Quand ils ont été enlevés, ils se sont tous les deux rebellés.

— Et les Clarke. Je sais que Jacob possède certains... dons, avança Éric.

— Pour quelles raisons les « croiseraient »-ils ?

— J'ai songé à diverses hypothèses. Peut-être pour en faire des armes surpuissantes ?

Il se concentra sur l'écran.

— De toute façon, nous devrions avoir la réponse d'ici deux mois, conclut-il.

Seattle, Washington, 7 avril 1993

Lisa se tenait près de la cuisinière, occupée à préparer du thé pour sa mère et Nina.

— Qu'en penses-tu ? demanda Nina en exhibant la conque tatouée sur son épaule.

— Je pense que cela a dû faire très mal, commenta Lisa.

Elle se retourna et surprit sa mère en train de l'observer en silence. Lisa n'avait pas besoin de l'interroger pour sentir le peu d'estime qu'elle avait pour elle. Son déménagement à Seattle, son appartement minable, l'enfant qu'elle attendait. Il n'y avait pas de quoi être fière.

— Reviens à la maison, se contenta de demander sa mère.

— Je ne peux pas. Je suis en sécurité, ici.

— Pourquoi? tonna-t-elle sur un ton où se mêlaient colère et frustration. Parce que des créatures d'un autre monde sont à ta recherche?

— Exactement! répondit Lisa, mettant sa mère au défi de la réfuter. Si tu avais vu ce qui m'est arrivé de tes propres yeux, tu...

Carol se leva brusquement.

— Ça suffit, Lisa!

— Mais c'est la vérité!

Elle avança vers sa mère et la prit dans ses bras.

— Tout va bien se passer, maman. Je le sens.

Carol la dévisagea. À travers sa fille, elle voyait son mari, le terrible poids qui l'avait écrasé durant toutes ces années, la folie et la souffrance.

— Je n'ai jamais voulu y croire, balbutia-t-elle. Ton père a essayé de me montrer certaines choses, mais je ne me suis jamais résolue à accepter qu'elles fussent réelles. Je pensais que c'était sa façon à lui d'accepter le fait qu'il n'ait jamais connu son père.

Madison, Wisconsin, 9 avril 1993

Charlie tressaillit en entendant frapper à la porte. Il agrippa une batte de base-ball avant de l'ouvrir.

Naomi posa les yeux sur la batte, avant de les lever sur Charlie.

— Qu'est-ce que tu fais?

— Rien, répondit-il en la rangeant sur une éta-gère. Je suis désolé.

Naomi contempla le désordre de papiers, de livres et de magazines qui jonchaient le sol.

— Alors voilà comment tu occupes ton congé ? Tu lis dans l'obscurité, une batte de base-ball à portée de main au cas où quelqu'un te rendrait visite ?

Charlie ferma la porte. Il savait ce que pensait son amie : qu'il était un de ces excentriques qui, l'âge venant, parlent tout seuls dans la rue.

— J'avais juste besoin d'un peu de temps pour me retrouver, se défendit-il sans conviction.

Naomi fit tomber sur lui le regard autoritaire qui avait le don de paralyser ses élèves.

— Je suis la principale du lycée de Lincoln depuis dix ans, Charlie. Avant cela, j'y enseignais. Alors, laisse-moi te dire une chose : tu es le meilleur professeur que j'aie jamais connu, et je ne te laisse-rai pas foutre ta carrière en l'air sans réagir.

Ses yeux se posèrent sur un livre dont la couver-ture représentait un petit homme gris au crâne dis-proportionné.

— *Arrivée,* de Tom Clarke, prononça-t-elle d'une voix empreinte de scepticisme. Qu'est-ce que c'est que ça ?

— Rien, répondit Charlie, embarrassé.

Naomi lut le sous-titre : « Le programme extrater-restre – Toute la vérité sur les enlèvements. » Elle lâcha le livre pour se saisir d'un autre. *Petite Ency-clopédie des espèces extraterrestres.*

Elle dévisagea Charlie, médusée.

— Charlie, j'espère que tu ne crois pas que tu as été enlevé par des extraterrestres !

Il ne savait pas quoi lui répondre. Elle pensait qu'il était mûr pour l'asile. Tout le monde le pensait.

À quoi bon se heurter à un mur? Et pourtant, il savait que ce qu'il criait dans le vide depuis tant d'années était vrai.

— As-tu une idée du nombre de gens qui sont enlevés par des extraterrestres chaque année?

Naomi le considéra comme un enfant qui mérite une bonne correction.

— Charlie, ces gens y croient parce qu'ils ont besoin de croire en quelque chose.

— Si c'est le cas, alors pourquoi ces histoires se ressemblent-elles toutes?

— Parce que nous lisons tous les mêmes livres et regardons les mêmes films, s'emporta-t-elle.

Elle s'empara d'un livre.

— Par exemple, ce gars, Tom Clarke, il est partout.

Charlie sentit quelque chose se briser en lui. Sa réserve d'arguments venait de se tarir. Sa douleur était à vif, la douleur d'un paria rejeté par ses amis les plus intimes. Il lisait dans les yeux de Naomi combien elle souhaitait l'aider, et combien elle se sentait impuissante face à ce qu'elle pensait être de la folie.

— Ils m'ont enlevé régulièrement depuis que j'ai neuf ans, dit-il doucement. Ils sont revenus il y a sept mois. Cette fois-ci, je ne me suis pas laissé faire. Je me suis défendu...

Il plongea son regard dans les yeux noyés de tristesse de Naomi. Plus que tout au monde, il voulait être *cru*!

— Je ne suis pas fou, balbutia-t-il, et j'en ferai la preuve.

Conserverie supérieure de poissons, Ellsworth, Maine, 31 mai 1993

Éric contemplait la carte du monde que Wakeman avait fait apparaître sur le traceur. Elle était constellée de petites lumières. En chacune d'elles, Éric voyait une rencontre, et le signe étourdissant que nous ne sommes pas seuls dans l'univers.

— Toujours la même histoire, commença Wakeman. Une femme en Sibérie, une autre en Norvège, une troisième en Alaska... Sur toute la surface du globe. Zanzibar. Australie. Cent quarante-quatre témoignages. Tous vérifiables.

Le regard d'Éric s'était immobilisé sur la carte.

— Quand cela a-t-il démarré ? demanda-t-il.

— Il y a six semaines. D'abord, il y a eu un grand boom et puis plus rien. Plus aucune activité.

— Qu'est-ce que cela signifie, selon vous ?

— C'est le calme.

— Le calme ?

Wakeman se tourna à son tour vers la carte.

— Le calme avant la tempête.

Seattle, Washington, 22 juin 1993

Lisa regardait par la fenêtre de la maternité en écoutant les nouvelles se succéder à un rythme effréné à la radio. Des lumières à Grand Teton, à Cœur D'Alene, dans l'Idaho, observées par toutes sortes de témoins : des fermiers, des ouvriers, des docteurs, des policiers... Et même ici, à Seattle, sous ses yeux : des globes éclatants suspendus dans le ciel nocturne. Le journaliste de la radio décrivait la scène d'une voix haletante avant de se perdre en conjectures sur la réaction qu'adopterait le gouvernement.

— Tu te prépares ? demanda Nina.

Lisa sentit une crampe lui tordre le ventre. Nina pressa une serviette sur son front couvert de sueur.

— Écoute, dit-elle dans un rire nerveux. J'ai une super-idée de tatouage pour le bébé. Un truc pas trop grand. Juste un petit serpent.

La crampe se calma et Lisa leva à nouveau les yeux vers la voûte étoilée.

— Quand la prochaine contraction se fera sentir, conseilla Nina, respire profondément.

La crampe resurgit, plus intense encore. Mais Lisa ne décrocha pas son regard du ciel.

— Elle est complètement dilatée, s'alarma une infirmière. Arrêtez de pousser !

Lisa n'avait pas conscience de pousser. C'était le bébé qui avait pris possession de son corps.

— Arrêtez de pousser, ordonna l'infirmière.

Lisa admirait les cieux.

— Je ne peux pas.

La voix de l'infirmière se durcit.

— Faites venir le docteur Catrell.

Lisa posa les yeux sur l'infirmière.

— Que se passe-t-il ? Une complication ?

Elle entendit l'infirmière lire la pression sanguine.

— Elle fait une attaque !

Lisa n'avait pas l'impression de faire une attaque. Elle détourna son regard vers la fenêtre où des faisceaux de lumière striaient le ciel nocturne. Elle tentait de les compter dans sa tête. Un, deux, trois, quatre, cinq…

— Elle est pré-éclamptique ! s'exclama une infirmière.

— Il faut la stabiliser.

Lisait était comme envoûtée par les lumières qui se rapprochaient les unes des autres, formant une sorte de manège éclatant.

— Quatre grammes de magnésium.

Lisa ouvrait des yeux émerveillés. Elle continuait son décompte. Douze, treize, quatorze…

— Cinq milligrammes d'hydralazine.

Elle aperçut du coin de l'œil le docteur Catrell se pencher à son oreille.

— Ce qui vous arrive s'appelle une éclampsie.

Lisa contemplait les lumières se regrouper en une sorte d'âme cosmique.

— La pression retombe à cent vingt.

— Il arrive, s'écria le docteur.

— Elle perd trop de sang, avertit une infirmière.

Les lumières ne faisaient plus qu'une gigantesque boule éblouissante.

— Elle fait une hémorragie !

La boule explosa silencieusement en un feu d'artifice qui recouvrit le ciel tout entier. Quand le flot de lumière se déversa dans la pièce, Lisa n'entendit que le cri d'un nouveau-né. Les ténèbres l'avaient déjà enveloppée.

Quand elle rouvrit les yeux, le soleil brillait. Nina était assise au bout du lit.

— Salut, fit doucement Lisa.

— Salut, dit Nina. Tu sais que tu ne devrais plus être là. Tu as failli te vider de ton sang.

— Que s'est-il passé ?

— L'hémorragie s'est arrêtée d'elle-même, répondit Nina. Personne ne sait pourquoi.

— Mon bébé ? demanda Lisa avec de la crainte dans la voix.

Nina s'avança vers un bassinet d'où elle souleva le bébé, qu'elle apporta à sa mère.

— Elle est belle, n'est-ce pas ?

Elle posa délicatement l'enfant dans les bras de sa mère.

— Et voici 3,3 kilos de petite princesse.

Lisa acquiesça.

— Comment allez-vous l'appeler?

Lisa n'y avait pas songé. Mais un nom s'imposa à son esprit, si subitement qu'il semblait y avoir été toujours présent, comme s'il y avait été implanté.

— Allison, dit-elle doucement. Allie. Elle s'appellera Allie.

Ellsworth, Maine, 2 août 1993

Éric remuait négligemment l'olive posée au fond de son verre de Martini. Toute son attention était tournée vers sa fille. Il l'avait rarement vue depuis son divorce. Elle était devenue une belle jeune femme au regard intense et intelligent. Soudain, il se sentit emporté par une vague de tristesse en pensant au temps qui passe. Le souvenir de Becky lui revenait à l'esprit. Comme sa vie eût été différente s'il avait été quelqu'un d'autre, un docteur ou un scientifique. Becky se serait sûrement offerte à lui pour toujours. Mais il était Éric Crawford, fils d'Owen Crawford. Du poison coulait dans ses veines.

— Alors, s'exclama Mary avec sa franchise habituelle, pourquoi as-tu demandé à me voir, papa?

Éric sourit. Pas de fioriture. Droit au but. C'était tout Mary. Pas de temps pour les sentiments, ni pour un brin de conversation ou une simple question sur sa santé.

— J'aimerais te montrer quelque chose, annonça-t-il.

Il ouvrit le tiroir de son bureau.

— Ton grand-père l'a trouvé à Pine Lodge, au Nouveau-Mexique. Sur les lieux d'un crash aérien.

Mary manipula l'objet, comme s'il s'agissait d'un trésor d'une valeur inestimable. Elle se sentait inexplicablement attirée par lui. Elle leva les yeux sur Éric.

— C'est donc vrai !

Elle posa à nouveau son regard sur l'objet. Éric comprit qu'elle ne trichait pas, qu'ils se trouvaient soudainement liés par le même secret.

Alors, il lui raconta tout : l'histoire qui l'unissait au débris et celle de son père, avant lui. L'objet qu'elle tenait dans ses mains était la preuve que tous les cinglés avaient raison ; que, quelque part dans l'univers, existait un autre monde ; que les créatures de ce monde avaient visité la Terre, enlevé des humains et pratiqué sur eux des expériences. Il lui dévoila la vérité sur les implants, sa théorie selon laquelle des gens étaient « élevés » à des fins qu'il n'avait pas encore élucidées. Enfin, il lui parla de Charlie Keys et de Lisa Clarke.

— Chet Wakeman est au courant de tout, conclut-il, sauf de l'existence de cet objet. C'est la seule chose que tu doives garder pour toi. Chet va arriver dans un instant. Il dit qu'il a des nouvelles à nous annoncer. Dorénavant, nous travaillerons tous ensemble.

Éric remarqua une lueur d'excitation dans les yeux de Mary.

Quand Wakeman arriva quelques instants plus tard, Éric vit les doigts de Mary se recroqueviller sur l'objet métallique.

— Salut, les amateurs de sensations fortes, s'exclama Wakeman en entrant dans le bureau.

Mary capta immédiatement son attention.

— Regardez-moi ça ! s'exclama-t-il. Aussi belle qu'intelligente ! Comment avance la quête du prix Nobel ?

— Je suis en train de travailler sur une technique de scannage du génome humain, répondit fièrement Mary.

Wakeman siffla d'admiration.

— Et dire que tu n'es encore qu'étudiante…

Il la dévisagea pendant un instant, avant de se tourner vers Éric.

— Prêt pour les nouvelles ?

Éric hocha la tête. Wakeman s'enfonça dans le fauteuil qui lui faisait face.

— Voici la dernière : Lisa Clarke a eu un bébé. Une petite fille.

Éric enchaîna en un éclair.

— Allons-nous les embarquer ?

— Pour quelle raison ferions-nous une telle chose ? s'enquit Wakeman.

Quelques heures plus tard, Mary se prélassait dans les bras de Chet Wakeman dans la chambre d'un petit motel.

— J'attends ce moment depuis des années, soupira Wakeman.

— Moi aussi.

Mary posa délicatement ses lèvres sur les siennes, avant de renverser la tête en arrière. Une question semblait la tourmenter.

— Pourquoi ne t'empares-tu pas du bébé ?

Un sourire se dessina sur le visage de Wakeman.

— Tu ne perds pas de temps, dis-moi.

— Il est d'une grande valeur. Je dirais même qu'ils est la clé de toutes nos recherches.

— Indéniablement.

— Alors, prends-le. Enlève-le.

Wakeman secoua la tête.

— Ils le récupéreraient aussitôt. Ils sont bien meilleurs que nous à ce jeu-là.

— Alors, que faisons-nous ?

— Nous prenons notre mal en patience, le temps de mettre sur pied un plan pour lequel nous soyons sûrs du résultat.

— Prendre notre mal en patience, répéta Mary. Je crois entendre mon père.

Wakeman haussa les épaules.

— Je ne ressemble en rien à ton père.

Mary l'embrassa tendrement.

— J'ai une théorie sur ce bébé, dit Wakeman. Tu veux la connaître ?

Mary acquiesça.

— L'évolution tend à éliminer ou, au moins, à dompter les émotions. Toujours ce bon vieux système limbique. Imagine leur... pouvoir combiné avec l'énergie de nos émotions.

— Ce serait explosif.

Ses pupilles se dilatèrent, comme si une image effrayante venait de naître dans son esprit.

— Mais ce bébé serait une vraie bombe nucléaire.

VII

L'ÉQUATION DE DIEU

1

Madison, Wisconsin

Charlie était étendu sur le lit, son corps nu luisant de sueur. Mais était-ce bien de la transpiration ? Dans son rêve, il était suspendu dans un réservoir de liquide translucide et flottait la tête en bas, les bras écartés. À travers l'épais liquide, il avait vu de fines silhouettes s'agiter : elles avaient les bras allongés, une tête en forme de poire et des yeux taillés en amande, continuellement tournés dans sa direction.

Il se redressa et examina la chambre autour de lui ; tous ces souvenirs qu'il avait accumulés au fil du temps, des bandes enregistrées, des traductions de notes sténographiques, des versions papier de sites Internet consacrés aux histoires d'enlèvements par des extraterrestres... Mais rien de tout cela ne lui semblait aussi réel que ce rêve. Non, rien de tout cela ne prouvait qu'un autre avait vécu ce qui lui était arrivé. Peut-être était-il simplement fou, ou seul dans son cas, comment pouvait-il en être sûr ?

Seattle, Washington, même jour

Allie savait que Denny, Milo, et même Nina, étaient venus vers elle parce qu'ils se doutaient qu'elle pourrait les rassurer et leur montrer la bonne direction. Ses yeux passaient silencieusement d'un visage à l'autre. Tous étaient réunis en cercle autour d'elle. Quelque chose en eux lui rappelait les personnages des contes de fées que sa mère lui avait lus. Ils étaient abandonnés au milieu des bois ou enfermés dans des donjons et ne parvenaient pas à se rejoindre. Ils couraient après des choses qu'ils croyaient importantes, précieuses, ou qui, du moins, dureraient. Mais, au fond, ils avaient du mal à se convaincre qu'elles avaient autant de valeur. La moitié du temps, ils paraissaient perdus et désespérés, comme si un terrible monstre s'était lancé sur leurs traces et se rapprochait.

— Bon, les enfants, vous êtes venus vous tourner les pouces ou jouer du rock? leur demanda Lisa en entrant dans la pièce.

Denny et Milo se levèrent pour prendre leur guitare. Allie s'assit près de Denny, parce qu'il lui avait dit que son jeu s'améliorait quand elle se tenait près de lui. Elle était loin d'être persuadée que ce fût la vérité, mais, durant les neuf années de sa jeune existence, elle avait pris l'habitude d'entendre les gens lui dire des choses étranges. Il arrivait aussi que les gens lui demandent de réaliser des choses étranges. Elle avait un pouvoir, disaient les gens, et elle savait que c'était vrai.

Elle se souvint du jour où, trois ans plus tôt, sa mère l'avait emmenée voir des dauphins. Elle s'était approchée de la vitre du bassin, avait levé les bras sans savoir pourquoi et n'avait manifesté aucune surprise quand les dauphins s'étaient tous rassemblés devant elle, comme s'ils attendaient ses instructions. Elle avait un pouvoir, oui, mais tout ce qu'elle souhaitait, c'était vivre comme une petite fille.

Conserverie supérieure de poissons, Ellsworth, Maine, même jour

La vidéo montrait un terrain de football où des enfants s'amusaient gaiement. Au premier plan, Allie courait après le ballon.

— C'est la fille de Lisa Clarke. Comme vous pouvez le voir, elle peut bloquer les tirs. Mais à part ça, elle n'a pas encore démontré le genre de pouvoirs que nous espérions. Ce qui n'est pas plus mal, parce qu'une fois qu'elle en aura pris conscience, nous ne pourrons plus lui mettre la main dessus.

Éric avait les yeux fixés sur l'image vidéo. À présent, Allie avait récupéré le ballon.

— Lisa s'est inscrite à une sorte de thérapie de groupe pour les gens qui prétendent avoir été enlevés par les extraterrestres. Nous avons placé un agent au sein du groupe, annonça-t-il d'un ton distrait. Juste histoire de garder un œil sur la situation.

Wakeman et Mary regardaient avec attention le film. Soudain l'image s'arrêta sur Allie, les yeux brillant d'excitation.

— Elle est encore très jeune, dit Wakeman. Laissons-lui un peu de temps.

— Chet a raison, renchérit Mary en adressant à Wakeman un regard d'une curieuse intensité. Un certain nombre de caractères génétiques ne se développent qu'à l'adolescence. La schizophrénie, par exemple.

Elle sourit à Wakeman, et Éric surprit l'étrange lueur dans ses yeux. Elle n'avait plus l'air de la petite fille qui admirait son oncle, songea-t-il, mais d'une femme attirée par un homme.

— De toute façon, nous ne pouvons pas la prendre, dit Éric en haussant les épaules. Ils la récupéreraient aussitôt, comme ils l'ont fait quand nous avons essayé avec Lisa.

Wakeman retourna son sourire à Mary et se tourna vers Éric.

— C'est ce qui se passait avant, déclara-t-il.

— Comment ça « ce qui se passait »? s'étonna Éric.

Wakeman avait bien du mal à cacher l'assurance qui l'habitait.

— Vous voulez avoir une idée de ce que nous pouvons faire?

Il passa sa main dans le dos de Mary et l'invita à se pencher au-dessus d'un petit four à micro-ondes relié à un ordinateur.

— Des radiations émises par micro-ondes, déclarat-il.

Éric les rejoignit près du four.

— Une partie du spectre lumineux, continua Wakeman en regardant le petit hamster qui s'agitait à l'intérieur du four. Dans le cas de cet appareil, 12,5 centimètres pour être précis.

Il appuya sur le bouton du four.

— Ne t'inquiète pas, ajouta-t-il en riant, nous n'allons pas faire cuire notre petit ami à fourrure. Du moins... pas encore.

Éric surveillait le hamster qui continuait de s'agiter à l'intérieur du four, les oreilles dressées, les moustaches frémissantes, ses deux grands yeux ronds le fixant de l'autre côté de la vitre.

— Si nous bloquons cette longueur d'ondes, notre petit ami en a fini avec ses problèmes d'argent, dit Wakeman.

Puis il se mit à pianoter sur le clavier de l'ordinateur. Un instant plus tard, le hamster explosa. Ses poils et ses viscères giclèrent sur la vitre.

— En méditation, nous apprenons l'unité de toute chose, dit Wakeman, le regard fixé sur la bouillie sanglante qui avait été un hamster. L'harmonie de la nature, si vous préférez. Ce sont les mêmes idées, seulement débarrassées de la notion réconfortante de divinité, que nous enseignent la science et, plus spécifiquement, les mathématiques.

Il prit un bloc dans son bureau, griffonna quelques chiffres et le tendit à Mary.

— Séquence de Fibonacci, dit-elle. Chaque nombre additionné à celui qui le précède donne le nombre suivant de la séquence.

Elle regarda son père. À présent, c'était elle le professeur et lui l'étudiant.

— La séquence de Fibonacci nous livre la clé, lui dit-elle. Ils sont partout, ces nombres. Dans les coquilles d'œufs, les nuages, les ruches... Dans les spirales d'une pigne de pin. Dans l'ADN.

— Et où cela nous mène-t-il ? s'impatienta Éric.

Wakeman se tourna vers lui.

— Leurs vaisseaux comptent cinq de ces chiffres, dit-il. Le nombre des observations confirmées au Nouveau-Mexique, l'année dernière, a été de 1 597. Ils ont trois doigts et un pouce.

— Tu as dénombré 55 couples reproducteurs quand tu cherchais à savoir qui était Allie, ajouta Mary. 1... 3,5... 55... 1 597. Ce sont tous des nombres appartenant à la séquence de Fibonacci.

— Et ça continue, reprit Wakeman en adressant un clin d'œil à Mary. Combien de lumières sur le traceur ? 46 367 et avec notre petite amie Allie...

Il nota un chiffre sur le bloc et le passa à Éric.

— 46 368. Le quarante-quatrième nombre de la séquence de Fibonacci.

— Et maintenant, dit Mary, comment comptes-tu utiliser notre découverte pour empêcher la transmission du signal, et ainsi nous permettre de nous emparer de « 46368 », notre petite Allie ?

Elle se tourna vers Wakeman, lui laissant le soin de terminer l'explication. Il fit un geste en direction d'un jeune homme inanimé étendu sur une civière d'urgence.

— Voici Peter Miller. M. Miller a été enlevé à treize reprises, déclara-t-il en souriant. Ne t'inquiète pas, Éric, je n'ai pas l'intention de faire exploser ce cher Peter aux quatre coins de la salle. Le gardien ne serait pas content.

Il désigna ensuite le grand traceur qui occupait le mur opposé : une immense carte électronique des États-Unis parsemée de petites lumières.

— M. Miller a subi un implant, dit-il. Nous pouvons aujourd'hui contrôler les ondes émises par cet implant. Grâce à ce signal lumineux, nous savons qu'il réside principalement à Ellsworth, un charmant et paisible petit village de pêcheurs du Maine.

Wakeman saisit une sorte de casque à cinq faces sur la table et le mit sur la tête de Miller, comme s'il s'était agi du capuchon d'un bourreau.

— Les implants ont un large spectre de diffusion. Ils ont tous pour base la ligne de transition de l'hydrogène hyper fin. La longueur d'ondes la plus fondamentale de l'univers.

Il prit une pose étudiée, presque théâtrale, et ajouta, en souriant :

— Encore Fibonacci. Nous arrivons à bloquer ces fréquences de telle sorte que le hamster n'explose plus. Comme vous pouvez le voir sur la carte, le signal lumineux de Miller est éteint. Cela signifie que les ondes émises par son implant ne sont plus enregistrées. Et cela signifie aussi, par voie de conséquence, que si nous nous emparons d'une personne implantée, nous n'avons plus à craindre qu'ils viennent nous la reprendre.

Éric regarda fixement Peter Miller.

— Ça marchera sur la fille ?

— Je vous rappelle qu'Allie n'a pas d'implant. Juste ce neutron en spirale qu'elle a probablement hérité de sa mère.

— Alors nous ne pouvons pas...

— Mais si, nous pouvons, Éric, dit Wakeman. Le même principe s'applique ici. Nous pouvons bloquer sa fréquence.

Cabinet de Harriet Penzler, Seattle, Washington

Charlie se déplaçait à travers la pièce avec sa caméra. Il s'arrêtait sur chaque visage. Dale Adler, un homme triste entre deux âges ; Ray Morrison ; Ben et Nora, un couple marié ; Cynthia, une jeune femme à l'air dur ; Dorothy, qui déclara posséder douze chats ; et un vieil homme nommé Adams.

— Les traînées blanches sont des messages, dit Ray. Quand elles sont apparues dans le ciel au-dessus de St. Paul, le nombre d'infections graves des voies respiratoires a quadruplé.

— Des traînées blanches ? s'étonna Dorothy. Comment ça ?

— Les mêmes traînées blanches que laissent les avions supersoniques.

— Des messages, répéta Dale. Je pense que nous avançons à pas de géant, là.

— Nous ne sommes pas ici pour nous juger, intervint Harriet, juste pour écouter.

— Ils ont une base, continua Ray, impassible, une piste d'atterrissage au fond du lac Supérieur. Lors de mon troisième enlèvement, c'est là qu'ils m'ont emmené.

— Comment se fait-il que vous ne vous soyez pas noyé ? demanda Nora.

— Ils m'ont fait quelque chose qui m'a permis de respirer sous l'eau, répondit Ray.

Dale haussa les épaules. Ray le fixa dans les yeux.

— Et moi, je suis supposé croire à l'histoire de ton fils mort que tu aurais revu dans une soucoupe volante, n'est-ce pas ? lui fit-il remarquer. Alors pourquoi ne peux-tu…

— Pourquoi ne nous raconteriez-vous pas l'histoire de votre fils, Dale ? l'interrompit Harriet.

— Nous avons perdu notre fils Luke pendant la guerre du Golfe, commença Dale. Six mois plus tard, ils sont venus me voir. Ça s'est passé la nuit. Je me suis réveillé et il y avait cinq de ces jeunes gens qui se tenaient là, près de mon lit. Des soldats, tout comme Luke. Ils m'ont demandé si j'aimerais revoir Luke. Et alors, il y a eu cette vive lumière, et Luke était là. Nous avons parlé un moment. Et après ça, ils sont revenus plusieurs nuits de suite. Les soldats et Luke, et je pouvais parler avec lui. Et puis ils ne sont plus revenus. C'était comme s'ils avaient voulu me faire revivre mon deuil, finit-il en secouant la tête.

Ray secoua la tête, lui aussi.

— Tu as juste fait des mauvais rêves, Dale.

Dale bondit de sa chaise ; son regard lançait des éclairs.

— Et ça, ça ressemble à des rêves, selon toi ? s'écria-t-il en écartant le col de sa chemise pour montrer plusieurs lignes rouges sur son cou.

Ray jeta un coup d'œil sur ces fines marques en pointillés.

— Tu as pu te faire ça autrement, peut-être même tout seul.

— S'il vous plaît, dit Harriet. Vous êtes tous ici parce que vous pensez avoir vécu une expérience inhabituelle. C'est difficile à exprimer. C'est une épreuve qui peut être douloureuse...

La porte s'ouvrit et Charlie vit une jeune femme brune et élancée entrer dans la pièce.

— Désolée, je suis en retard, dit-elle en regardant Charlie.

— Lisa, nous avons un invité aujourd'hui, lui expliqua Harriet. C'est Charlie. Il prépare un travail sur les cas d'enlèvements par des extraterrestres. C'est pour cela qu'il filme la séance. Cela fait des années qu'il recueille les témoignages de gens qui ont vécu des expériences similaires aux vôtres. Les autres ont accepté d'être filmés, mais si cela te met mal à l'aise...

— Non, pas du tout, l'interrompit Lisa en plongeant son regard dans celui de Charlie. Mais j'aime que ma vie privée le reste.

Charlie baissa sa caméra.

— Excusez-moi, dit-il. Je comprends...

Pendant le reste de la séance, Charlie remarqua que Lisa ne le quittait pas des yeux. Son regard trahissait de terribles secrets : par exemple, qu'un être humain peut disparaître dans une lumière blanche aveuglante et réapparaître quelques heures plus tard en un endroit complètement différent. Que le cauchemar se répétait, de nouveaux enlèvements, encore et encore. Ils ne disaient jamais pourquoi ils vous avaient choisi ou s'ils vous laisseraient jamais en paix.

Plus tard, dans l'après-midi, ils s'installèrent à une table de café et Lisa n'éprouva pas le besoin de cacher ce qui lui était arrivé, ni même qu'elle savait ce qu'avait vécu Charlie.

— Depuis combien de temps vous enlèvent-ils ? demanda Lisa.

— Depuis que je suis gosse, répondit Charlie.

— Moi aussi.

— Mais c'est fini maintenant, ajouta Charlie. Depuis neuf ans. Alors j'essaie de prouver la réalité de ce que j'ai vécu. Je veux comprendre pourquoi ils ont fait ça et pourquoi ils se sont arrêtés.

Lisa réfléchit un instant puis déclara :

— Avez-vous apprécié vos enlèvements ?

— Si je les appréciais ?

— Oui, répondit Lisa. C'est étrange, mais j'y ai pris du plaisir. Un plaisir qui me manque aujourd'hui. Je m'étais habituée à ce truc d'énergie. Ce bourdonnement. C'était une sensation extraordinaire. Je crois que toutes ces histoires d'enlèvements auront des conséquences positives. À l'heure d'aujourd'hui, les gens pensent que nous déménageons, que nous sommes complètement frappés, mais tout ça va changer. Nous avons été choisis pour une raison bien précise.

— Moi, je n'ai jamais ressenti ce bourdonnement, dit Charlie. Je ne comprenais pas ce qui m'arrivait, alors je me défendais de toutes mes forces.

Pendant un moment, ils se regardèrent sans dire un mot. Puis Lisa commença à rassembler ses affaires.

— Je dois rentrer, déclara-t-elle. Ma fille m'attend.

Mais elle n'osa pas se lever. Ils continuèrent de se regarder, incapables de se défaire de l'impression bizarre de s'être déjà rencontrés.

Au bout d'un moment, Charlie voulut prendre son portefeuille : une photographie s'en échappa et tomba sur la table.

— C'est mon père, dit-il en remarquant la curiosité de Lisa.

— Le forain, balbutia-t-elle en relevant lentement les yeux vers Charlie. Les choses prennent un tour de plus en plus étrange. Nous devons parler au docteur Penzler.

Quelques minutes plus tard, Charlie se tenait un peu à l'écart tandis que le docteur Penzler s'apprêtait à faire subir à Lisa ce qu'elle appelait une régression. La jeune femme s'allongea sur un sofa, les yeux rivés sur cet homme dont la présence lui semblait si familière. Et lui-même eut alors l'intuition que ce regard l'avait accompagné tout au long de sa vie.

— Êtes-vous prête ? demanda le docteur Penzler.

— Oui, dit Lisa.

Soudain, les murs du cabinet du docteur Penzler s'effacèrent derrière des parois lumineuses, et elle sentit son corps s'élever en tournant sur lui-même vers le sommet d'un grand habitacle en verre. Elle continuait de tourner quand elle vit des petites créatures aux yeux taillés en amande. Puis un autre habitacle entra dans son champ de vision. À l'intérieur, un homme nu flottait dans le même liquide épais qu'elle. Les deux habitacles se rapprochèrent l'un de l'autre, se touchèrent brièvement, dans une explosion de lumière, puis se séparèrent en tournant de plus en plus vite. Au bout d'un moment, la vitesse de rotation était telle qu'elle se mit à ne plus voir autour d'elle qu'une masse confuse et bleue. C'était comme si elle avait été projetée dans un tunnel de lumière avec une puissance inimaginable et qu'elle allait toujours plus loin, qu'elle remontait à la source de quelque chose de profondément enfoui, quelque chose qu'elle rapportait de son voyage, une étincelle de vie.

— Lisa !

Elle ouvrit les yeux et vit Charlie qui se penchait au-dessus d'elle. Le docteur Penzler se tenait à son côté.

— Qu'avez-vous vu ? demanda Charlie.

263

— Ce n'était pas vraiment mon rêve « new-age »,
répondit calmement Lisa.

— Qu'est-ce que c'était alors ?

Lisa le regarda tendrement.

— Il y était question de toi et de moi.

— De nous ? À quel sujet ?

Lisa secoua la tête. Charlie la regardait avec un air
insistant.

— Qu'est-ce que c'était ? répéta-t-il.

Les yeux de Lisa se dirigèrent vers la fenêtre, s'y
arrêtèrent un instant, puis se posèrent à nouveau sur
lui. Alors, il se rendit compte à quel point elle était
bouleversée, à quel point il lui était difficile de révéler ce qu'elle avait vu. « Je ne suis pas prête » fut tout
ce qu'elle arriva à dire.

Une heure plus tard, Charlie faisait la connaissance d'Allie. C'était une petite fille de neuf ans aux
grands yeux calmes et pénétrants. Ils s'assirent dans
le petit salon de l'appartement de Lisa. Derrière Allie
se trouvait l'affiche de sa mère de *J'ai épousé un
monstre de l'espace*.

— Tu es en CM1, n'est-ce pas ? demanda Charlie.

Allie fit signe que oui.

— J'ai enseigné à des CM1, dit Charlie. Je parie
que tu étudies *L'Histoire de la petite Sarah*. Et c'est
aussi l'année des « grandes idées » : électricité,
magnétisme…

— Nous avons lu l'histoire de Sarah l'année dernière, répondit Allie, pleine d'entrain.

Son enthousiasme sautait aux yeux, mais lui lais-
serait-on le temps de satisfaire sa soif d'apprendre ?

— Cette année, c'est *L'Île des dauphins bleus*.

— Un bon livre, commenta Charlie avec un bref
sourire.

Soudain l'expression d'Allie se fit plus sérieuse.

— Alors c'est cette année que je vais apprendre comment tout fonctionne ? Les « grandes idées »...

— C'est ça, répliqua Charlie.

— Mais pourquoi est-ce que tout le monde les oublie ensuite ?

Charlie pouffa.

— Je n'avais jamais vu les choses sous cet angle, admit-il.

Nina arriva avant que Charlie ait eu le temps de poser une autre question, et il remarqua sa surprise quand elle découvrit un étranger dans la maison.

— Qui êtes-vous ? demanda-t-elle.

Lisa se mit à rire.

— C'est ce que nous avons essayé de savoir tout l'après-midi.

Nina gardait les yeux fixés sur Charlie.

— Je n'ai pas le temps de chercher avec vous, dit-elle. Mais quelque chose me dit que je vais vous revoir dans les parages.

Elle avança vers Allie et l'embrassa.

— Je dois foncer. Salut, mon cœur.

Au cours du dîner, Allie fit une pause, comme si elle réfléchissait à la meilleure approche possible, et déclara :

— Vous aussi avez été dans les soucoupes volantes.

Ce n'était pas une question, mais une affirmation.

— Oui, en effet, dit-il.

— Vous avez eu peur ? demanda Allie.

— Plutôt, oui.

— Est-ce que ça vous a rendu méchant ?

— Je ne crois pas, répondit Charlie.

— Ma mère non plus, lui dit Allie. Mais certaines personnes qu'elle connaît le sont devenues... Je pense que les gens deviennent méchants quand ils ont peur.

Charlie se sentit concerné par ces paroles. Il se rappela la férocité de sa résistance : il s'était débattu de toutes ses forces, il avait distribué des coups de pieds et de poings, il avait hurlé. Tout cela sous l'effet de la terreur.

Allie sourit.

— Je tiens un journal, dit-elle. J'écris des choses qui me passent par la tête.

— C'est une bonne idée, approuva Charlie. J'ai toujours voulu m'y mettre.

— Peut-être qu'à l'occasion je pourrai vous lire le mien.

Charlie sourit.

— J'en serais enchanté.

Il se tourna vers Lisa et vit qu'elle le dévisageait d'un air grave.

— Tu es le prochain, tu sais. Avec Harriet. Ta régression. Tu n'en as jamais subi auparavant, n'est-ce pas ?

Charlie fit signe que non.

— Quelquefois, ça peut... ça peut fournir beaucoup d'informations.

— Bien, murmura Charlie.

Lisa hésita un instant à continuer, mais elle était déterminée à lui parler.

— Au cours de ma régression, je nous ai vus, dit-elle.

— Nous ?

Lisa jeta un coup d'œil à Allie, puis regarda Charlie.

— Oui, nous, dit-elle d'un air entendu.

À son tour, Charlie se tourna vers Allie, et il comprit alors que c'était leur enfant, à Lisa et à lui, conçue dans le tunnel de lumière. Une enfant des étoiles et de la terre, précieuse au-delà de toute mesure, rare au-delà de l'imaginable. Une créature qui, à coup sûr, suscitait toutes les convoitises.

266

Conserverie supérieure de poissons, Ellsworth, Maine

Mary se promenait avec Wakeman le long du quai dans les premières lueurs du jour. L'eau clapotait doucement sur les pilotis en bois : elle ne lui avait jamais vu cette expression sur le visage – étrangement rêveuse et quelque peu pensive. *Un homme amoureux*, songea-t-elle, mais probablement aussi un savant qui venait d'être traversé par une intuition subite.

— Peut-être cherchent-ils à nous rendre meilleurs, dit Wakeman au bout d'un moment, à nous faire gravir l'échelon supérieur. C'est peut-être ainsi qu'ils espèrent s'améliorer eux-mêmes.

Mary secoua la tête.

— J'ai une idée différente là-dessus. Tout cela a dû commencer comme un programme de recherche... un programme lancé à une échelle qui dépasse notre entendement. Une tentative de répertorier toutes les formes de vie sur Terre.

— J'aime assez, dit Wakeman en souriant.

— Maintenant, imagine ceci, continua Mary. Au cours de leurs recherches, une intuition extraordinaire leur vient à l'esprit, quelque chose qui bouleverse en profondeur leur conception de l'univers.

— Et ce « quelque chose », c'est Allie ? demanda Wakeman.

— L'évolution a un coût, Chet, dit Mary. À chaque fois que l'on fait un choix, on condamne un certain nombre d'autres possibilités. Peut-être ont-ils ainsi perdu quelque chose en cours de route ?

Wakeman hocha la tête.

— Probablement quelque chose de très simple.

Il resta songeur un instant puis ajouta :

— Tout ce que j'ai toujours voulu, c'est arriver à les comprendre, à saisir un fragment de leur pensée, à voir le monde à travers leurs yeux ne serait-ce que l'espace d'une seconde. Nous progressons, Mary, continua-t-il alors que son regard se perdait dans le ciel. Nous aurons bientôt la fille et, par son intermédiaire, nous pourrons communiquer avec eux. J'ai attendu ce moment toute ma vie.

Il prit Mary dans ses bras, les yeux brillant d'excitation.

— Ce que j'ai toujours ignoré, c'est que je trouverais un jour quelqu'un pour partager ce moment avec moi.

Il était sur le point de l'embrasser quand la sonnerie du téléphone portable de Mary l'arrêta net dans son élan.

— Oui, docteur Penzler, répondit Mary. Bonjour. Merci beaucoup. Je suis impatiente de vous voir. Oui, c'est inattendu... Mais c'est un heureux événement malgré tout...

Elle éteignit son téléphone et le remit dans sa poche.

— Il y a un pépin, dit-elle gravement. Le père d'Allie vient de réapparaître.

Charlie et Lisa étaient assis ensemble, entourés par les autres membres du groupe. Le docteur Penzler se tenait près d'eux, son carnet ouvert, le stylo à la main.

— Je n'arrive pas à me faire à l'idée que ma vie puisse échapper à mon contrôle, dit Adams.

Ray le salua d'un geste de la main.

— Bienvenue sur Terre ! plaisanta-t-il.

— Ils sont plus évolués, dit Ben. Mais ça ne fait pas d'eux les égaux de Dieu.

Adams semblait avoir du mal à écouter Ben.

— Ce qui me rend dingue, c'est que le gouvernement ait pu passer un accord avec eux, dit-il. Ils
sont au courant de ce qui se passe, mais ils taisent
la vérité.

— Les types comme toi me rendent malade,
haleta Ray.

Il dévisagea les membres du groupe et enchaîna :

— Vous êtes tous des victimes. Il est temps que
quelqu'un prenne les choses en main. Ils s'introdui-
sent dans nos maisons, ils nous… font des trucs
bizarres, et nous sommes assis là. Nous l'acceptons
sans broncher.

— Tu parles comme s'il y avait quelque chose à
faire, dit Ben.

— Bien sûr que oui, s'énerva Ray dont la colère
montait, nous pouvons nous défendre.

Le docteur Penzler, mal à l'aise, changea de position sur sa chaise.

— Vous êtes-vous jamais défendu, Ray ?

Ray lui décocha un regard perçant.

— J'ai… ouais, j'estime que je me suis défendu.
Mais je ne parle pas de ça. Nous sommes réunis dans
cette pièce. Parfait. Mais les gens dehors, les gens de la
rue, ils nous traitent comme si nous étions dingues.

Il regarda chacune des personnes présentes, l'une
après l'autre.

— Si nous restons tous isolés dans notre coin,
nous n'avons aucun moyen de nous défendre. Mais
si on nous croyait enfin, s'il y avait des preuves…

Le docteur Penzler se tourna vers Charlie.

— C'était aussi votre idée, Charlie, de rassembler
des preuves…

— Oui… c'est vrai, répondit Charlie, qui ne s'attendait pas à devoir prendre la parole.

— Mais plus maintenant ? demanda le docteur
Penzler.

— Dernièrement, certaines choses se sont produites, qui ont modifié l'ordre de mes priorités, dit-il.

— C'est si romantique ! s'écria Ray, d'un ton moqueur. Charlie et Lisa. Deux âmes sœurs destinées à se rencontrer dans les étoiles. C'est à vomir !

Charlie sentit la colère monter en lui.

— Calme-toi un peu, l'ami, lança-t-il à Ray.

— Mais j'ai de bonnes raisons pour ne pas me calmer, s'emporta Ray. J'en ai ma claque de vos jérémiades cosmiques, vous comprenez ?

— Vous savez quoi, Ray ? intervint Cynthia. Tout ce que vous êtes capable de faire, c'est de vous mettre en colère contre ceux qui racontent leur histoire. Alors, racontez-nous la vôtre...

Ray la dévisagea.

— Ah, vous voulez mon histoire ? s'écria-t-il en sortant un revolver de derrière son dos. La voici mon histoire !

Charlie s'avança vers lui.

— Donne-moi cette arme, Ray.

— Une petite partie, alors, répondit calmement Ray, une toute petite.

Et il tira sur lui.

Seattle, Washington

Mary essuya une saleté sur le pare-brise puis se renfonça dans son fauteuil, les mains posées sur le volant. Là-bas, derrière la rangée d'arbres, sur le terrain de football, elle pouvait apercevoir Allie qui courait après le ballon. Elle jeta un coup d'œil à sa montre. 15 h 30.

— Ils devraient déjà être là.

— Ne t'inquiète pas, ces gars-là sont très ponctuels, dit Wakeman en souriant.

Il surveillait les alléés et venues d'Allie sur le terrain.

— Jolie petite fille, dit-il.

Mary hocha la tête. Soudain, une voiture de couleur sombre se gara près des buts. Deux hommes en sweat-shirts étaient assis à l'avant.

— Les voici, dit-elle.

Wakeman remarqua un troisième homme qui se déplaçait le long de la ligne de touche. Un coureur à pied, vêtu lui aussi d'un sweat-shirt.

— Et voilà le reste de l'équipe, juste à l'heure.

— Oui, dit Mary.

Elle ouvrit sa portière et se tourna vers Wakeman.

— Prêt, Chet?

— Prêt.

Ils traversèrent le terrain et se dirigèrent vers Allie qui courait toujours après le ballon. Soudain, elle s'arrêta net, les dévisagea un instant et s'enfuit en courant.

— Allons-y! s'écria Mary en se lançant à ses trousses.

Les autres démarrèrent aussitôt. Et leurs trajectoires convergèrent au moment où Allie disparaissait dans un petit bosquet. Mary la vit s'engouffrer dans une brèche au milieu des arbres, puis réapparaître un peu plus loin, sur la route où les voitures circulaient à grande vitesse. Brusquement, l'air se figea et elle eut l'impression de se mouvoir à travers une gélatine épaisse et invisible. À ses côtés, Wakeman chancelait sous son propre poids. Le monde ralentissait autour d'eux. Une force mystérieuse semblait en passe de l'immobiliser complètement. Seule Allie continuait à filer comme un chevreuil, insensible à l'engourdissement qui semblait gagner le royaume terrestre.

Charlie s'était allongé sur le sofa du docteur Penzler. Il grimaçait de douleur tandis que Lisa essayait d'arrêter l'hémorragie. Il regarda les autres regroupés

271

autour de lui. La peur les avait fait pâlir et ils observaient avec angoisse Ray faire les cent pas devant eux.

— Charlie a besoin d'un médecin, dit Lisa.

Ray secoua la tête.

— Je dois parler au FBI.

Il prit un des téléphones portables qu'il avait confisqués aux membres du groupe et en tendit un au docteur Penzler.

— Appelez le FBI. Dites-leur que je suis armé et que je vais tuer des otages si mes exigences ne sont pas satisfaites.

— Quelles sont vos exigences ? demanda le docteur.

— Je veux parler à un responsable, rétorqua Ray. Du programme extraterrestre. Je veux parler à celui qui dirige ce programme. Je veux le voir ici, dans cette pièce, pour pouvoir lui parler les yeux dans les yeux.

Le docteur Penzler s'empara du téléphone.

Soudain la porte s'ouvrit violemment et tous les regards se tournèrent vers la petite fille essoufflée qui apparut sur le seuil.

— Allie ! s'écria Lisa.

Ray fit un geste avec son revolver pour indiquer à Allie de rejoindre les autres. Puis il se tourna vers le docteur Penzler.

— Passez l'appel, ordonna-t-il.

Le docteur composa un numéro et dit :

— Harriet Penzler à l'appareil. Je suis psychologue à Seattle, dans l'État de Washington. Oui. Oui. C'est très urgent. J'ai un patient qui… qui exige de parler à la responsable du programme extraterrestre. Oui, c'est bien ce que j'ai dit. Oui. Ce n'est pas une plaisanterie.

Elle fit une courte pause et reprit d'une voix grave :

— Il a des otages. Sept adultes et… une petite fille.

Elle regarda Allie en écoutant ce qu'on lui disait à l'autre bout du fil.

— Oui, murmura-t-elle. C'est la vérité... exactement.

— Très bien, je suis là, dit Mary en pénétrant dans la salle de consultation du docteur Penzler, quelques minutes plus tard.

Elle leva les mains pour montrer qu'elle n'était pas armée.

— Vous voulez parler au FBI, n'est-ce pas? demanda-t-elle en fixant Ray dans les yeux.

— Ouais, fit Ray.

— Eh bien, c'est moi. Vous pouvez me parler.

— Vous êtes au courant de ce qui se passe?

— Je sais qu'un homme retient huit otages dans le cabinet d'un psychologue et qu'il veut s'entretenir avec... un agent du FBI.

— J'ai demandé à parler à l'agent du FBI responsable du programme extraterrestre.

— Vous voulez dire, comme dans *X-Files*? dit Mary en souriant. Alors c'est moi.

Ray la dévisagea.

— Je veux que le FBI fasse une déclaration publique, je veux que le FBI avoue tout ce qu'il sait à propos de...

— Je suis sûre que personne ici n'y verra d'inconvénient! Vous ne pouvez pas imaginer combien de fois j'ai eu envie de la faire, cette déclaration... publique.

Elle passa en revue les différents otages et finit par repérer Allie.

— Donnez-moi la fillette et je verrai ce que je peux faire pour vous.

Allie regarda attentivement Mary.

— C'est elle qui était au parc, tout à l'heure, dit-elle à Lisa. Elle a essayé de m'attraper.

273

Mary tourna la tête vers Ray.

— Laissez la petite fille sortir avec moi, répéta-t-elle.

Ray traversa la pièce, arracha Allie à sa mère et braqua son revolver sur sa tempe.

— Elle vous intéresse, n'est-ce pas ? dit-il à Mary.

Son regard se fit menaçant.

— Eh bien, vous ne l'aurez pas ! ajouta-t-il en libérant Allie. Elle reste avec sa mère. Maintenant, sortez !

Mary se retira de la pièce. Une fois dehors, elle traversa la rue et rejoignit son père qui avait étalé les plans de l'immeuble sur une table devant lui.

— Quelle est la situation ? demanda Éric.

— Il tuera la fillette si nous ne reconnaissons pas publiquement l'existence des extraterrestres.

— Wakeman et toi, vous deviez enlever cette fillette. C'était supposé être un jeu d'enfant.

Mary fit mine d'ignorer le ton plein de reproches de son père.

— Nous devons nous assurer que cette petite fille s'en sortira indemne.

Elle leva les yeux vers un camion à gaz stationné sur le bord du trottoir. Les tireurs d'élite qu'elle avait mis en position n'attendaient plus que son signal.

— Personne ne sera tué aujourd'hui, l'avertit Éric en apercevant les tireurs.

Mary fit un signe de la tête et les tireurs ouvrirent le feu. Les fenêtres de la salle de consultations volèrent en éclats.

Le silence s'installa un moment. Puis le téléphone sonna et Mary décrocha aussitôt.

— À quoi vous vous amusez, là ? cria Ray à l'autre bout du fil.

— Une simple erreur de transmission, tenta de le calmer Mary, ça ne se reproduira plus.

— Y'a plutôt intérêt ! La prochaine fois, je colle une balle dans la tête à la petite et je vous la balance par la fenêtre !

Mary raccrocha le téléphone et observa la fenêtre du docteur Penzler. Ray apparut dans l'encadrement. À l'abri derrière Allie, il répéta ses exigences en hurlant de toute la force de ses poumons.

— Il va la tuer, dit Mary. Notre preuve. Nous ne pouvons pas le laisser faire.

— Je ne serai le complice d'aucun meurtre supplémentaire, dit fermement Éric. Ça suffit maintenant !

— Je ne crois pas, papa, dit Mary avec un air sinistre. Tu sais qui se trouve là-haut, n'est-ce pas ? En dehors de la petite fille, je veux dire... sa mère, mais aussi son père. Ce qui signifie qu'il est au courant. Ces deux-là en savent trop.

Elle se remit à fixer la fenêtre brisée.

— Ils doivent disparaître. Et le docteur Penzler aussi. Je ne peux pas risquer une fuite. Allie est trop importante.

Elle secoua la tête.

— Les autres ne nous apportent plus rien, désormais. Seule Allie compte.

— Ce n'est pas à toi d'en décider, Mary, la sermonna Éric, c'est à moi. Tiens-le-toi pour dit. Et garde ton calme.

— Excuse-moi, dit-elle. Tu as raison.

Éric la regarda d'un air méfiant.

— En sortant, dis à tes chasseurs de primes qu'on n'a plus besoin d'eux.

Mary se raidit comme un soldat rappelé à l'ordre.

— Bien, papa, dit-elle en quittant la pièce.

Allie regarda Ray dans les yeux.

— C'est plus commode, n'est-ce pas, monsieur Morrison, lui fit-elle remarquer, de leur faire porter le chapeau.

Ray ravala un soupir de fatigue.

— Quoi ?

— C'est plus commode de dire que c'est « eux » qui vous l'ont fait.

Les doigts de Ray se contractèrent autour de la crosse de son arme.

— Ferme-la !

— C'est beaucoup plus effrayant quand nous sommes nous-mêmes les monstres, continua Allie.

— Je t'ai dit de la boucler !

— Vous ne pouvez rien changer à ce qui vous est arrivé, monsieur Morrison.

— Et qu'est-ce qui m'est arrivé ?

— Cet homme dans les bois, quand vous aviez huit ans... Il vous a emmené de force dans la cabane. Il ne venait pas d'une autre planète. Il était fou et méchant, c'est tout.

Ray bondit en avant.

— Ferme-la !

— Vous allez juste faire du mal à beaucoup plus de gens.

Ray baissa son arme. Sa main tremblait, mais une curieuse sérénité s'afficha sur son visage, comme s'il était condamné à mort et qu'on venait de lui annoncer la levée de sa sentence.

Il regarda Allie sans peur ni mauvaise intention.

— Et que devrais-je faire selon toi ?

Allie lui sourit calmement.

— Je pense que vous le savez déjà.

Mary eut juste le temps de se glisser derrière le camion à gaz quand la porte de l'immeuble du docteur Penzler s'ouvrit.

— Ils sortent, s'écria-t-elle. La petite fille a dit qu'elle venait avec nous.

Le tireur d'élite hocha la tête.

— Rappelle-toi ce que je t'ai dit.

— C'est comme si c'était fait, répliqua-t-il.

Mary passa la tête pour voir Allie qui marchait devant le reste du groupe.

— Un, deux, trois, commença-t-elle à compter.

Elle s'arrêta quand son père traversa la rue en agitant les bras et en hurlant d'une voix haute et désespérée qu'elle ne lui connaissait pas.

— Fuyez ! cria-t-il. Fuyez avec votre fille ! Courez !

Elle fit un signe et l'homme au fusil à lunette visa rapidement et tira. Le bruit de la détonation sembla déchirer le voile de la nuit. À quelques dizaines de mètres de là, Éric vacilla, le torse transpercé par la balle, avant de s'effondrer lourdement sur le sol.

Mary sortit de sa cachette, les yeux fixés sur Allie. *La preuve*, pensa-t-elle en constatant qu'Allie la regardait et restait immobile.

Wakeman se porta au côté de Mary et, ensemble, ils avancèrent d'un air déterminé. Soudain, d'une manière inexplicable, la rue et les bâtiments disparurent et ils se retrouvèrent au milieu d'un champ vert où une vache paissait tranquillement.

— Je suis prête à vous suivre.

Tout à coup, il n'y eut plus de pâturage. Allie se tenait devant eux et la rue était déserte. Les otages s'étaient enfuis. Le silence régnait comme si une violente tempête venait de passer.

— Elle nous a projeté un écran, dit Wakeman, impressionné.

— Un écran ?

— Une suggestion télépathique. Pendant ce temps-là, tout le monde a pu s'échapper.

Il sourit et dit à Allie d'une voix rassurante :

— Petite, j'aime beaucoup la manière dont ton esprit fonctionne.

VIII

LES PLATS CASSÉS

1

Allie gardait le silence tandis que la camionnette fonçait à travers la nuit froide de la Nouvelle-Angleterre. Elle regardait fixement devant elle, mais elle voyait tout ce qui se passait autour. Mary d'un côté, Wakeman de l'autre, occupés à assembler un casque à cinq faces.

— Sais-tu qui je suis? demanda Mary.

— Pas exactement.

— Nos familles ont un lointain passé en commun, lui dit Mary. La mienne, celle de ta maman et celle de ton papa. Et j'ai bien l'impression que, toi et moi, nous allons être l'aboutissement de tout cela.

— Ou peut-être juste le commencement, dit Allie en observant Mary. Votre grand-père n'était pas un homme très heureux. Pourquoi essayez-vous de lui ressembler?

Wakeman ne laissa pas à Mary le temps de répondre.

— Nous sommes presque arrivés à la piste d'atterrissage, dit-il. Nous ferions bien de mettre ce truc en place.

Il invita Allie à se pencher en avant et plaça le casque sur sa tête en l'attachant avec une lanière.

— Est-ce que tu peux voir? demanda-t-il.

Allie ne répondit pas. *Tout*, pensa-t-elle.

281

Seattle, Washington

Le cri de Lisa déchira l'air.

— Allie ! Allie !

Charlie et Nina jaillirent de la cuisine vers Lisa qui se frottait furieusement les yeux.

— Je ne vois plus ! cria-t-elle.

— Je suis juste en face de vous, lui dit Charlie. Avec Nina.

Nina gifla sèchement Lisa, et soudain la pièce et les visages de Nina et Charlie, qui se penchaient au-dessus d'elle comme des lunes, lui apparurent.

— Je ne sais pas ce qui s'est passé, dit-elle en regardant autour d'elle. C'était comme si j'étais ailleurs. Et, quel que soit l'endroit où je me trouvais, je n'y voyais rien. Il y avait quelque chose qui me couvrait les yeux.

Charlie la prit dans ses bras.

— Ça va mieux ? demanda Lisa. Je veux dire votre...

— C'est complètement guéri, lui dit Charlie, en pensant à Allie et au miracle qu'elle avait si claire-ment accompli. Il y a encore douze heures, j'avais une balle dans le poumon. Je devrais être mort.

Lisa regarda intensément Charlie.

— Elle a arrêté le temps, Charlie. Allie a arrêté le temps pendant deux heures. Elle essayait de nous protéger.

— Je sais.

Nina secoua la tête.

— J'aurais dû être plus près d'elle sur le terrain de football, se désola-t-elle. J'aurais dû...

— Non, dit Lisa. J'aurais dû savoir que quelque chose allait... arriver. Nous avons toujours eu cette sorte de communication, Allie et moi, nous avons toujours...

Elle s'arrêta pour fixer Charlie.

— Où est-elle ? implora-t-elle. Où est ma petite fille ?

Conserverie supérieure de poissons, Ellsworth, Maine

Depuis son poste d'observation, derrière la baie vitrée, Mary regardait Allie, assise dans la pièce voisine, le casque solidement fixé sur sa tête. Wakeman se tenait à côté de Mary, les yeux rivés sur la petite fille.

— Elle sait que nous sommes ici, dit Mary. Elle sait que nous l'épions.

Wakeman hocha la tête.

— Nous n'avons pas eu l'occasion de parler, Mary.

Mary gardait les yeux sur Allie.

— De quoi veux-tu que nous parlions ?

Wakeman ouvrit la porte et entraîna Mary dans le couloir.

— De ton père, dit-il.

— Le vaisseau, répliqua-t-elle froidement. Les corps. Il les a perdus.

— Il n'aurait pas pu empêcher ce qui s'est passé, lui dit Wakeman.

— Il aurait pu essayer, dit Mary.

Elle regarda Wakeman droit dans les yeux. Il hocha la tête.

— Tu penses que je n'ai pas de remords, c'est ça ? lui demanda Mary.

— Je pense que tu as fait ce que tu devais faire, dit Wakeman.

Elle pouvait voir à quel point il l'aimait.

— Vraiment ?

— Vraiment, dit Wakeman.

Il se pencha pour l'embrasser, puis aperçut le général Beers qui approchait à grands pas.

— Vous avez la fillette? demanda Beers.

— En ce moment même, ils sont dans leur vaisseau à se gratter leur petite tête grise et à se demander où diable leur petite fille peut bien se trouver, dit Wakeman sur un ton léger. Croyez-moi, au moment précis où nous lui retirerons ce casque, vous les verrez rappliquer.

— Et vous êtes sûr que nous pourrons les attraper? demanda Beers.

— Peu importe d'où ils viennent, répondit Wakeman. Aussitôt qu'ils entrent dans notre réalité, c'est-à-dire notre espace et notre temps, ils sont confrontés aux mêmes lois physiques que nous. Rappelez-vous Roswell, au Nouveau-Mexique, en 1947 : un astronef s'est crashé après une collision avec un ballon Mogul. Un simple ballon espion a suffi à l'abattre !

De toute évidence, le général Beers était satisfait de ces explications. Il invita Mary et Wakeman à le suivre à l'extérieur du bâtiment.

— Vous avez fait du bon boulot, leur dit-il. Nous vous en saurons toujours reconnaissants.

Mary distingua une étrange lueur dans les yeux du général.

— Toujours? demanda-t-elle.

Le visage du général Beers se figea.

— En effet.

— Que voulez-vous dire par là?

— Je veux dire que votre travail s'achève ici, mademoiselle Crawford, déclara le général d'un ton sans appel. Il s'agit désormais d'une opération militaire.

— Une opération militaire? s'emporta Mary. Général, cela fait trois générations que ma famille attend ce jour. J'ai sacrifié ma carrière... non, ma vie entière, pour cela.

Le général eut un léger sourire.

— Ne croyez pas que nous n'en soyons pas conscients, dit-il. Mais cette histoire ne vous concerne plus.

Il jeta un coup d'œil par-dessus la tête de Mary : plusieurs camions roulaient dans leur direction.

— D'ici quelques jours, nous serons en mesure de monter à bord de l'un de leurs vaisseaux, protesta Mary. Nous serons en mesure de rencontrer une de ces... créatures. Croyez-vous honnêtement que je vais vous laisser me priver de cette opportunité sans réagir ?

Beers fit un signe de tête à l'intention du camion qui venait de s'arrêter, et plusieurs soldats en armes sortirent par l'arrière.

— Vous n'avez pas vraiment le choix, dit-il d'un ton assuré. Nous n'avons plus besoin de vous. À quelques détails près... comme ce docteur de Seattle. Et les parents de la petite fille.

— Nous avons des gens pour ça, dit Mary.

Les traits du général Beers se durcirent.

— Vous auriez tort de penser que je ne sais pas ce qui est arrivé à votre père, lâcha-t-il sur un ton menaçant.

Puis il se tourna vers Wakeman.

— Vous pouvez me suivre, docteur ? dit-il.

Wakeman n'esquissa pas un mouvement.

— Vous suivre ?

— Nous avons besoin de votre expertise, expliqua le général.

Wakeman adressa un regard impuissant à Mary.

— Sachez que je ne vous laisse pas le choix, docteur, déclara le général tandis que les soldats venaient se disposer autour d'eux. À présent, allons chercher la petite fille, ajouta-t-il. Comme vous pouvez le constater, tout est prêt pour son transfert.

Le général tournait ostensiblement le dos à Mary.

— Parlez-moi un peu des pouvoirs de cette petite fille, docteur...

— Ils sont bien plus importants que ce que nous avions imaginé, répondit Wakeman. Elle est capable de manipuler le temps. Elle a un don étonnant pour créer des écrans... pour projeter des images dans nos esprits.

Le général le regarda d'un air sceptique.

— Elle a fait voir à un groupe entier de personnes quelque chose qui n'existait pas, dit Wakeman. Voilà quels sont ses pouvoirs.

Mary céda le passage aux soldats qui entraient dans le bâtiment. Le général dirigeait la manœuvre, assisté de Wakeman. Elle attendit dehors qu'ils réapparaissent avec Allie, toujours coiffée de son casque. D'ici quelques minutes, elle ne serait plus là, et, à l'idée de la voir partir, Mary sentit s'abattre sur elle un terrible poids. Tout ce pour quoi elle avait travaillé allait se volatiliser, comme le vaisseau spatial s'était volatilisé, comme les corps s'étaient volatilisés, comme tout s'était volatilisé, mais...

Elle fit volte-face, se hâta de rejoindre son bureau, ouvrit le coffre-fort et en sortit un petit objet métallique. Soudain, comme elle le tenait dans le creux de sa main, ses étranges inscriptions se mirent à rougeoyer.

2

Comté de Benson, Dakota du Nord

Allie s'assit sur le lit de la ferme où ils l'avaient emmenée. Le casque en fer la gênait toujours, mais, au cours de la longue route qu'ils avaient parcourue à travers des kilomètres et des kilomètres de terres agricoles, elle avait appris à jouer avec son poids. Cela faisait partie de la vie, supposait-elle : s'accommoder des fardeaux qui vous tombent dessus sans crier gare. Une infirmière avait relié un tube à son bras, et elle sentait encore la petite piqûre de l'aiguille. Le soldat Pierce semblait partager sa douleur.

— Comment ça va ? lui demanda-t-il.

Quelque chose était enfoui dans les chambres obscures de son esprit, et Allie pouvait le percevoir.

— Je vais bien, dit-elle.

Pierce sourit.

— Tu aimes lire ? J'ai un exemplaire de *Huckleberry Finn* sur moi. C'était le livre préféré de ma maman. Elle nous préparait des cookies à sa façon, et nous en dévorions une pleine assiette pendant qu'elle lisait.

— Si ça ne vous rend pas trop triste de vous souvenir d'elle, j'aimerais bien écouter l'histoire, dit Allie.

Pierce secoua doucement la tête.

— Non, ça ne me rend pas triste du tout.

Allie écouta attentivement Pierce commencer sa lecture. Dehors se déployait un grand nombre de véhicules militaires. Des soldats gagnaient leurs positions au pas de course. Une armée entière était en état d'alerte. Mais, malgré tout leur armement, il n'y avait là que des hommes dont Allie n'avait aucun mal à sentir les peurs : peur de la mort et de la solitude, de l'altitude et de l'eau, des insectes et des serpents, et partout la peur d'avoir peur. Wakeman se trouvait parmi eux, observant cette gigantesque mise en place. Et Allie, en rapprochant son esprit du sien, le sentait envahi d'un funeste pressentiment.

Pierce se mit brusquement au garde-à-vous lorsque Beers fit irruption dans la pièce.

— Ce sera tout, soldat, commanda Beers.

— Bien, mon général, dit Pierce.

Il jeta un coup d'œil à Allie, et elle vit qu'il ne voulait pas la laisser seule avec ces hommes, mais qu'il n'avait pas le choix.

Beers se tourna vers Wakeman.

— Êtes-vous prêt à agir ?

Wakeman se dirigea vers Allie et sourit.

— Abracadabra, dit-il en lui retirant son casque et en libérant ses cheveux sur ses frêles épaules.

Seattle, Washington

Charlie ne savait pas quoi faire d'autre et ne connaissait pas d'autre endroit où aller. Il se retrouva donc à sa porte, accompagné de Lisa, attendant que le docteur Penzler répondît à son appel.

Quand elle ouvrit, il comprit qu'elle avait quelque chose à cacher... ou qu'elle redoutait quelque chose.

— Entrez, dit-elle.

Elle introduisit Charlie et Lisa dans le salon, ferma précautionneusement les fenêtres et tira les rideaux.

— Ne vous inquiétez pas, personne ne viendra ici.

— Que voulez-vous dire ? demanda Charlie.

— Je travaille pour eux, Charlie, dit le docteur Penzler. C'est moi qui les ai appelés.

— Dites-nous qui ils sont, demanda Lisa. Dites-nous où ils ont emmené Allie.

Le docteur Penzler hésita un moment, puis secoua la tête.

— Je ne sais pas, dit-elle. Je me doute que vous n'allez pas me croire, mais je n'en ai vraiment aucune idée. J'appelais des gens. Aux numéros qui m'étaient donnés. Mais ces numéros ont été déconnectés. Je n'ai aucun moyen de les trouver.

— Nous avions confiance en vous, dit Lisa.

— Ils m'ont dit que j'agissais pour la bonne cause, expliqua le docteur Penzler, que les témoins qui avaient été enlevés étaient en grand danger. Je pensais être utile.

Lisa la regarda.

— Vous leur avez dit que Charlie était ici. Vous leur avez dit qu'Allie était avec nous et, à présent, ils la détiennent.

Le docteur Penzler hocha la tête.

— Lisa, je suis tellement désolée, dit-elle.

Lisa adressa un coup d'œil à Charlie, puis elle planta son regard dans celui du docteur Penzler.

— Je veux que vous me fassiez subir une régression en âge, dit-elle. Nous avions ce lien, Allie et moi, et, en régression, j'ai vécu des moments où je ressentais les choses comme Allie... où je pouvais sentir intuitivement où elle était. Je veux que vous m'aidiez à la trouver.

— Nous allons devoir remonter très loin, Lisa, l'avertit le docteur Penzler.

— Pouvez-vous m'y emmener ? demanda Lisa d'un ton désespéré.

— Êtes-vous sûre d'être prête ?

— J'irais n'importe où pour récupérer Allie.

Le docteur Penzler se leva avec un air plein de résolution.

— Très bien, dit-elle. Allons-y.

Elle s'approcha de Lisa et imposa ses mains sur son front.

— Fermez vos yeux et prenez une profonde inspiration.

Lisa s'exécuta.

— Et une autre.

Lisa prit une seconde inspiration.

— Et une troisième.

Lisa prit une troisième inspiration, encore plus profonde que les deux précédentes, et expira très doucement.

— Maintenant, je veux que vous vous rendiez dans cet endroit où vous et Charlie vous êtes rencontrés, dit le docteur Penzler. C'est dans votre cœur et dans votre tête. Pouvez-vous le trouver pour moi ?

— Oui, dit doucement Lisa.

— Bien, dit le docteur Penzler. Que voyez-vous ?

— De l'obscurité, répondit Lisa, tout ce que je vois est obscur.

— Continuez. Dites-m'en plus.

— C'est très sombre, poursuivit Lisa. Il y a une odeur de terre. Mais je sens quelque chose. Il y a des gens qui attendent. Des soldats.

— Qui attendent quoi ?

— Ils attendent… commença Lisa avant de s'interrompre.

Elle entendait des vis se desserrer et sentit tomber une lanière sous son menton.

— Qu'est-ce qu'ils attendent ? répéta le docteur Penzler.

— Ils veulent quelque chose, répondit Lisa. Ils attendent quelque chose.

— Savez-vous où vous vous trouvez?

— Dans une pièce, dit Lisa. Des plaques d'immatriculation sur le mur. De la peinture écaillée. Un calendrier avec un tracteur dessus... Grains... et... fourrages... Wallington.

— Les plaques d'immatriculation, d'où sont-elles, Lisa?

— L'État du jardin en paix. N.D. Nord-Dakota.

— Dites-m'en plus, la pressa le docteur Penzler. Nous nous approchons de cet endroit, Lisa.

Lisa tressaillit violemment et sentit quelque chose se répandre sur sa poitrine. Elle ouvrit les yeux et vit une tache rouge et brillante puis, à ses pieds, le corps sanglant et recroquevillé du docteur Penzler. Elle leva les yeux et aperçut un homme qui se tenait à quelques mètres, pointant son arme dans sa direction.

Charlie se rua dans la pièce, saisit une lampe et l'écrasa sur la tête de l'individu. Puis il serra Lisa dans ses bras.

— Nous devons partir d'ici, dit-il.

Wakeman, les yeux fixés sur Allie, se tenait au côté du général Beers, dans la salle d'observation.

— Que se passe-t-il maintenant? demanda sèchement le général.

— Il faut attendre, répondit Wakeman.

— Combien de temps?

— Je ne sais pas.

— Vous croyez qu'ils viendront?

— Absolument, répliqua Wakeman. Mais, comme je vous l'ai déjà dit, je crois beaucoup de choses.

Ellsworth, Maine

Mary se dirigea vers le téléphone dans le bureau de son père et composa le numéro.

— Conserverie supérieure de poissons, répondit le technicien.

— Mary Crawford à l'appareil, dit-elle. Regardez la carte. Pas de nouvelles lumières?

Un silence, puis :

— Il y a en une nouvelle.

— À quel endroit de la carte?

— Dans le Dakota du Nord, comté de Benson. Juste à la sortie de Brinsmade.

Mary nota rapidement le nom sur son carnet.

— Merci, dit-elle.

Brinsmade, Dakota du Nord

Le barrage routier sembla presque sortir de nulle part : un camion garé à un endroit stratégique, entouré de soldats.

Charlie leva le pied de l'accélérateur et regarda Lisa. Il lut sa réponse dans ses yeux : ils n'avaient pas d'autre choix que de continuer. Il appuya sur l'accélérateur et roula jusqu'au barrage routier.

Un soldat approcha et se baissa vers sa vitre.

— Où allez-vous? demanda-t-il.

— Brinsmade, répondit Charlie.

— Vous êtes de là-bas?

— Non. Nous venons rendre visite à un cousin malade.

— Brinsmade a été évacuée, leur apprit le soldat. Vous trouverez votre cousin au gymnase du lycée de Leeds.

Lisa se pencha en avant pour mieux voir l'homme.

— Pourquoi Brinsmade a-t-elle été évacuée ?

— Alerte chimique, répondit le soldat. Un camion a percuté un train qui transportait des produits toxiques et ils se sont répandus dans l'air.

— Quel genre de produits toxiques ?

— On ne m'a pas dit, répondit le soldat. On a juste reçu l'ordre de bloquer la circulation.

— Vous n'avez pas peur d'être dans le mauvais sens du vent ? demanda Charlie.

La voix du soldat se durcit.

— Bon, il faut que vous rebroussiez chemin, maintenant, dit-il. Comme je vous l'ai dit, votre cousin est à Leeds.

— O.K., dit Charlie.

Il fit demi-tour et s'éloigna du barrage routier. Dans son rétroviseur, il aperçut le soldat qui s'emparait d'un téléphone de campagne.

— J'ai un très mauvais pressentiment, dit-il.

— Alors, qu'est-ce que nous faisons ?

— Nous devons contourner le barrage routier.

— Comment ?

— Pas tout seuls, c'est sûr.

Ils rejoignirent Leeds et s'arrêtèrent dans un petit bar pour y voir plus clair. Plusieurs hommes, en habit de chasse, étaient assis près d'une table en bois. Charlie les observa un moment, puis se leva et se dirigea vers le bar.

— Je cherche quelqu'un qui connaisse bien le coin, dit-il.

Le barman fit un signe de tête en direction d'un des hommes attablés.

— Dewey Clayton, dit-il.

— Merci, dit Charlie.

Puis il se tourna et se rendit auprès de l'individu que le barman lui avait désigné.

— Vous êtes monsieur Clayton ? demanda-t-il.

— C'était mon père. Je suis Dewey.

— Je souhaiterais louer vos services.

— Vous cherchez un guide ?

— On m'a dit que vous étiez le meilleur.

— Vous voulez aller chasser ?

— D'une certaine manière, oui.

— Vous n'avez pas de chance. La chasse est fermée. C'est ce damné gouvernement qui nous interdit l'accès à notre propre forêt.

— Nous savons cela, dit Lisa en prenant position à côté de Charlie.

Dewey la dévisagea un instant, puis il fit de même avec Charlie.

— Mais vous avez sûrement une bonne raison de vouloir vous rendre là-haut…

— Notre fille, dit Charlie.

— Elle est perdue dans les bois ? demanda Dewey.

— L'armée la détient.

— Il y a un rapport avec cette histoire de produits toxiques qui se seraient dispersés dans l'air ?

Charlie et Lisa hochèrent la tête.

Dewey sourit.

— Nous retrouverons votre petite fille, dit-il.

3

Brinsmade, Dakota du Nord

Mary décocha son plus séduisant sourire au soldat qui approchait.

— Comment allez-vous ? demanda-t-elle d'un ton enjoué.

Le soldat sourit.

— Je vais bien, m'dame.

Elle désigna le camion Humvee qui bloquait la route, entouré par des soldats en armes.

— Eh bien, que se passe-t-il donc ici ?

— Une alerte chimique, m'dame, répondit le soldat.

— Je suis venue voir le général Beers, lui dit Mary.

— Vous avez une autorisation ?

— Non, je n'en ai pas, dit Mary. En revanche, ce que j'ai, ce sont des informations de la plus haute importance pour le général Beers. Il en va de la vie de milliers de personnes.

Le soldat hésita un moment avant de répondre.

— Désolé, m'dame. Pas sans une autorisation.

Mary le regarda froidement.

— Je suis en train d'essayer de forcer le barrage routier. Pourquoi ne m'arrêtez-vous pas ?

— Quoi ?

— Arrêtez-moi et présentez-moi au général Beers.

L'homme secoua la tête.

— Personne n'entre. Nous détenons des gens ici.

— Alors détenez-moi, dit Mary sans hésiter. Arrêtez-moi et envoyez quelqu'un téléphoner au général Beers. Qu'il sache que Mary Crawford est retenue au barrage routier et qu'elle a des nouvelles importantes au sujet du projet.

— Je crains que je ne puisse agir ainsi sans y avoir été obligé, répliqua le soldat.

Mary sourit malicieusement et, vive comme l'éclair, lui empoigna l'entrecuisse. Les yeux de l'homme lui sortirent de la tête.

— Jésus, gémit-il.

Quelques minutes plus tard, elle se tenait face au général Beers et à Wakeman, de toute évidence ravi et stupéfié de la voir.

— Vous ne savez vraiment pas quand vous retirer, n'est-ce pas, Mary ? demanda le général.

Mary eut un rire glacé.

— Vous n'êtes qu'un fils de pute ! lança-t-elle en ricanant. Qu'est-ce que vous croyiez ? Que vous alliez me souffler le projet comme ça ?

Elle se retourna brusquement vers Wakeman.

— Et toi, tu m'as vendue ! hurla-t-elle en se précipitant vers lui et en le giflant. Misérable bâtard !

Elle glissa le petit objet métallique dans la main de Wakeman.

— Emmenez-la ! dit le général.

Mary lui jeta un regard furieux tandis que deux soldats s'emparaient d'elle.

Peu de temps après, comme elle se doutait qu'il le ferait, Wakeman sortit du bâtiment et se dirigea vers l'endroit où elle était gardée, derrière un Humvee de l'armée.

— Je dois parler à Mlle Crawford, dit Wakeman aux soldats.

Il attendit qu'ils se soient éloignés, puis déclara :

— Ce doit être leur transmetteur.

Il ouvrit sa main et regarda l'objet.

— C'est comme ça qu'ils activent les signaux implantés.

— C'est bien plus qu'un transmetteur, lui révéla Mary. Je l'ai observé à plusieurs reprises, et il a changé, Chet. Certaines des inscriptions étaient déjà là en 1947, mais d'autres sont nouvelles.

— Nouvelles ? s'étonna Wakeman.

— Oui. Je pense qu'il sert à rassembler des informations, dit Mary. Et s'il se met à luire de temps en temps, c'est sûrement qu'ils avaient une bonne raison de le laisser là… Depuis combien de temps avez-vous retiré le casque ?

— Un jour et demi.

— Il ne s'est rien passé ?

Wakeman secoua la tête.

— Nous avons ceci, dit Mary en faisant référence à l'objet. Et nous avons la petite fille. D'une certaine manière, c'est comme s'ils les avaient laissés tous les deux.

— Ce serait intéressant de voir ce qui arriverait si on les réunissait, dit Wakeman.

Mary sourit.

— Je pensais à la même chose.

Quelques instants plus tard, Mary frappait à la porte de la ferme.

Pierce ouvrit.

— Je suis le docteur Crawford, leur dit Mary. Le général m'a demandé de passer voir Allie.

— On ne m'a pas prévenu, dit Pierce.

— Non, vous ne l'avez pas été, dit Mary d'un ton autoritaire. Mais je crains que vous ne deviez attendre dehors.

— Mais...

Une voix d'enfant retentit à l'intérieur de la maison.

— Tout va bien.

— Tu es sûre ? répondit Pierce, le regard plongé dans l'obscurité de la pièce.

— Elle ne va pas me faire de mal.

Pierce fit entrer Mary puis sortit.

Allie, les cheveux déployés sur ses épaules, s'assit sur le lit. *Si petite,* songea Mary, *et pourtant si puissante.*

— Ça doit être étrange pour toi, dit-elle. D'avoir conscience de ta force. De toutes ces choses que tu peux faire.

— C'est peu de chose, dit doucement Allie.

— Je t'ai fait très peur, dit Mary. Je suis désolée. Je ne voulais pas t'effrayer.

— Si vous le vouliez, ça ne vous dérangerait pas plus, dit Allie.

297

— Ce n'est pas tout à fait vrai, lui dit Mary. Je ne suis pas le genre de personne qui prend du plaisir à effrayer les gens. Ou à leur faire du mal.

— Mais vous faites toutes ces choses.

Mary vit dans ses yeux et dans son attitude sereine une éternelle solitude.

— Ils ne viennent pas, n'est-ce pas?

— Je ne sais pas, répondit Mary.

— Peut-être que c'est mieux ainsi.

— Peut-être. Tu aimerais rentrer chez toi?

— Oui.

Mary sortit l'objet métallique de sa poche.

— Voici quelque chose qui appartenait à mon grand-père, dit-elle en le tendant à Allie. Dis-moi ce qu'il raconte.

Allie examina l'objet qui luisait faiblement.

— Tu peux le déchiffrer, n'est-ce pas? demanda Mary.

Les yeux d'Allie quittèrent l'objet métallique.

— Et que voulez-vous qu'il dise?

La bouche de Mary se tordit en un rictus.

— Regarde-le et déchiffre-le! aboya-t-elle.

— Je ne peux pas, dit Allie, pas encore.

Mary observa le métal rougeoyer. Les lettres se déplaçaient à présent, certaines inscriptions s'effaçaient, de nouvelles apparaissaient, de nouveaux symboles se formaient à la place des anciens.

Mary se retourna brusquement et sortit de la ferme à pas précipités. Elle regagna les bois où le général Beers et Wakeman se tenaient, près d'un Humvee. Derrière eux se trouvait un groupe d'hommes de la police militaire. Le général poussa Wakeman vers Mary.

— Si l'un d'entre eux essaie de quitter la zone, ordonna-t-il aux soldats, descendez-le, est-ce clair?

Comme il ne recevait pas de réponse, le général fit volte-face.

— Quoi ?

Les soldats étaient cloués sur place, fascinés par les boules lumineuses de couleur bleue qui descendaient du ciel dans leur direction. Le général empoigna le téléphone de campagne.

— L'ennemi est en vue ! cria-t-il, les yeux rivés au ciel.

À présent, les lumières s'étaient rassemblées pour former un unique et flamboyant vaisseau spatial. Pendant un moment, le général regarda fixement l'astronef. Pierce se précipita vers lui.

— Mon général, il faut faire sortir la petite fille de là.

— Retournez avec les autres hommes ! commanda le général.

— Mais... mon général...

— C'est un ordre ! hurla le général.

Puis il colla le téléphone de campagne contre ses lèvres et s'écria :

— Feu !

Sur la colline qui dominait la ferme, Charlie et Lisa observaient dans un silence ébahi les missiles qui s'élevaient dans l'air nocturne. Ils dessinaient de grands arcs en direction du vaisseau, puis disparaissaient dans son halo lumineux.

L'explosion sembla venir des profondeurs de l'univers, terrible et assourdissante, remplissant l'air d'une lumière étincelante qui scintilla brièvement avant de laisser place au vaisseau spatial. Sa configuration lisse était à présent troublée par des vagues de lumière étrangement vacillantes.

— Allie ! cria Lisa.

Elle adressa un regard terrifié à Charlie, puis descendit à grandes enjambées la colline en direction de la ferme. Charlie bondit en avant et courut derrière elle, les yeux toujours dirigés vers le ciel où le vaisseau tremblait et chancelait, comme s'il se trouvait en équilibre au bord d'un précipice invisible. Soudain, il piqua du nez vers le sol. Au fur et à mesure qu'il plongeait, une sorte de vapeur miroitante jaillit du côté qui avait été touché. Il s'écrasa enfin, s'enterrant sous la ferme.

— Mon Dieu ! dit Lisa en s'arrêtant net. Allie.

Charlie la rejoignit et la prit dans ses bras.

— Nous ne pouvons pas descendre là.

— Mais nous devons ! cria Lisa.

Charlie la serra fort contre lui.

— Nous ne pouvons pas, Lisa. Attends !

— Mais Allie est dans la ferme, dit Lisa d'un ton désespéré. Je sais qu'elle s'y trouve.

Il repéra les soldats qui commençaient à avancer vers la ferme. Il y en avait beaucoup trop. Et ils étaient bien armés. C'était impossible.

— Qu'allons-nous faire, Charlie ? gémit Lisa.

— Je ne sais pas, répondit Charlie.

En bas de la colline, il aperçut Mary Crawford, pétrifiée, qui fixait le vaisseau dont les lumières recommençaient à luire, doucement d'abord, puis de plus en plus intensément, jusqu'à devenir aveuglantes. Plissant les yeux, Charlie pouvait à peine deviner la silhouette de Mary Crawford. Pendant un instant, elle demeura là comme statufiée par ce qu'elle voyait. Puis, brusquement, elle bondit en avant vers l'astronef, s'élança dans la lumière. Sa silhouette parut de plus en plus menue à mesure qu'elle se rapprochait des rayons lumineux, mais elle continuait d'avancer, toujours plus loin, dans la lumière éblouissante, et finit par y disparaître.

IX

JOHN

1

L'obscurité était épaisse et impénétrable, et il semblait à Charlie que les yeux de Lisa flottaient dans ces ténèbres, tels deux petits orbes bleus, humides et à l'expression curieusement intense, scrutant les bois environnants et l'endroit de la colline où le vaisseau spatial, faiblement éclairé par les lumières de la ferme, avait atterri en catastrophe.

— J'aurais dû la sortir de là, lui dit-elle. Ma fille est dans la ferme. Il faut que je trouve un moyen d'y entrer.

Charlie remarqua qu'elle avait dit *ma* fille, et non *notre* fille, comme c'était pourtant le cas. Il jeta un coup d'œil à Dewey, qui était toujours pétrifié, comme s'il se repassait les images de ce qu'ils venaient de voir quelques minutes plus tôt : la chute de l'astronef, puis l'atterrissage brutal, et enfin la lumière que l'engin s'était mis à projeter aux alentours, en particulier sur une femme qui traversait le champ. Cette lumière l'avait pour ainsi dire... absorbée.

Dewey secoua la tête.

— Débrouillez-vous sans moi, dit-il d'un ton déterminé. Je ne suis qu'un guide de chasse.

Charlie sentit qu'il était sérieux, que le courage dont il avait fait preuve un peu plus tôt s'était envolé, comme aspiré par la même lumière qui avait englouti Mary Crawford.

— Montrez-nous juste comment descendre avant de partir, O.K. ? demanda Charlie.

Dewey hocha la tête. Charlie se tourna vers Lisa et remarqua que ses yeux avaient changé d'expression. À présent, ils semblaient fixer quelque chose qu'il n'arrivait pas à discerner.

— Qu'y a-t-il, Lisa ? demanda-t-il.

Avant qu'elle ait le temps de répondre, Charlie perçut une sorte de frémissement autour d'eux. Il leva les yeux et vit qu'un groupe de soldats les encerclait.

— Les mains en l'air ! rugit l'un d'entre eux.

Charlie se redressa lentement, les mains au-dessus de la tête.

— Vous êtes en état d'arrestation ! cria le soldat.

Lisa se releva avec une grâce étrange, et Charlie s'aperçut qu'elle ne pleurait plus et n'avait plus peur.

— Qu'y a-t-il ? demanda-t-il d'une voix suppliante.

— Allie va bien, dit Lisa.

Sa voix semblait lui parvenir de très loin, et il y avait une étrange lueur d'étonnement dans ses yeux.

— Elle va bien, mais elle est en train de faire quelque chose… de très… très dur.

— Elle est en train de produire un violent effort, dit Wakeman.

Il jeta un coup d'œil aux écrans alignés sur le mur, qui témoignaient de l'activité orageuse du cerveau d'Allie. Un ouragan qui, en dépit de sa force et de sa furie, ne pouvait se déchaîner ailleurs qu'en elle-même. Mais son visage n'en laissait rien paraître et demeurait aussi calme que l'œil d'un cyclone.

— Je n'ai jamais rien vu de tel, ajouta Wakeman.

Près de lui, le général Beers ne cessait de passer d'un écran de contrôle à un autre, de l'image

304

vacillante d'Allie – une petite fille, assise dans la pièce vide d'une ferme, plongée dans une abyssale concentration – à un autre écran qui montrait l'extérieur du vaisseau, cerné par des hommes en armes, sur le point de l'investir.

Wakeman regarda de nouveau le premier écran. Il pouvait presque voir ce qui se passait à l'intérieur de l'esprit d'Allie. Une énergie volcanique le traversait et il semblait au bord de l'explosion.

— Il est temps de la récupérer, dit-il.

Beers se saisit du micro et donna l'ordre. Sur l'écran, Wakeman vit les soldats qui commençaient à se rapprocher de l'astronef. Leurs mouvements étaient lents et hésitants malgré leurs armes mortelles, comme s'ils sentaient que leurs fusils-mitrailleurs ne seraient d'aucune utilité contre la force à laquelle ils étaient confrontés. Leur équipement leur paraissait archaïque, l'armure primitive d'une créature primitive.

— Ils sont morts de peur, dit-il.

Les yeux de Beers se fixèrent sur l'écran où le cercle des soldats se resserrait inexorablement. Ils avançaient à petits pas, prudemment, leurs doigts agrippés à leurs armes, comme s'ils s'apprêtaient à débusquer un animal blessé à la force et à la férocité exceptionnelles, un tigre qui pourrait bondir à tout moment sur eux en une fraction de seconde.

Soudain le vaisseau commença à s'illuminer, et les soldats s'arrêtèrent et s'accroupirent, comme momentanément aveuglés par la lumière.

Beers s'empara du micro d'un geste sec.

— Que se passe-t-il ? demanda-t-il.

— Ici Walker, mon général, lui répondit une voix. Une sorte d'ouverture est apparue dans l'appareil.

Les yeux de Beers se collèrent à l'écran. La lumière s'était intensifiée, comme si le vaisseau spatial se préparait à donner une terrible réplique en cas d'attaque.

— Entrez avec une extrême prudence, ordonna-t-il.

— Oui, mon général, répondit Walker.

Sur l'écran, Wakeman et Beers suivaient le passage des soldats sous le vaisseau spatial, vers l'ouverture. Tout à coup, l'écran devint blanc. Le regard de Wakeman passa de cet écran à l'autre, qui devint blanc à son tour, comme si une main invisible l'avait éteint.

— Nous avons perdu l'image, dit-il.

Beers empoigna le micro.

— Walker, que se passe-t-il ? demanda-t-il.

La voix de Walker lui parvint, déformée et grésillante.

— Nous sommes à l'intérieur, dit-il d'un ton effaré. Et il y a cette femme.

— Quoi ? cria Beers.

— Une vieille femme.

— De quoi parlez-vous ?

— Avec des cookies, dit Walker, dans un doux murmure qui exprimait la crainte quasi religieuse qui l'habitait. Pierce dit… Pierce dit que c'est sa mère, mon général.

— Walker, aboya le général, écoutez-moi, je…

— Je sais qu'elle n'est pas réelle, balbutia Walker, mais…

Puis une voix apaisante envahit la ligne.

— Est-ce que l'une de ces gentilles personnes voudrait goûter un de mes cookies Toll House ?

— Mon Dieu ! dit Wakeman à voix basse.

— Continuez d'avancer ! ordonna Beers.

— Oui, mon général.

Soudain l'image réapparut sur un des écrans, montrant l'engin spatial toujours faiblement éclairé. Mais la lumière se diffusait à présent autour d'un noyau central qui semblait conduire à l'intérieur du vaisseau, comme une porte.

— Mon général, nous sommes dans une sorte de couloir, dit Walker. Il n'y a que de la lumière là-dedans.

— Ils progressent à l'aveugle, dit Wakeman.

L'image se mit à sauter.

— Nous vous perdons, dit Beers.

Soudain, un cri sauvage retentit à l'autre bout de la ligne.

— Des cafards!

Beers scrutait l'écran dont l'image sautait toujours.

— Que diable se passe-t-il là-dedans, Walker?

— Il y en a partout, hurla Walker. Dégagez! Dégagez!

Puis les hurlements cessèrent brusquement.

— Walker, ils ne sont pas réels, cria Beers. Walker, tout se passe dans votre tête. Walker?

La voix de Walker trahissait encore son émotion.

— Ils sont partis, murmura-t-il. Ils ont disparu... dans la lumière.

Il se mit à rire, comme pour se donner du courage.

— Vous ai-je dit que j'avais peur des chiens enragés et des cobras? Puis, après une pause : O.K., on continue...

— Que voyez-vous? demanda Beers.

— De la lumière, répliqua Walker. Comme un couloir de... lumière. Une salle, à présent... et...

— Quoi?

— Une cuisine. Pierce mange des cookies avec sa mère.

Mary regarda la porte de verre s'ouvrir en coulissant. Elle sourit à l'homme qui pénétra dans la pièce avec une assiette de cookies Toll House.

— Prends un cookie, dit-il. Ils sont très bons.

Mary ne le lâchait pas des yeux, fascinée. Le regard de l'homme était très doux, comme si, dans cette lumière, son passé tumultueux et ses mauvaises actions s'étaient évaporés, ne laissant que la meilleure part de lui-même.

— Je vois ton père en toi, mais pas assez pour que ça gâche tout, fit-il.

— Grand-père, dit tranquillement Mary.

— Tu t'es bien débrouillée pour arriver jusqu'ici, dit Owen.

— Comment font-ils ça?

— Ils entrent dans ta tête et en extraient des choses, expliqua Owen. Tu as vu des photographies de moi. Tu as une idée de ce à quoi tu voudrais que je ressemble. À mon époque, nous appelions ça des projections. Maintenant, vous utilisez l'expression d'*écrans mnésiques*.

— J'ai tant de choses à te demander, dit Mary. Mais je suppose que je ne fais que me parler à moi-même.

Mary hocha doucement la tête, ses yeux soudain humides.

— J'ai fait des choses horribles, dit-elle.

— Tu devais les faire.

— Pourquoi? Pour apprendre des choses sur eux? Pour les voir?

— Parce que tu as une conscience suraiguë de leur pouvoir. Parce que tu sais, tu sais réellement, que l'avenir ne se fera pas sans eux.

Mary secoua la tête.

— Tu as une autre idée? demanda Owen.

— Ils ont conçu cette fille, dit Mary, Allie… Parce qu'ils n'étaient pas complets sans nous… sans ce quelque chose que nous pouvions leur apporter.

— De toute manière, c'est leur pouvoir qui t'a conquise. Tu veux faire partie de ce pouvoir… à tout prix. Tu n'as plus besoin de ton petit ami docteur, Mary. Tu en sais plus que lui. Fie-toi à ton instinct, pense avec tes tripes, et tout ira pour le mieux.

— Tu es moi, déclara Mary. Tu dis ce que je veux que tu dises.

— Je dis ce que tu sais.

Elle le regarda attentivement.

— Ce que je vois, c'est un homme qui n'a pas été à la hauteur de ses rêves.

— Comment ça ?

— Tu avais toutes les cartes entre les mains. Toutes. Tu avais ce Jacob Clarke. Tu l'avais et tu l'as laissé partir.

— Ce n'est pas si simple.

— Tu as vu quelque chose qui t'a effrayé, et tu as fui.

— Tu veux savoir ce qui m'a tant effrayé, Mary ? demanda Owen. Est-ce cela que tu es venue chercher ?

— Oui, bon sang ! s'exclama Mary. C'est ce que je veux savoir.

Owen eut un léger sourire mais son regard s'assombrit.

— Alors, regarde-moi, Mary. Regarde-moi, répéta-t-il, alors que l'expression de ses yeux était de plus en plus sombre et intense.

Le soldat ouvrit la porte du poste de commandement et poussa Charlie et Lisa à l'intérieur.

— Nous les avons trouvés dans les bois, à proximité de la ferme, dit le soldat.

Charlie jeta un coup d'œil sur les images vacillantes derrière Beers et Wakeman.

— Mon Dieu, lâcha Wakeman.

— Vous connaissez ces gens ? demanda le général.

— Ce sont les parents d'Allie.

Le général regarda Wakeman, puis se tourna vers le soldat.

— Trouvez-leur un endroit où ils ne gênent personne, commanda-t-il tandis que ses yeux se posaient de nouveau sur Wakeman. Et emmenez celui-là aussi.

Quelques instants plus tard, ils étaient enfermés dans une petite cabane. Un soldat en armes avait été posté à la porte.

— Alors, c'est vous, Charlie, dit Wakeman avec un étrange sourire. Vous n'utilisez pas votre nom de famille... Keys, n'est-ce pas?

Charlie resta silencieux.

— Mon nom est Wakeman. Et j'ai appris qu'on avait dépensé beaucoup d'argent et qu'on avait eu recours aux techniques les plus sophistiquées pour vous débusquer.

Charlie le regarda.

— Vous aimeriez me botter le cul, n'est-ce pas? dit Wakeman. C'est ce qu'ils apprécient chez les Keys, votre tempérament...

Lisa gémit. Charlie se tourna vers l'endroit où elle était étendue, l'air hébété, tout près de lui.

— Toutes ces voix, dit-elle d'une voix exténuée. De plus en plus... c'est trop dur... juste encore un peu.

Il se rendit compte que Lisa était ailleurs, très loin de là, et que, par un moyen incompréhensible, elle se trouvait avec Allie.

— Un travail de titan! s'écria Lisa. C'est trop dur!

Mary était assise au pied d'une paroi. Des soldats l'entouraient, mais ils gardaient leurs distances, n'osaient pas approcher. Son regard était étrangement vide; la lueur qui dansait autrefois dans ses yeux s'était fondue dans la lumière plus vaste et plus brillante qui l'enveloppait comme un suaire. Elle était silencieuse, profondément indifférente au mouvement subtil qui animait son aura lumineuse. Elle voyait les soldats rapetisser à mesure que tout, autour d'elle, commençait à s'entremêler et à fusionner pour donner naissance à des milliers de petites créatures, qui s'accrochaient aux parois luminescentes, se tortillant comme des vers en néon au bout d'hameçons de lumière. Elle sentit la terreur faire fuir les hommes... et elle sourit.

Lisa ressentait la concentration extrême de l'esprit d'Allie.

— C'est très dur, répétait-elle doucement, elle est en train de faire quelque chose de très dur.

Charlie rapprocha son visage du sien.

— Que vois-tu, Lisa ?

Elle ne semblait pas l'entendre.

— Allez, murmura-t-elle d'un ton pressant, comme pour encourager sa fille, comme pour lui communiquer la force de sa propre volonté. Allez, allez !

— Bon Dieu ! lâcha Wakeman en regardant par la petite fenêtre de la cabane.

Charlie se précipita pour voir ce qui se passait. Les soldats postés devant la porte étaient figés par la peur et la stupéfaction : le vaisseau spatial, diffusant une vive lumière autour de lui, commençait progressivement à s'extraire du cratère qu'il avait creusé en s'écrasant dans le champ.

— Il y a des hommes à l'intérieur, dit Wakeman.

L'astronef continuait à s'élever dans l'obscurité environnante. Il monta encore et encore, jusqu'à arriver bien au-dessus de la ferme et des hommes stupéfiés qui la cernaient. Puis il s'arrêta un instant, comme pour profiter de la vue depuis cette hauteur. Il se mit alors à voler en palier. Ses lumières tournaient rapidement, son moteur avait retrouvé toute sa puissance. Le vaisseau spatial abîmé s'était miraculeusement réparé !

— Allie, balbutia Lisa.

Silencieux, le vaisseau faisait à présent du vol stationnaire. Puis un rai de lumière aveuglant, d'une intensité jamais atteinte jusqu'alors, descendit sur la ferme avec une précision de laser, conférant une beauté cristalline à la terre environnante. Il fit le tour de la maison et l'arracha à ses fondations.

Lisa gémit, comme si ses épaules supportaient le poids de la ferme. Mais Charlie savait que le fardeau de Lisa n'était qu'un reflet, léger et sans substance, comparé à l'énorme charge que devait soulever Allie, pareille à Atlas soutenant le monde.

Il sortit de la cabane, les yeux fixés sur le spectacle irréel et insensé d'une ferme arrachée à ses fondations, s'élevant doucement dans le ciel comme tirée par de gigantesques et invisibles câbles.

— Ils l'emportent, soupira Wakeman.

La ferme flottait à présent dans une lumière miroitante. Elle se transforma soudain en une boule ardente qui disparut dans le ciel en une fraction de seconde.

Lisa poussa un nouveau gémissement puis s'effondra, vaincue par l'épuisement. Charlie se précipita vers elle et la prit dans ses bras.

— Tout va bien, dit-elle, tout va bien.

Elle s'efforça de se relever, avec l'aide de Charlie, et examina le champ sombre et les quelques silhouettes pétrifiées qui se tenaient à proximité de l'endroit précis d'où le vaisseau spatial avait décollé. Il s'agissait de Mary et de quelques soldats. Tous étaient sous le choc et regardaient autour d'eux, hagards, comme si quelque chose leur manquait.

2

Une couverture sur les épaules, Mary s'assit à l'intérieur du poste de commandement du général Beers. Dehors, la base entière était en cours de démantèlement. Elle savait ce que cela voulait dire. Bientôt, il n'y aurait plus aucune trace pour témoigner de ce qui s'était passé ici. Tout serait expliqué par une histoire de « contamination chimique », ou une autre invention idiote de ce genre que le public avalerait sans broncher.

— Voulez-vous me dire de quoi il s'agit ? demanda Beers en désignant l'objet métallique.

Elle hocha la tête.

— C'est à eux, dit-elle.

— Sans rire ! dit facétieusement le général. Que savez-vous d'autre ?

Mary secoua la tête.

— Vous ne me direz rien ?

Mary le regardait en silence. Beers eut un mouvement d'agacement et se tourna vers le soldat à côté de lui.

— Amenez-moi Wakeman ! s'écria-t-il.

Celui-ci entra dans la salle quelques minutes plus tard, encadré par deux hommes de la police militaire.

— Tu vas bien, Mary ? demanda-t-il. Que s'est-il passé ? Qu'as-tu vu ?

Beers l'interrompit.

— Que pouvez-vous me dire à propos de ceci, docteur ? l'interrogea-t-il.

Wakeman jeta un coup d'œil sur l'objet couvert d'inscriptions. Il sourit.

— Joli, fit-il comme s'il examinait une curieuse pièce de joaillerie. Très joli...

— Qu'est-ce que c'est ? insista le général.

— Il sert à recueillir des informations, répondit Wakeman. Une sorte de système d'enregistrement. Un cerveau, si vous voulez...

— Vous et Mlle Crawford avez dissimulé des informations essentielles, dit Beers. Selon moi, vous êtes directement responsables de l'échec de cette mission.

Wakeman haussa les épaules.

— C'est pratique de trouver un bouc émissaire quand les choses tournent mal, n'est-ce pas, général ?

Beers le dévisagea.

— Puisse le voyage de retour à Fort Ash vous faire réfléchir aux conséquences de votre manque de coopération.

Il releva Mary.

— Emmenez-les au camion.

Les soldats les escortèrent à l'extérieur du bâtiment. Non loin de là, Mary remarqua un homme et une femme, qui attendaient près d'un Humvee. Elle reconnut les parents d'Allie, sans aucun doute angoissés par l'enlèvement de leur petite fille. Ils avaient déplacé des montagnes pour sauver leur enfant, parcouru des centaines de kilomètres et risqué leurs vies. C'était là un comportement humain bien étrange, songea-t-elle, d'envoyer tout valser, tout risquer pour... un simple enfant. Elle ne put s'empêcher de se demander si son père aurait fait la même chose pour elle.

— Grimpez là-dedans ! ordonna un des gardes.

Wakeman tendit sa main, mais Mary ne la saisit pas. Elle monta sans aide à l'arrière du camion, puis ce fut au tour de Wakeman.

Une fois assise, Mary vit le général Beers qui s'approchait des parents d'Allie. Il leur parla brièvement, puis il invita la mère d'Allie à prendre place à l'arrière du Humvee et s'installa à côté d'elle. Le père s'assit à l'avant, à côté de Pierce, le chauffeur.

Le Humvee démarra, et le camion le suivit. Mary se tourna alors vers les soldats qui l'entouraient. Ils étaient silencieux, comme glacés d'effroi, et une expression d'épouvante s'était pour ainsi dire figée sur leurs visages. Mary sentit alors poindre en elle une étrange intuition.

— Mary ? demanda Wakeman en lui donnant un petit coup d'épaule. Tu peux me raconter ?

Mary secoua la tête.

— Je n'ai pas envie d'en parler.

— Je suis désolé qu'ils aient récupéré l'objet.

— Ça n'a plus d'importance, dit Mary.

— Qu'est-ce qui te fait dire ça ? demanda Wakeman.

Le camion entra dans une verte prairie où quelques vaches paissaient tranquillement.

— Tu as vu l'objet, continua Wakeman. Il était toujours actif. Le spectacle n'est pas terminé.

Mary semblait à peine l'écouter.

— Oui, murmura-t-elle, en se parlant à elle-même.

Elle se rappelait la manière dont Allie avait projeté dans leurs esprits l'image d'un pâturage et comment, grâce à cela, elle avait donné aux otages le temps de s'enfuir. Pendant un instant, elle avait arrêté le cours des événements par une simple projection mentale.

Un des soldats grelottait. Les yeux de Mary se posèrent sur lui. Elle remarqua son nom. Walker.

— Vous y êtes allé, n'est-ce pas ? lui demanda-t-elle. Vous êtes entré dans le vaisseau.

Walker hocha la tête. Mary se pencha légèrement en avant.

— Qu'avez-vous vu ?

Walker la regarda comme un petit garçon obligé d'avouer quelque chose de honteux.

— Des punaises, dit-il, les lèvres tremblantes. Des cafards. J'en avais partout sur moi.

Mary le considéra attentivement.

— Avez-vous toujours eu peur des punaises ? demanda-t-elle.

Walker fit signe que oui en hésitant.

— Depuis que je suis tout gosse.

Mary en eut une conscience presque physique, une idée si solide qu'elle semblait donner du poids à son esprit. Les punaises étaient aussi irréelles que la vache qu'elle avait vue à Seattle. Tout cela n'était... qu'un écran de fumée.

— Arrêtez le camion, je veux parler au général Beers.

Le chauffeur klaxonna immédiatement et fit un appel de phare pour attirer l'attention du chauffeur du Humvee. Il s'arrêta, et le Humvee qui se trouvait juste derrière se gara à son tour.

— Général Beers, dit Mary au général qui venait de sauter du camion derrière eux et qui accourait à grands pas.

— Bon sang ! Où sont passés les parents ? s'écria-t-il.

Le soldat jeta un coup d'œil à la route où le Humvee, celui qu'il suivait, avait disparu dans un virage.

— Ils sont... avec... vous, mon général, bredouilla-t-il.

— Quoi ? hurla le général.

— Je peux vous expliquer ce qui se passe, dit Mary au général avec un fin sourire. Mais vous n'allez pas apprécier.

— De quoi parlez-vous ? demanda Beers.

— Faites faire demi-tour au camion et je vous montrerai.

Beers la dévisagea d'un air méfiant.

— Quoi que vous ayez en tête, vous feriez bien d'avoir raison, dit-il.

— Ordonnez au camion de faire demi-tour, dit Mary. Et retournons à la ferme.

— À la ferme ? s'écria le général. Il n'y a plus de ferme, elle a été...

— Emportée ? l'interrompit Mary. Pas du tout, général. Parce que tout ce qui s'est passé n'a eu lieu que dans notre imagination.

Quelques instants plus tard, ils se trouvaient de nouveau devant la ferme, comme Mary l'avait prévu, et chacun d'eux la regardait avec des yeux incrédules.

— Allie peut transmettre des pensées, expliqua Mary. C'est aussi simple que ça. Elle nous a bernés, général, purement et simplement.

— Où est-elle, alors ? demanda Beers.

Le sourire de Mary se fit glacial.

— C'est ce que vous n'allez pas aimer.

Tandis que le Humvee filait à bonne allure, Charlie regarda Lisa par-dessus son épaule, à l'arrière du véhicule militaire. Elle conversait avec le général Beers sur un ton qui aurait pu être celui d'un père et de sa fille. Il se rappela l'échange bizarre qui avait eu lieu à la base, la manière dont le général s'était approché d'eux, avait ordonné à Pierce de prendre le volant et à Lisa de s'asseoir à l'arrière avec lui. Charlie avait pris place à côté du chauffeur. Tout cela lui avait semblé précisément orchestré, comme s'ils étaient les acteurs d'une pièce qui avait été répétée. Il avait observé Lisa, s'attendant à ce qu'elle rechigne à monter dans le Humvee. Et il avait été surpris de constater qu'elle n'avait pas offert la moindre résistance à l'ordre du général, après qu'il eut prononcé ces mots : « Tout va très bien se passer. » Les mêmes mots, Charlie s'en souvenait à présent, que Lisa lui avait dits un peu plus tôt et que le général avait repris sur le même ton plein de douceur.

— Mon général, demanda soudain Pierce, où vais-je?

Charlie scruta la route. Un peu plus loin, là où une coupe avait été pratiquée dans la forêt, une haute pile de rondins de bois avait été entassée à côté de toilettes de chantier. Il jeta un coup d'œil au général, puis à Lisa, qui semblait complètement subjuguée. Il en conclut que Beers, d'une manière ou d'une autre, avait réussi à la piéger, et que c'était à lui de la sortir de là.

Vif comme l'éclair, il attrapa le casque de Pierce sous son siège et le frappa à la tête. Le véhicule militaire quitta la route et alla percuter les toilettes. Charlie se saisit de l'arme de Pierce et la braqua entre ses yeux.

— Nous allons retourner chercher notre fille, dit-il.

— Tu n'as besoin d'aller nulle part.

C'était la voix d'Allie, et Charlie se retourna pour découvrir que le général avait disparu et qu'à sa place, Allie était tranquillement assise à côté de Lisa.

— Allie, dit Charlie, le souffle coupé, qu'est-ce…

Elle avait deviné la question avant qu'il ait eu le temps de la poser.

— Ils voulaient m'utiliser pour attirer un vaisseau, dit-elle. J'ai pensé que si je pouvais leur faire croire que j'étais partie, qu'ils m'avaient emmenée, alors ils cesseraient de me chercher et tout redeviendrait comme avant. Mais ils allaient vous emmener et je ne pouvais pas les laisser faire ça.

Elle secoua la tête en pleurant doucement.

— Ils vont s'en apercevoir et ils vont se remettre à me chercher.

— Ça ne signifie pas qu'ils te trouveront, la rassura Charlie.

Lisa prit Allie sous son bras.

— Nous ne les laisserons pas te reprendre, Allie, lui promit-elle.

La petite fille regarda sa mère tendrement.

— J'ai peur, confessa-t-elle.

Charlie se tourna vers Pierce et vit qu'il était de leur côté, et qu'il connaissait la valeur de la petite fille.

— Ils vont revenir, intervint-il. Il faut y aller.

Il scruta la route où une file de Humvees et de soldats se profilait, à quelque distance de là. Il se pencha vers Allie.

— Peux-tu nous aider ?

Allie hocha la tête et ferma les yeux. Charlie revint sur la route pour voir si les Humvees disparaissaient ou s'élevaient dans le ciel, mais la colonne continuait d'avancer. Il regarda Allie.

— Essaie encore, dit-il.

Allie ferma les yeux encore plus fort, mais ce fut sans effet.

— Je n'y arrive pas, dit tristement Allie.

Charlie examina l'autre côté de la route, à la recherche d'une cachette. Finalement, ils coururent se réfugier dans les toilettes. À l'intérieur, il prit tendrement Allie sous son bras.

3

Un Humvee descendit la route et s'arrêta près de l'endroit où Mary et le général Beers regardaient en silence cette même ferme qu'ils avaient vue s'arracher à ses fondations pour disparaître dans le ciel nocturne, quelques heures plus tôt. Puis Mary remarqua Pierce, assis un peu plus loin. Elle réfléchit un moment puis s'approcha de lui.

— Vous avez aidé Allie, n'est-ce pas ? demanda-t-elle.

Pierce regarda droit devant lui comme s'il s'attendait à recevoir un coup.

— Je sais que vous l'avez fait, lui dit Mary d'une voix calme. Elle sentait que vous étiez digne de confiance.

Pierce lui lança un regard interrogateur.

— Quand j'étais avec elle, elle m'a dit que vous étiez quelqu'un de bien, ajouta Mary.

Elle jeta un coup d'œil en direction du général Beers qui parlait toujours au conducteur du Humvee.

— J'étais contre cette mission dans son ensemble, dit-elle en baissant la voix, sur le ton de la conspiration. Enlever une petite fille, l'utiliser comme appât. C'est immonde.

Pierce ne dit rien.

— Si vous deviez l'aider, cela signifie qu'elle ne pouvait pas se débrouiller toute seule, dit Mary. Parce qu'elle est faible. Car elle est faible, n'est-ce pas, Pierce ? demanda-t-elle en lui lançant un regard perçant.

Pierce baissa les yeux... et elle comprit. Un sourire s'esquissa sur ses lèvres.

— Merci, dit-elle.

Elle rejoignit Beers qui fulminait toujours. Pourtant, il savait désormais que les fugitifs ne s'étaient pas vraiment échappés.

Pendant qu'il réprimandait le soldat, Mary observa attentivement les lieux autour d'elle. Tout le monde s'affairait pour trouver des indices, mais elle se doutait qu'ils ne trouveraient rien. Des soldats retournaient le sol, prenaient des mesures de radioactivité et cherchaient partout des traces d'un passage extraterrestre. Elle savait à quoi ressembleraient leurs rapports : à la fin, ils devraient nier une vérité qu'elle se sentait vouée à établir.

— Un de vos soldats voit sa mère, dit-elle au général Beers. C'est la personne qu'il désire voir le plus au monde. Un autre soldat voit des punaises grouiller sur lui. Ses peurs enfantines remontent à la surface... Que désirions-nous voir, général ? Un vaisseau spatial descendu par notre brillante technologie. Que craignions-nous ? Que nos efforts échouent. Que le vaisseau vienne reprendre Allie. Et Allie nous a donné tout ça. Elle nous a montré avec précision ce que nous voulions et ce que nous redoutions.

Le général Beers continuait à superviser les opérations. Il n'était pas pressé d'entendre ce que Mary était déterminée à révéler.

— Nous avons des soldats postés à tous les points stratégiques, dit-il. Où qu'ils soient, nous les trouverons.

Mary n'eut pas le temps de protester ; Wakeman accourait vers eux.

— J'ai vérifié avec Fort Ash. Nous recevons des rapports en provenance de tout le pays. Les signaux des implants s'éteignent les uns après les autres.

— Pourquoi ? demanda le général Beers.

— Parce qu'ils n'ont plus besoin de ces gens, répondit Mary d'un ton assuré. Ils ont Allie. Le résultat de trois générations de sélection génétique. La première expérience génétique de cette envergure. Une fois qu'ils l'ont créée, ils ont tranquillement attendu le moment où ce qui était latent en elle deviendrait actif. Le moment où elle accomplirait ce qu'elle a accompli ici : nous faire voir un vaisseau spatial et tout le reste. Le moment où elle démontrerait ce dont elle est capable. C'est exactement ce qu'ils attendaient, et ils l'ont eu.

— Cette petite fille aux pouvoirs extraordinaires, gronda le général Beers, je ne crois pas avoir besoin de vous rappeler à quel point elle est importante pour nous.

— Et je peux vous aider, dit Mary.

Wakeman lui lança un regard plein d'appréhension, et elle prit alors conscience de sa faiblesse, la même que celle de son père : victime de ses sentiments. Elle s'intéressa de nouveau au général.

— Je pense qu'elle a provisoirement épuisé une bonne partie de son pouvoir, dit-elle, mais cela ne durera pas. Quand elle aura récupéré, on ne pourra plus l'arrêter.

— Comment allons-nous nous y prendre ? demanda Beers.

— Quand je lui ai montré l'objet métallique découvert à Roswell par mon grand-père, elle a vu quelque chose qui lui a causé une grande frayeur, dit-elle avec un sourire triomphal. Et je sais ce que c'était. Parce que je l'ai vu aussi. C'est ce que mon grand-père avait vu, il y a des années de cela.

— Quoi ? demanda Beers. Qu'a-t-elle vu ?

Mary connaissait la réponse, et la réponse était la vie. Ce qu'elle avait vu, elle le comprenait à présent, c'étaient tous ces champs de mines dont nos destins sont parsemés. Au cours de l'enfance, il n'y en a pas beaucoup : des maladies, des accidents. D'autres s'ajoutent au moment de l'adolescence : les drogues, le sexe, les armes à feu. Au fil du temps, le champ se remplit : les chances de marcher sur une mine augmentent, puisqu'on a de moins en moins de place où mettre les pieds.

C'était sa fin qu'Allie avait vue dans l'objet, l'histoire complète de sa vie, et donc de tout ce que les « visiteurs » avaient accompli sur terre. Son destin. C'est ce qui l'avait effrayée, conclut Mary : Allie avait vu son destin.

4

Fort Ash, Grands Forks, Dakota du Sud

L'objet extraterrestre reposait à l'intérieur de la boîte ; ses inscriptions ne se modifiaient plus, comme s'il était entré en hibernation.

— Il semble avoir arrêté de cogiter un moment, dit Wakeman.

Mary examina le métal pour essayer de comprendre ce mystérieux état léthargique dans lequel il était tombé.

— Mon père a essayé de le traduire, dit-elle. Mon grand-père aussi.

— Je n'en savais rien, lui répondit Wakeman, apparemment vexé qu'elle le lui ait caché. Je pensais que la confiance régnait entre nous.

— Et comment ! répliqua sèchement Mary.

Puis elle se tourna vers le général Beers, qui n'était visiblement pas d'humeur à supporter ce genre de chamaillerie.

— Autant que je le sache, lui dit-elle, personne n'a jamais percé le secret de l'objet. Si ça a été le cas, mon père n'y a jamais fait allusion.

— Ou ton grand-père, marmonna Wakeman entre ses dents.

Mary fit comme si elle ne l'avait pas entendu. Elle continua de s'adresser au général.

— La question est donc : comment allons-nous déchiffrer son code ? La réponse est simple. C'est la règle de base de l'art du décodage. D'abord, nous devons savoir ce qu'ils essaient de dire. Si c'est leur système d'enregistrement permanent, alors ça colle :

ils cherchaient à enregistrer les actions d'Allie et ses pouvoirs exceptionnels. Par conséquent, c'est le récit de ce qui s'est passé à la ferme qui se trouve sur l'objet.

— Ou bien une recette de poulet basquaise, dit Wakeman.

Une fois encore, Mary fit comme si elle n'avait rien entendu.

— Je pense que nous pouvons déchiffrer ce code, général, conclut-elle. Nous avons besoin d'une équipe de cryptographes, de linguistes et de mathématiciens.

— Ah oui, le code Fibonacci ! dit Wakeman en souriant à Mary. Il est très utile, n'est-ce pas ?

Mary lui renvoya son sourire, mais ses yeux lui décochaient des flèches.

— Très, dit-elle.

De toute évidence, le général n'en était pas aussi convaincu.

— Mais nous devons d'abord retrouver cette petite fille.

Quand le danger d'être découverts fut passé, Charlie, Lisa et Allie sortirent de leur cachette. Peu après, ils tombèrent sur une station-service à l'abandon et s'y arrêtèrent. Derrière ses fenêtres poussiéreuses, Charlie vit une remorqueuse délabrée et de vieilles épaves empilées les unes sur les autres, démontées par endroits, et qu'on avait laissées rouiller.

— Nous allons avoir besoin d'une voiture, dit-il. Tu ferais mieux de me donner tout ton argent.

Lisa fouilla dans sa poche.

— J'ai pris tout ce que j'avais pour ce voyage, dit-elle en sortant des billets froissés et en les tendant à Charlie.

— Je ferai de mon mieux, dit Charlie.

Il se dirigea vers la cour où un homme mâchonnait un court cigare en se grattant la poitrine.

— Je cherche une voiture, dit Charlie.

Le propriétaire dévisagea Charlie. Il avait l'air déçu de sa prise. Il désigna d'un mouvement de tête une Datsun cabossée.

— Elle roule, dit-il, mais sur un côté et avec une bonne prière.

Ils marchandèrent brièvement et s'entendirent sur un prix.

— Je m'occupe de la paperasse et je reviens dans un instant, dit l'homme en regagnant son bureau Profitez de la vue en attendant !

Il n'y avait pas grand-chose à voir, juste un bourg du désert, si petit que l'apparition soudaine d'une voiture de police le surprit. Elle dépassa lentement la station-service, puis tourna et fit demi-tour.

Charlie se réfugia rapidement dans un café voisin.

— Un café, simple, dit-il à la serveuse.

Puis il tourna son tabouret et regarda à travers la vitrine. La voiture de police s'était arrêtée à la station-service, et deux agents étaient en train de parler au propriétaire.

Une Durango se gara devant le café. Le conducteur entra peu après. Charlie remarqua qu'il avait laissé la clé sur le contact. Il réalisa aussitôt qu'il n'y avait plus qu'un moyen de se procurer une voiture. La voler.

Il sortit tranquillement du café et jeta un coup d'œil derrière lui. L'homme avait disparu dans les toilettes, dans le fond de la salle. Il calcula le peu de temps qu'il avait pour agir, le risque énorme qu'il prenait, la nature désespérée de leur situation, et décida qu'il n'avait pas d'autre choix.

Soudain, Allie se raidit, et ses yeux reflétèrent l'intense concentration dans laquelle elle était plongée.

— Qu'y a-t-il ? demanda Lisa.

Allie balaya du regard l'intérieur de la station-service, passant des outils rouillés aux vieux pneus, et s'arrêtant finalement sur la petite fenêtre : dehors, la nuit était tombée mais, à quelque distance de là, une lueur commençait à éclairer faiblement les bois environnants.

— Allie ? demanda Lisa.

Allie se leva, marcha vers la fenêtre et examina la lueur qui se rapprochait. Puis elle se retourna brusquement, et ce qu'elle vit lui sembla incroyable.

— Salut, Allie, dit l'homme.

Il était sorti de nulle part. Il s'était tout simplement matérialisé dans la lumière. Lisa fit un pas en avant.

— Éloignez-vous de ma fille ! le menaça-t-elle.

— Ne crains rien, Lisa, dit l'homme. Mon nom est John. Je suis ton grand-père.

Allie cessa alors de se cacher derrière le dos de sa mère.

— Je sais ce que vous voulez, dit-elle.

John sourit gentiment.

— Nous avons beaucoup de choses à nous dire, Allie.

— Je ne veux pas parler avec vous, dit Allie. Allez-vous-en !

John s'apprêtait à parler quand, brusquement, des lumières de phares traversèrent la fenêtre : un camion s'était garé près de la station-service et des hommes armés de fusils en sortaient. L'un d'entre eux prit les devants. Ils avaient vu Charlie en ville et l'avaient reconnu grâce aux portraits diffusés par la télévision.

— Nous savons que vous avez la petite fille, cria-t-il. Montrez-vous !

John regarda Allie et Lisa.

— Assieds-toi ici, dit-il à Allie. Je m'occupe de ça.

Il se dirigea vers la porte, l'ouvrit et avança dans la lumière des phares du camion.

— Il n'y a pas de petite fille ici, dit-il.

— Vous mentez, répliqua l'homme. La télé n'arrête pas de montrer sa bobine. Pratiquement tout ce fichu pays est à ses trousses. Il nous est venu à l'esprit, mes copains et moi, qu'on pourrait toucher une petite récompense en vous ramenant avec nous.

Les autres hommes rirent, mais John n'y prêta pas attention.

— Tout ce que vous trouverez ici, c'est des ennuis, les prévint-il.

L'homme rit à son tour.

— Et c'est vous qui êtes censé nous les causer, ces ennuis ?

Il leva son fusil et visa la poitrine de John, resté silencieux, avec le canon de son arme.

— Bon Dieu, qui êtes-vous donc ?

John planta son regard dans celui de l'homme, et ses yeux devinrent noirs. L'homme fit marche arrière et son fusil lui tomba des mains.

— Arrêtez ! hurla-t-il en prenant ses jambes à son cou. Arrêtez ! Arrêtez-le !

Les autres avancèrent sans réfléchir, puis s'immobilisèrent, comme pétrifiés par la peur.

— Descendez-le ! cria l'homme. Descendez-le !

Ils firent feu et John, fauché par les balles, pivota sur sa droite et s'effondra sur le sol. Des geysers de sang jaillissaient comme des petites flammes rouges de ses bras et de son torse. Les hommes arrêtèrent de tirer, surpris par leur propre violence.

— Allez-vous-en !

Ils se tournèrent vers la station-service : Allie les observait depuis le seuil de la bâtisse. Lisa se tenait derrière elle, tentant désespérément de la faire revenir à l'intérieur.

— Allez-vous-en maintenant ! répéta Allie. Partez !
Elle dégagea son bras de l'étreinte de Lisa. Les hommes ne bougèrent pas. La petite fille ferma les yeux.

— Allie, qu'est-ce que tu es en train de faire ? cria Lisa.

Elle attrapa le bras d'Allie, mais l'enfant était devenue aussi lourde et compacte que du plomb. Elle avait braqué son regard sur le camion, qui se mit à vibrer et à trembler de plus en plus fort. Soudain, une terrible explosion le transforma en une énorme boule de feu qui sembla concrétiser sa colère.

Les hommes lâchèrent leurs fusils et restèrent plantés devant Allie, comme s'ils attendaient ses instructions.

— Partez d'ici ! dit-elle d'un ton très déterminé.

Les hommes tournèrent les talons et s'enfoncèrent dans la nuit, sans faire attention à la voiture qui passa à leur hauteur et qui s'engagea dans l'allée de la station-service.

— Que s'est-il passé ? cria Charlie en bondissant hors de la Durango. Qui sont ces...

— Ils étaient venus pour Allie, répondit Lisa. Mais elle les a chassés.

Charlie aperçut alors le corps étendu face contre terre.

— Qui est-ce ?

— L'arrière-grand-père d'Allie, dit Lisa. Son nom est John.

Incrédule, Charlie le regarda un moment.

— Ils lui ont tiré dessus ?

Lisa hocha la tête.

— Bien, dit Charlie d'un ton brusque.

Lisa le dévisagea, étonnée.

— Mais il essayait de nous aider.

— Il essayait de vous aider? répliqua Charlie, peu convaincu. Mais c'est lui le responsable de tout ça! Il venait de reposer les yeux sur lui quand le corps se retourna. Pour la première fois, Charlie vit le visage de John.

— Bon sang! Qu'est-ce que vous voulez? s'emporta-t-il.

— Charlie! cria Lisa. Laisse-le, Charlie, laisse-le et fichons le camp!

Allie ne bougea pas.

— Nous ne pouvons pas l'abandonner, dit-elle.

— Écoute, mon cœur, ce n'est pas notre ami, lui dit Charlie, c'est l'un d'entre eux!

— Ça ne fait rien, déclara Allie d'un ton sans appel. Nous ne pouvons pas l'abandonner ici. Ce n'est pas ce qu'il faut faire.

Charlie vit qu'Allie ne partirait pas sans John. Il prit une profonde inspiration.

— Très bien, dit-il, très bien, nous l'emmenons.

X

DISPARU

1

Douglas, Wyoming

— Bonjour, et merci de me recevoir dans votre émission, monsieur Jeffreys. La voix lui semblait familière, et Charlie se pencha pour augmenter le son de l'autoradio. Puis il regarda John, assis à côté de lui sur le siège du passager.

— Qu'est-ce que vous reluquez ? lâcha-t-il d'un ton cassant.

John détourna les yeux vers la route devant lui.

— Mon nom est Dale. Je suis de Seattle, dans l'État de Washington, déclara l'auditeur.

— Dale, réagit Lisa en lançant un regard incrédule à Charlie. C'est Dale ! Du groupe d'Harriet !

Charlie hocha la tête, puis jeta un coup d'œil sur la banquette arrière, où Allie sommeillait dans les bras de Lisa.

— J'appelle à propos de cette petite fille, dit Dale. Celle que l'armée cherche dans le Dakota du Sud. Cette petite fille, elle a besoin d'aide. Là-bas, elle et ses parents doivent se débrouiller tout seuls contre ces gens qui essaient de lui mettre le grappin dessus.

— C'est lié à cette histoire de produits toxiques, n'est-ce pas ? demanda Jeffreys.

— Cette histoire de contamination est bidon, répondit sèchement Dale. Ils veulent récupérer la petite fille parce qu'elle est l'aboutissement de tout ce qui s'est passé ces cinquante dernières années, toutes ces histoires de personnes enlevées par des extraterrestres. Ils veulent lui parler parce qu'elle est en partie extraterrestre.

— Je suppose qu'il essaie de bien faire, dit Lisa.

Allie poussa un léger gémissement et Lisa la regarda d'un air inquiet.

— Elle va se remettre, la rassura John. C'est juste qu'elle en a trop fait.

— Pouvez-vous l'aider ? demanda Lisa.

John ne répondit pas.

— Vous voulez l'aider ? demanda Lisa.

Elle observa Charlie : il fulminait. Sans doute acceptait-il très mal d'avoir un des leurs dans la voiture.

Dale continuait. Mais, soudain, sa voix fut brouillée par une vague de parasites sonores.

— Je ne suis pas le seul à avoir vu ce dont elle est capable. Nous étions neuf. Nous sommes tous témoins. Nous avons tous vu les choses qu'elle a réalisées.

John fixait toujours la route devant lui. Charlie lui lança un regard vindicatif. Son silence le faisait enrager. Il sentait la colère monter en lui. Il tourna brusquement le volant sur la droite et se rangea sur le bas-côté de la route déserte.

— Dehors ! lui ordonna-t-il.

Allie se réveilla en sursaut.

— Charlie ? balbutia-t-elle.

— Dehors ! cria Charlie.

Il bondit de la voiture, se précipita du côté des passagers et ouvrit violemment la portière.

— Dehors ! répéta-t-il d'un ton exaspéré.

John hocha la tête puis sortit lentement de la voiture.

— Maintenant, vous allez parler ! dit Charlie en l'empoignant et en le plaquant contre la voiture. Tout de suite !

— Charlie, implora Allie, arrête.

Mais Charlie ne lâchait pas les yeux de John.

— Pourquoi êtes-vous ici ? Pourquoi avez-vous fait ça ? Bon sang ! Qu'est-ce que vous voulez à la fin ?

John regardait Charlie d'un air placide.

— Nous essayons simplement de comprendre.

— Comprendre quoi ?

— Tout, répondit John. Tout ce qui vous concerne.

Il s'effondra subitement aux pieds de Charlie. Allie fonça hors de la voiture et le prit dans ses bras.

— Ne lui fais plus de mal, cria-t-elle. Arrête !

John leva les yeux vers Charlie.

— Nous sommes venus ici pour apprendre des choses sur votre monde, dit-il. Nous sommes venus ici pour apprendre.

Lisa fit le tour par l'autre côté de la voiture et vint s'asseoir près de John, en attirant Charlie à côté d'elle. À présent, ils formaient un demi-cercle autour de lui.

— Nous ne sommes pas différents de vous, poursuivit John. Mais il y a des choses en vous que nous n'arrivons plus à retrouver en nous.

Il regarda Lisa et sourit doucement.

— Le bien et le mal. Ces notions nous étaient étrangères. Nous ne comprenions pas que ce que nous vous faisions était... cruel.

Ses yeux se tournèrent vers Allie.

— Nous avions perdu... la compassion. C'est là une qualité inhérente chez vous. Nous voulions la réveiller en nous... la ressentir à nouveau... comme vous. Combiner notre intelligence et votre... cœur.

Son regard semblait tous les embrasser, comme s'il s'était agi d'un cercle de lumière. Son index descendit le long du visage d'Allie.

— Et c'est ainsi que notre plus grande expérience a commencé. Ce fut un succès sans précédent.

Mitchell, Nebraska

Le général Beers prit à part Mary et Wakeman, à l'écart des hommes qu'il venait juste de finir d'interroger. La station-service à l'abandon se trouvait à quelques mètres de là et, pendant un certain temps, ils ne purent la voir qu'à travers l'épaisse fumée qui s'échappait encore du camion.

— Quelqu'un les accompagnait, dit le général.

— Quelqu'un? Comment cela? demanda Mary.

— Un autre homme, dit le général. Ces types qui lui ont tiré dessus, ils disent qu'il avait dans les trente ans... et que ses yeux sont devenus noirs.

Wakeman hocha la tête.

— Ils attendaient, dit-il d'un air pensif, ils attendaient qu'elle manifeste ses pouvoirs. Ils ont vu de quoi elle est capable. Boum. Et les voici.

Beers regarda d'abord Mary, puis de nouveau Wakeman.

— Vous prétendez que cet inconnu serait un... extraterrestre? demanda-t-il.

Wakeman esquissa un sourire.

— Vous avez bien entendu.

Le général se raidit.

— Nous sommes tous dans le même bateau, s'échauffa-t-il. Et je dois maintenant retourner à Washington et leur expliquer ce qui s'est passé ici.

Il dévisagea Mary et Wakeman de nouveau.

— Trouvez cette fille! ordonna-t-il. Elle et tous ceux qui l'accompagnent.

— Et quand nous l'aurons retrouvée? demanda Mary.

— Alors vous me la ramènerez et je m'occuperai du reste, répondit Beers.

Puis il tourna les talons et s'en alla.

Mary se dirigea vers sa voiture et s'installa au volant. Elle attendit que Wakeman vienne la rejoindre.

— Dans quelle direction? demanda-t-elle.

— Ils ont à peu près dix heures d'avance sur nous, répondit-il.

Il alluma son ordinateur portable et Mary mit le contact.

— J'ai désactivé le traceur. Je ne voulais pas que le général les trouve. Mais j'ai toutes les informations là-dedans.

— Tu sais où elle est? lui demanda Mary d'un ton pressant.

Une curieuse vulnérabilité s'exprima alors dans les yeux de Wakeman.

— Mary... tu as traversé pas mal d'épreuves. D'abord ton père, ensuite tout ce qu'Allie t'a fait subir. Je veux juste que tu saches que c'est pour toi que je suis ici.

— Je le sais, murmura Mary en souriant. Tu as bien dit que tu pensais qu'ils attendaient de la voir démontrer ses pouvoirs.

— Oui.

— Et maintenant qu'elle l'a fait, quel est le programme?

— De la tourte, répondit Wakeman.

— Quoi?

— C'est ma règle pour tout voyage en voiture. Tous les jours de la tourte. Tâchons d'en trouver quelque part et je te raconterai tout.

Ils descendirent la rue, tombèrent sur un petit café et y entrèrent.

— O.K., raconte-moi tout, dit-elle, au comble de l'impatience.

337

— Que savons-nous ? demanda Wakeman. Ils sont ce Tout, cette énergie. Je crois qu'elle peut se manifester de différentes façons. Tout comme ces êtres que nous avons vus. Tout comme leurs vaisseaux spatiaux... tout comme nos pensées. Il n'y a là aucune intention de faire le bien ou le mal.

— Le bien ou le mal ? Comment ça ? demanda Mary, l'air songeur.

— Je pense que, pour eux, les notions de cruauté ou de gentillesse n'existent pas... Ils n'ont pas la possibilité de voir au-delà de la possession de toute cette énergie. C'est comme le petit cerveau animal qu'il y a en chacun de nous. Il peut être réveillé par un certain genre... d'expérience.

— D'expérience ?

— Quelque chose a pu toucher l'un d'entre eux, enchaîna Wakeman. Une petite chose toute simple... qui leur a donné le sentiment d'un manque en eux... Une petite chose disparue, mais dont ils gardaient un vague souvenir.

Wakeman la regarda un instant, comme s'il s'efforçait de trouver les mots justes.

— Je crois qu'ils veulent quelque chose... Peut-être l'ont-ils possédé un jour, mais alors, ils l'ont perdu. Peut-être ne l'ont-ils jamais eu et croient-ils pouvoir l'obtenir... de nous.

Il cherchait un signe de compréhension sur le visage de Mary.

— Et quelle que soit cette chose qu'ils veulent, elle est extrêmement importante pour eux et ils ne peuvent pas s'en passer. Et ils sont prêts à prendre tous les risques pour l'avoir.

Il plongea ses yeux dans les siens et ajouta :

— Pense à nous, Mary. Pense à l'humanité. À l'espèce humaine. Pas à ce que tu désires pour toi-même, mais à ce que tu souhaiterais pour l'espèce.

Elle lui renvoya son regard intense.

— Pour passer à l'échelon supérieur... dit-elle.

Wakeman sourit.

— Je t'aime, Mary.

— Je t'aime aussi.

Une douce lueur s'éclaira au fond des yeux de Wakeman.

— Nous avons traversé tout ça ensemble, n'est-ce pas?

— Je ne comprends pas où tu veux en venir.

— Nous serons là quand toutes les pièces du puzzle se rassembleront; quand, à la fin, tout prendra son sens. Et nous saurons que nous avons apporté notre contribution.

— Notre contribution?

Wakeman prit sa main dans la sienne.

— Ils arrivent à la fin du jeu, dit-il d'un air mystérieux. En jouant seuls la partie, en cachant tout ceci au général, nous protégeons Allie et nous leur permettons de finir leur travail avec elle.

— Et ça te suffit, n'est-ce pas? demanda Mary. Qu'ils finissent leur travail?

Wakeman hocha la tête.

— Je suis impatient.

Mary retira sa main de celle de Wakeman.

— Alors c'est ça que tu veux? Une place au premier rang de leur spectacle?

— Ils sont plus évolués que nous, Mary, dit Wakeman. Et Allie est plus évoluée qu'ils ne le sont. C'est la voie du Tao. La nature suit son cours.

— Et si c'était notre nature de résister et de nous battre? demanda sèchement Mary.

Wakeman la regarda comme si elle était une petite fille en cours d'instruction élémentaire.

— Alors nous perdrons. « Mieux vaut renoncer que tenir un bol plein d'eau. »

Charlie et Lisa jetèrent un coup d'œil à la Durango, à quelques mètres d'eux : John et Allie étaient assis à l'arrière. La petite fille s'était nichée dans le creux de son épaule.

— Il veut qu'elle parte avec lui, dit Lisa. Il est venu l'emmener.

— Nous n'allons pas le laisser faire, dit Charlie, la voix un instant brisée par l'émotion et la colère.

Lisa détourna les yeux vers lui.

— Il y a autre chose, dit-elle. J'ai un pressentiment.

Elle paraissait hésiter à le lui dire.

— Quoi ? demanda-t-il.

— Il se soucie d'elle, Charlie. Il veut l'aider.

Charlie se dirigea aussitôt vers la voiture.

— Vous passez devant, dit-il sèchement à John.

Il remarqua alors le singulier regard qu'il échangea avec Allie, comme s'il avait voulu lui dire que tout allait bien se passer.

John obéit et Lisa se rassit à l'arrière avec Allie. Charlie démarra. L'émission de William Jeffreys grésillait dans les haut-parleurs.

— Larry King voudrait savoir pourquoi notre gouvernement devrait passer un accord avec une bande de petits hommes verts. La technologie, Larry. Nous avons besoin de leur technologie. En plus des choses qu'ils nous ont déjà données. Comme le Velcro.

Charlie jeta un coup d'œil à John.

— C'est vrai ? demanda-t-il. Ce que ce type dit à propos du Velcro ? Mais peut-être étiez-vous trop occupés à détruire des vies pour vous en apercevoir...

Allie se pencha en avant.

— Ne lui parle pas comme ça, le pria Allie. Il est blessé. Il ne pourra plus rester humain très longtemps.

— Il n'est pas humain ! s'exclama brusquement Charlie, incapable de contenir sa rage.

Il appuya sur l'accélérateur et ils roulèrent un bon moment, en silence. Charlie fixait la route déserte qui défilait sous ses yeux. L'émission de William Jeffreys continuait. Cynthia, une autre membre du groupe de Penzler, appela pour confirmer ce que Dale avait dit. Charlie savait qu'elle aussi comprenait – ou du moins sentait – que tous ces allumés qui entendaient des voix, avaient des visions ou se déplaçaient à travers le temps ou l'espace, avaient approché une vérité vague et impossible. Il se doutait que certains d'entre eux avaient perdu la raison. Mais ceux qui n'étaient pas fous, ceux qui avaient vraiment vu quelque chose, il connaissait leurs angoisses et leur solitude. Pour les ressentir, il lui suffisait de regarder dans son rétroviseur cette petite fille qu'il aimait, mi-humaine, mi-extraterrestre. C'était sa petite fille, la seule chose dans sa vie qu'il ne les laisserait pas lui prendre.

Il regarda Lisa.

— Ton oncle a dû voir la petite annonce que nous avons fait paraître dans le journal. Il devrait appeler l'émission de William Jeffreys ce soir.

Il se remit à écouter le témoignage de Cynthia.

— J'ai vu la fillette guérir un homme qui avait reçu une balle de revolver, dit Cynthia. Et Dale, son fils a été tué pendant la guerre du Golfe, et Allie...

— Désolé de vous interrompre, dit Jeffreys, mais nous avons Tom Clarke, le célèbre ufologue, à l'autre bout du fil.

Charlie et Lisa échangèrent un regard excité.

— Qu'avez-vous à nous dire, Tom ? demanda Jeffreys.

— Je crains que ce ne soit une fausse alerte, dit Tom. J'appelle de Grayback Dam, dans l'Idaho.

— Grayback Dam, répéta Charlie d'un air songeur avant de regarder Lisa. J'imagine que c'est là que nous nous rendons.

Ils atteignirent le mont Grayback le lendemain matin. Tom les attendait sur le grand parking en asphalte de Grayback Dam, où ils avaient prévu de se retrouver. Allie bondit hors de la voiture et courut se jeter dans ses bras.

Il avait plus de soixante ans, et ses longues années de lutte commençaient à peser sur lui.

— Alors, voici Charlie, devina Tom en reposant Allie par terre.

— C'est mon papa, dit-elle joyeusement.

Tom sourit.

— Je sais, chérie, dit-il d'une voix paisible.

Il lui tendit la main.

— Merci de prendre soin de la famille.

Soudain, John se présenta.

— Tom, dit-il, c'est un plaisir de vous voir.

Le visage de Tom se crispa légèrement, comme s'il était redevenu un petit garçon et qu'il se retrouvait face à un étranger qui allait changer sa vie pour toujours. Puis il se tourna vers Charlie.

— Nous allons gagner le Mexique par le Texas, dit-il. Un de mes amis d'El Paso nous rejoindra à notre lieu de rendez-vous habituel à Lubbock. Il aura tous les documents dont vous aurez besoin pour traverser la frontière. Après, nous irons en Amérique du Sud. Je connais des gens à Buenos Aires qui vous hébergeront aussi longtemps que cela sera nécessaire.

Il les regarda l'un après l'autre, mais ses yeux s'arrêtèrent sur Lisa en remarquant l'étrange expression qui s'affichait sur son visage.

— Qu'y a-t-il? demanda-t-il.

— Je ne sais pas exactement, répondit Lisa. Juste le pressentiment que tout ça a un but bien précis.

Bon, très bien, Mexico. C'est parfait, oncle Tom, approuva-t-elle en haussant les épaules.

— Bon, alors, c'est réglé, dit Tom. Allons-y !

Et, quelques secondes plus tard, ils avaient repris la route. Tom conduisit le premier, puis Charlie, et enfin Lisa quand la nuit tomba. John occupait toujours le siège du passager. Allie s'était installée à côté de lui. Elle grignotait une barre de céréales chocolatée. Tom et Charlie dormaient paisiblement sur la banquette arrière.

Allie proposa à John de goûter à sa barre.

— Tu manges, n'est-ce pas ? demanda-t-elle.

— Nous mangeons, répondit John.

— Alors essaie, dit Allie.

John croqua dans la barre.

— C'est bon, dit-il avec un sourire furtif.

— Je ne veux pas faire ça, dit-elle.

Lisa sentit ses doigts se crisper sur le volant. Assez bizarrement, Allie parlait à John d'égale à égal, d'extraterrestre à extraterrestre, chacun possédant des pouvoirs extraordinaires.

— Je sais, lui dit John.

— À la station-service, j'allais pousser ces hommes à se battre entre eux, ajouta Allie. J'aurais pu faire ça, aussi.

— Mais tu ne l'as pas fait.

— Je l'ai presque fait.

— Oui.

— Mais je ne veux pas faire de mal aux gens, enchaîna Allie. Alors, comment est-ce que je peux arrêter ça ? Je veux dire que si je ne pouvais pas faire toutes ces choses, si je n'avais pas ces pouvoirs, alors les gens me laisseraient tranquille, n'est-ce pas ?

— Je ne sais pas, Allie, confessa John.

— Y a-t-il quelque chose que je puisse faire ?

— Non, rien.

— Est-ce que les autres viendront pour toi ?

— Ce n'est pas important, dit John. Puis il prit un air grave : Allie, tu vas devoir traverser des moments difficiles. Tu auras peur et tu seras seule. Il faudra être encore plus forte qu'aujourd'hui.

— Je ne viens pas avec toi, dit-elle avec détermination. Ma place est là, auprès de ma famille.

John fouilla dans sa poche.

— J'ai apporté ça pour toi, dit-il en ouvrant sa main.

La boucle d'oreille en étoile luisait silencieusement dans sa paume.

— Elle appartenait à ton arrière-grand-mère. Elle me l'a donnée quand je suis parti. Je ne peux pas... faire ça plus longtemps.

Allie prit la boucle d'oreille dans sa main.

— Je sais, dit-elle.

Lisa scruta la route devant elle. Elle aperçut une petite station-service qui brillait dans la nuit. Elle y gara la voiture, prit Allie par la main et l'emmena aux toilettes. Une autre voiture s'arrêta alors dans l'allée.

À l'intérieur des toilettes, Lisa demanda à Allie :

— Donne-moi la boucle d'oreille.

Allie tendit la main. La boucle d'oreille reposait dans le creux de sa paume. Lisa la récupéra.

— Je ne te laisserai jamais partir, chérie, dit-elle.

Elle s'agenouilla et colla presque son visage contre celui d'Allie.

— Tu sais, dit-elle, mon père avait l'habitude de me dire que les enfants ne devraient jamais se préoccuper de choses plus compliquées que le base-ball.

Elle sourit tendrement à sa fille et fit glisser ses doigts dans ses longs cheveux.

— Tu vas redevenir une petite fille, je te le promets.

Elle pendit à son collier la boucle d'oreille que John lui avait donnée. Les deux boucles d'oreilles faisaient de nouveau la paire.

— Voilà, elles sont réunies.

Allie sourit.

— Je ne te laisserai pas partir, chérie, répéta Lisa avec une soudaine et furieuse détermination, jamais.

Elle ressentit alors, avec une force inouïe, le plus profond des sentiments humains.

La porte des toilettes s'ouvrit. Lisa se retourna et vit Mary Crawford qui la menaçait d'un revolver.

— Comme c'est charmant, dit Mary d'un ton sarcastique.

Elle s'avança et appuya le canon de l'arme dans le dos de Lisa.

— Je braque un pistolet sur ta mère, dit-elle à Allie. Je parie que j'aurai le temps de tirer avant que tu aies pu transformer l'endroit en soucoupe volante ou en pièce montée...

Lisa regarda Allie.

— Ne tente rien, tu m'entends, l'implora-t-elle.

Mary sourit.

— Sois une gentille petite fille, dit-elle à Allie. Écoute bien ta maman.

Allie jeta un regard courroucé à Mary.

— Allie, quand tu étais dans cette ferme, tu as vu quelque chose qui t'a fait peur, dit Mary. Je pense que tu sais ce qu'ils attendent de toi, et je ne crois pas que tu veuilles le faire.

Allie regarda Lisa, puis de nouveau Mary.

— Je ne veux faire de mal à personne, déclara Mary. Ce n'est vraiment pas mon intention. Tu n'as pas le choix, continua-t-elle avec une voix douce, presque suppliante. Tu aurais déjà dû t'en rendre compte par toi-même. Je peux t'aider. J'ai les moyens et la technologie pour cela. Tu n'as pas vraiment d'autre choix. C'est eux ou moi. Tu ne comprends pas que je veux juste t'aider ?

— Vous mentez, dit froidement Lisa. Vous n'aidez personne.

Mary la dévisagea comme si elle venait de lui cracher à la figure. Elle désigna la porte avec le canon de son arme.

— Allons-y ! dit-elle.

Près de la pompe à essence, Tom retirait le bouchon du réservoir quand ils sortirent des toilettes : Lisa en tête, suivie de Mary qui braquait son pistolet dans son dos.

Charlie se trouvait devant le kiosque lorsqu'il les aperçut. Il se tourna dans la direction de la voiture qui venait de se garer dans l'allée quelques minutes plus tôt. Un homme seul se tenait derrière le volant, la tête légèrement penchée pour voir approcher Mary, Lisa et Allie.

Wakeman ! pensa Charlie. Il bondit aussitôt derrière le kiosque, mais Wakeman l'avait repéré : il le vit s'activer derrière son volant. Le moteur vrombit et la voiture démarra brutalement. Des graviers volèrent sur son passage, et ses pneus crissèrent quand Wakeman tourna pour aller récupérer Mary et ses deux otages. Celle-ci ouvrit prestement la portière arrière de la voiture, poussa Allie et Lisa à l'intérieur et s'engouffra à leur suite.

Lisa jeta un regard par la vitre arrière tandis que la voiture prenait de la vitesse. Charlie leur courait après dans un effort désespéré. Pendant ce temps, Tom s'était précipité au volant de la Durango. Lisa se retourna et nota le terrible changement sur le visage d'Allie.

— Non, murmura-t-elle. Non, Allie.

Mais c'était trop tard.

Les explosions retentirent l'une après l'autre. Quatre exactement, une pour chaque pneu. Et la voiture de Wakeman dut s'arrêter. Un instant plus tard, Charlie était là. Il ouvrit la portière et expulsa violemment Mary du véhicule. Son arme lui échappa et tomba par terre.

— Allie, ne fais plus rien, cria Lisa tandis que Tom s'arrêtait.

— Je n'ai rien fait, dit aussitôt Allie, je n'ai rien fait du tout.

Les yeux de Lisa se détournèrent de sa fille pour aller se poser sur la banquette arrière de la Durango. John était assis, pâle et immobile, comme s'il venait d'épuiser ses dernières réserves d'humanité. Il avait l'air d'un fantôme.

— C'était moins une, dit Tom, tandis que Charlie, Lisa et Allie remontaient à bord de la voiture.

Il appuya sur l'accélérateur et la voiture s'éloigna rapidement.

— Comment nous ont-ils trouvés? demanda-t-il au bout d'un moment.

Charlie regarda Allie dans le rétroviseur.

— Chérie, je peux te demander quelque chose?

— Bien sûr, dit Allie.

— Ces gens du gouvernement, lorsque tu es partie avec eux, ils t'ont mis quelque chose sur la tête?

— Oui, dit Allie. Je les ai entendus dire que c'était pour bloquer un signal que j'ai dans ma tête.

Charlie regarda Tom.

— Lisa doit l'émettre aussi, dit-il.

Tom approuva d'un hochement de tête.

— Si les gens qui ont pris Allie en savent assez pour bloquer ce signal, c'est qu'ils peuvent le capter et donc le repérer.

— C'est comme ça qu'ils nous ont trouvés, dit Lisa.

Charlie secoua la tête.

347

— Ça n'a plus beaucoup de sens d'utiliser des faux papiers et de nous réfugier à Buenos Aires, maintenant! Peu importe où nous allons, ils nous retrouveront.

Il regarda John droit dans les yeux.

— Vous pouvez supprimer ce signal?

John ne dit rien.

— Vous pouvez faire quelque chose pour qu'ils ne puissent plus repérer son signal... ou le mien... dit Lisa. Si vous le pouvez, faites-le. Vous nous devez bien ça.

John secoua la tête.

— Non, je suis trop faible. Mais Allie en est capable.

Il regarda la petite fille.

— Trouve-le en toi, dit-il.

Allie ferma les yeux.

— Tu le sens? demanda John.

Les yeux d'Allie restèrent fermés un moment puis ils s'ouvrirent brusquement. John les examina.

— Elle n'émettra plus de signal désormais, dit-il en lui caressant le visage. Te voilà libre, Allie.

Elle hocha la tête et tendit sa main vers la sienne. Mais le temps qu'elles se rejoignent, la main de John s'était éteinte comme une bougie. Elle était retombée, inerte, et ne comptait plus cinq doigts, mais quatre, dotés de quatre phalanges. Allie regarda ce corps, dont la peau et tous les caractères humains avaient laissé place à une surface lisse et grise comme du métal.

2

L'intérieur du motel était défraîchi, mais Mary n'y prêta pas attention. Elle essayait de repérer leur signal sur son ordinateur portable.

— Ils n'émettent plus, Chet, dit-elle.

Wakeman était couché sur le lit, les mains derrière la tête, les jambes étirées de tout leur long.

— Je sais, dit-il.

Mary le regarda, étonnée.

— Tu le sais?

— Volatilisé. Plus de signal.

— Et l'idée de m'avertir ne t'a pas effleuré l'esprit?

— J'y venais.

— Et leur ami assis à l'arrière de la voiture? demanda Mary.

— Probablement volatilisé lui aussi.

Wakeman se redressa et ouvrit son propre ordinateur portable.

— Regarde ça, dit-il en invitant Mary à se rapprocher de lui. Les lumières s'allument de nouveau. Presque toutes dans l'Idaho et le Nebraska.

Mary avait les yeux collés sur l'écran.

— Alors nous ferions mieux de nous tenir prêts.

Wakeman secoua la tête.

— Tu ne peux rien faire, Mary.

Il semblait se remémorer son comportement à la station-service, quand elle avait pointé son pistolet sur la tête d'Allie.

— Tu l'aurais tuée, n'est-ce pas?

— Je l'aurais arrêtée par tous les moyens, admit Mary.

— Tu ne comptes pas la laisser s'enfuir?

— Non.

Il la regarda tristement, comme s'il l'avait déjà perdue.

— Connais-tu l'histoire de Méduse?

— Elle transformait en pierre tous ceux qui avaient l'audace de la regarder, dit Mary.

— Mais Persée connaissait son secret, dit Wakeman. Et c'est pour ça qu'il a pu la tuer.

— Où veux-tu en venir, Chet ? s'impatienta Mary.

— Je pensais que nous pourrions faire quelque chose ensemble. Révolutionner la science, peut-être, ou simplement tirer le meilleur de ce qu'ils pouvaient nous apporter. Mais, vois-tu, Mary, nous ne sommes pas prêts. Nous sommes de simples spectateurs dans cette histoire. Si nous insistons encore, nous nous changerons en pierre.

Mary secoua énergiquement la tête.

— Je ne laisse pas tomber, Chet. Je vais retrouver cette gamine, et je ne me contenterai pas d'être un simple témoin.

— Mais, Mary…

Elle se tourna vers l'écran de son ordinateur où de nouveaux signaux s'allumaient un peu partout.

— Peut-être ont-ils, eux aussi, perdu sa trace ?

— Bien raisonné, dit Wakeman.

Elle le regarda.

— Comptes-tu m'aider, oui ou non ?

Wakeman hocha la tête.

— Très bien. Réfléchissons un moment. Supposons qu'ils aient perdu sa trace parce que son signal a été éteint.

— Mais comment auraient-ils pu perdre sa trace ? Elle est des leurs.

— C'est une excellente question, admit Wakeman. À quoi penses-tu ?

Mary fit une pause et dit :

— Cet homme qui conduisait leur voiture à la station-service… C'était Tom Clarke. L'oncle de Lisa.

— Je pensais bien l'avoir reconnu. Il a pris un sacré coup de vieux.

— J'avais fait transférer au bureau tous les dossiers de mon grand-père. Tout ce que nous avions sur Tom Clarke. Tu sais que mon grand-père s'est rendu au Texas, une fois.

— Et c'est à cette occasion que Jacob Clarke l'a ridiculisé.

— Tom Clarke possède toujours la ferme de sa mère. C'est là que mon grand-père était venu chercher Jacob.

— Tu penses que c'est là où ils se rendent ?

— J'ai bien envie d'aller jeter un œil.

— Et s'ils sont là ? demanda Wakeman.

Le regard sinistre que lui lança Mary eut valeur de réponse.

Quand elle fut sous la douche, Wakeman décrocha le téléphone et demanda les renseignements.

— Je voudrais un numéro à Austin, au Texas. Tom Clarke.

Il composa le numéro mais tomba sur un répondeur vocal.

Il n'eut pas le temps de finir son message qu'une balle le tua net. Le téléphone tomba de ses mains.

Mary se tenait au-dessus du corps sans vie, les yeux humides. Elle savait que plus personne ne l'aimerait comme il l'avait aimée. Mais il venait de trahir cet amour et cela avait scellé son destin.

Elle déposa le pistolet sur la table de nuit et s'empara du téléphone.

— J'aimerais parler au général Beers. Dites-lui que c'est Mary Crawford qui appelle.

Le général se présenta un peu plus tard. Il découvrit le corps de Wakeman et regarda Mary. Il n'y avait plus rien à cacher désormais, et elle lui raconta tout d'une traite, tout ce qui lui était arrivé, tout ce qui était arrivé à Wakeman, tout ce qu'ils avaient appris et tout ce qu'ils avaient deviné. Puis elle revint à Wakeman, expliqua qu'il avait changé, qu'elle l'avait surpris en train de prévenir les « visiteurs », et qu'elle n'avait donc pas eu d'autre choix que...

— Bon Dieu, soupira Beers. Vous êtes un monstre froid et sans scrupules, Mary.

— M'aiderez-vous ?

Le général la considéra d'un air sombre.

— Quand nous en aurons fini avec tout ça, je veillerai à ce que vous receviez ce que vous méritez, dit-il.

Mary ne protesta pas. Elle comprit alors qu'elle était prête à l'ultime sacrifice.

— Voulez-vous savoir comment nous pouvons mettre le grappin sur Allie ? demanda-t-elle d'un air entendu.

— Oui, répondit sèchement Beers. Dites-moi.

— Vous avez observé les signaux en provenance du nord-ouest ? demanda Mary. Les signaux lumineux ?

— C'est bien tout ce qu'ils ont été, jusqu'à présent.

— Le docteur Wakeman pensait que l'heure allait enfin sonner. Qu'ils s'apprêtaient à venir chercher Allie.

— Pourquoi ne l'ont-ils pas déjà fait ?

— Parce qu'en ce moment même, ils ne savent plus où elle est.

— Mais elle est avec un d'entre eux, celui de la station-service.

— C'est peut-être lui qui a éteint son signal. Peut-être même la protège-t-il…

— Pourquoi ferait-il ça ?

— Les remords ? suggéra Mary.

Le général examina cette éventualité en silence puis déclara :

— Allons-y !

— J'avais retrouvé Allie sur un parking, dit Mary. Elle s'est enfuie dans une voiture avec l'aide de cet extraterrestre. Elle est épuisée, général. Et elle est seule. Au moins tant qu'ils ne l'ont pas retrouvée.

— Et vous comptez la retrouver avant eux, dit le général.

— Je veux finir ce que j'ai commencé, dit Mary d'un ton sinistre. Ce dont vous avez maintenant besoin, c'est quelqu'un qui comprenne ce à quoi vous allez être confronté. Et ce quelqu'un, c'est moi.

Le général Beers la dévisagea quelques instants.

— Je veux que vous sachiez que travailler avec vous me dégoûte au plus haut point, déclara-t-il.

Mary esquissa un fin sourire.

— Je vous comprends, dit-elle.

Lubbock, Texas

Tom et Charlie regardaient en silence les champs environnant la ferme. Au bout d'un moment, Lisa vint les rejoindre dehors.

— Comment va Allie? demanda Tom.

— Toujours pareil, répondit Lisa. Vous pensez qu'ils vont venir? Mary et le...

Charlie hocha la tête.

— Ça n'est qu'une question de temps.

— Il n'y a pas de raison de fuir si l'on ne peut fuir nulle part, ajouta Tom.

Charlie médita sur ces paroles un instant, puis dit :

— Quelque chose comme ça... Si le gouvernement peut faire ce qu'il fait, c'est parce que personne ne le voit agir. J'ai une idée, dit-il alors en souriant. Tom, où peut-on téléphoner ailleurs que chez toi?

Allie dormait dans son lit. Sa respiration était paisible et John la veillait en silence. Il avait retrouvé son apparence humaine, avec ses poils sur les bras et ses mains à cinq doigts. Il lui caressa doucement la tête. Les yeux de la petite fille ne tardèrent pas à s'ouvrir.

353

— J'ai pensé que si j'avais de nouveau l'air d'un homme, ce serait plus facile de se dire au revoir, murmura John.

Un sourire triste affleurait sur ses lèvres.

— Je ne peux pas rester plus longtemps avec toi, Allie. Sinon, tôt ou tard, ils te retrouveront.

— Pourquoi ? demanda-t-elle.

— Parce que cette chose que tu as dans la tête, quand elle a cessé d'émettre son signal, ce ne sont pas seulement ces gens qui ont perdu ta trace. Une fois que je serai parti, plus personne ne saura où tu es, et tu auras alors une chance de pouvoir redevenir une petite fille comme les autres. Si la situation devient trop dure, si tu sens que tu ne peux plus rester ici, tu pourras nous contacter. Tu pourras faire appel à cette part de toi-même qui nous est commune. Nous saurons alors où te trouver... et nous viendrons te chercher. Mais ce sera ton choix, Allie. Ce ne sera pas parce que nous t'aurons... enlevée.

Il se leva et sortit de la chambre. Pendant quelques instants, Allie attendit dans son lit. Mais elle ne put résister longtemps à l'envie qu'elle éprouvait de revoir John encore une fois. Elle bondit de son lit et se précipita hors de la maison. Puis elle se mit à courir le long de la route déserte jusqu'à ce qu'elle l'aperçût enfin : il avait quitté son enveloppe humaine et repris sa forme lisse et luisante dans l'air nocturne.

— Je peux t'accompagner une minute ? demanda-t-elle.

— Pas plus loin que la lisière du bois, alors.

Ils marchèrent ensemble le long de la route et atteignirent bientôt les premiers arbres.

— Tu ne dois pas aller plus loin, lui dit John.

Elle lut dans ses grands yeux taillés en amande quelque chose de nouveau et de merveilleux... une émotion.

Puis il se retourna et s'enfonça dans les bois, abandonnant Allie à une solitude qu'elle n'avait jamais aussi durement ressentie.

Ils trouvèrent un restaurant juste à l'entrée de la ville. Tom sortit de la voiture et se dirigea vers une cabine téléphonique. Il composa le numéro.

— C'est à propos de cette petite fille, Bill, dit-il quand William Jeffreys le prit en ligne.

— Est-ce bien l'auditeur auquel je pense? demanda Jeffreys. Tom Clarke, du Texas! C'est écrit sur mon écran. Dites-moi tout.

— C'est à propos de cette petite fille, répéta Tom. Celle que l'armée recherche. Vos auditeurs en ont beaucoup parlé.

— Oui, nous avons reçu beaucoup d'appels, dit Jeffreys.

— Les gens qui ont appelé vous ont dit la vérité, dit Tom. Je connais cette petite fille et j'espère que vos auditeurs pourront m'aider.

Quelques heures plus tard, après leur retour à la ferme, ils aperçurent des nuages de poussière au-dessus de la route. La vieille Winnebago de William Jeffreys ouvrait la marche, suivie d'une file de voitures qui formaient comme une colonne militaire sur la route. Tous avaient fait un long voyage, et la poussière qu'ils déplaçaient s'élevait assez haut pour toucher le vaste et insondable ciel.

3

Depuis le seuil de la ferme, Charlie et Lisa observaient la scène chaotique qui se déroulait sous leurs yeux. Les terres de la vieille propriété de Sally Clarke étaient à présent noires de monde. Plus loin, l'armée avait délimité un périmètre de sécurité autour des champs environnants. Des soldats armés jusqu'aux dents avaient été postés tout autour. Ils n'attendaient plus que l'ordre de se mettre en marche pour évacuer la foule et s'emparer d'Allie comme d'une vulgaire prise de guerre.

Tom rejoignit Charlie et Lisa sous le porche.

— J'ai tous les papiers qu'il vous faut. Les passe-ports, les visas, tout. Il y a une petite route qui débouche sur l'autoroute 177. Nous l'avons emprun-tée ce matin, et nous sommes passés de l'autre côté du périmètre.

Il tourna la tête en direction de la foule.

— Nos partisans sont armés aussi, dit-il, l'air sombre. Si l'armée bouge…

— Je ne veux pas que vous en arriviez là.

Charlie tourna la tête et vit Allie qui se tenait juste derrière lui, les yeux fixés sur tous ces gens qui occupaient les terres de la vieille ferme.

— Je veux leur parler, dit-elle.

Lisa se précipita vers Allie.

— Ça va, ma chérie ? lui demanda-t-elle.

— Tout est prêt, dit Charlie. Il faut y aller.

Allie secoua la tête.

— Non. Pas maintenant. Ils ont peur. Ils ont besoin de quelque chose.

Elle marcha en direction des champs.

— Salut, dit-elle.

Les gens se tournèrent vers elle, le regard plein d'attente.

— Je sais que vous êtes tous terrorisés, mais vous n'avez plus de raison d'avoir peur, leur dit Allie.

Lisa s'avança et s'agenouilla à côté de sa fille.

— Chérie, tu ne dois pas te sentir obligée. Tu ne dois te sentir obligée à rien.

Mais Allie continuait à faire face à la foule.

— Vous avez quelque chose dans vos têtes, dit-elle. C'est ce qui leur permet de savoir où vous êtes. Je peux éteindre le signal. Sans le signal, ils ne se manifesteront plus. N'ayez pas peur.

Les gens commencèrent à approcher. Et chacun d'eux la regardait, fasciné.

— Ils ne viendront plus vous prendre, leur assura Allie. Ils ne pourront plus vous localiser. Personne ne viendra plus jamais vous enlever.

Ses yeux balayèrent la foule de gauche à droite, mais son regard sembla s'arrêter sur chacune des personnes présentes autour d'elle.

— Je sais que ce qu'ils vous ont fait peut sembler injuste. Mais, si vous voyiez les choses sous un autre angle, alors vous comprendriez que le moment était simplement venu pour que cela arrive.

Allie ferma les yeux. Et les gens cessèrent soudain d'avancer, comme si elle le leur avait ordonné. Ses globes oculaires étaient immobiles sous ses paupières closes, mais une mystérieuse énergie semblait en émaner. On eût dit qu'un millier de rayons invisibles s'étaient subitement dirigés vers chaque individu pour le débarrasser de l'implant extraterrestre logé dans son crâne.

La foule poussa un gémissement sourd lorsque le premier implant, après avoir glissé le long d'une cloison nasale, tomba sur le sol sans un bruit. Un soupir de soulagement traversa alors l'assistance, comme si une lourde chaîne avait été brisée, les libérant d'un coup de leur longue servitude.

Certains pleuraient, d'autres riaient. Mais la joie d'être libre s'affichait sur chaque visage.

La foule se remit à avancer vers la maison et, derrière elle, Charlie s'aperçut que l'armée bougeait aussi. Il vint s'agenouiller près d'Allie, qui restait immobile. Elle regarda d'abord Charlie, puis Lisa, et tous deux comprirent que la fin approchait.

— Tu seras toujours ma petite fille, dit Lisa, autant pour elle-même que pour Allie.

Charlie bondit en avant et cria à la foule :

— Écoutez-moi, tous autant que vous êtes ! Ils ne nous feront rien ! Nous sommes trop nombreux ! Voulez-vous nous aider ?

La foule répondit par un féroce rugissement.

— Alors, vous allez tous rester devant le porche, hurla Charlie. Vous allez tous rester devant Allie. S'ils veulent la prendre, alors ils devront nous passer dessus.

Aussitôt, les gens obéirent en formant un demi-cercle autour du porche. Puis ils tournèrent le dos à Allie pour faire face aux soldats qui approchaient.

Une voix puissante retentit :

— Cette zone est sous contrôle fédéral. Veuillez vous préparer à nous suivre, s'il vous plaît.

La foule ne bougea pas d'un pouce. La voix du haut-parleur éclata de nouveau :

— Vos véhicules et vos effets personnels sont susceptibles de vous être confisqués à l'issue de cette opération.

Tout le monde demeura immobile. La résolution n'avait pas changé de camp. Lisa se tourna vers Allie.

— Vont-ils venir te chercher maintenant ? demanda-t-elle.

— John m'a laissé la liberté de décider, répondit Allie.

Elle adressa un regard plein d'amour à sa mère.

— Si nous avions été des gens comme les autres, crois-tu que Charlie serait venu vivre avec nous et que nous aurions formé une famille ?

Lisa sourit tendrement à Allie.

— Oui, je suis sûre que oui.

— Je ne veux pas partir, dit Allie. Je veux rester avec vous.

— Alors reste, dit Lisa. Nous avons un plan. Nous pouvons nous échapper, maintenant.

Elle comprit que ce n'était pas possible. Même si Allie avait exprimé son désir, elle y avait déjà renoncé.

— Tout se passera bien, la rassura Lisa.

Soudain, Allie se détourna d'elle et embrassa d'un seul regard la foule et les forces militaires, un peu plus loin. Une pluie de pierres en provenance de la foule se mit à tomber sur les soldats et leurs véhicules. De l'autre côté de la foule, des petites explosions résonnèrent et des capsules de gaz lacrymogène fusèrent dans l'air nocturne.

Lisa attira Allie dans ses bras.

— Nous ferions mieux de rentrer à l'intérieur, dit-elle.

Allie se dégagea de l'étreinte de sa mère.

— Non, dit-elle.

Soudain, un rai d'une lumière éclatante illumina l'obscurité, comme s'il s'agissait d'une comète, et c'est toute la texture du ciel qui commença à changer.

La foule médusée assistait en silence à ce spectacle céleste qui se déchaînait au-dessus d'elle, à cet incroyable jeu de lumières surnaturelles sur le fond noir de la nuit.

Le regard d'Allie n'avait jamais été aussi calme lorsqu'elle se tourna vers cette marée humaine : les soldats pétrifiés, Mary et le général Beers, de plus en plus effarés à mesure que la lumière s'intensifiait autour d'eux, toujours plus vive, toujours plus aveuglante, toujours plus insondable... telle l'aube d'un monde nouveau.

*Cet ouvrage a été composé
par Atlant' Communication
aux Sables-d'Olonne (Vendée)*

Impression réalisée sur CAMERON par

BRODARD & TAUPIN

GROUPE CPI

La Flèche (Sarthe)

*en novembre 2003
pour le compte des Éditions de l'Archipel
département éditorial
de la S.A.R.L. Écriture-Communication*

Imprimé en France
N° d'édition : 635 – N° d'impression : 21422
Dépôt légal : novembre 2003